대화로 배우는 한국어

ıhasa Indonesia(인도네시아어)
edisi terjemahan(번역판)

- 대화 (nomina) : pembicaraan
  hal saling berhadapan dan saling bercakap-cakap, atau untuk menyebut percakapan yang demikian

- 로 : dengan
  partikel yang menyatakan cara atau tata cara suatu pekerjaan

- 배우다 (verba) : belajar
  mendapat pengetahuan baru

- -는 : yang
  akhiran untuk membuat kata di depannya berfungsi sebagai pewatas dan menyatakan kejadian atau tindakan terjadi sekarang

- 한국어 (nomina) : bahasa Korea
  bahasa yang digunakan orang Korea

※ 이 책의 폰트는 '함초롬 바탕체'를 사용하였습니다.

< 저자(penulis) >

㈜한글2119연구소

· 연구개발전담부서

· ISO 9001 : 품질경영시스템 인증

· ISO 14001 : 환경경영시스템 인증

· 이메일(surat elektronik) : gjh0675@naver.com

< 동영상(video) 자료(data) >

HANPUK_bahasa Indonesia(penerjemahan)
https://www.youtube.com/@HANPUK_Indonesian

제 2024153361 호

연구개발전담부서 인정서

1. 전담부서명: 연구개발전담부서

   [소속기업명: (주)한글2119연구소]

2. 소　재　지: 인천광역시 부평구 마장로264번길 33
   　　　　　　상가동 제지하층 제2호 (산곡동, 뉴서울아파트)

3. 신고 연월일: 2024년 05월 02일

과학기술정보통신부

「기초연구진흥 및 기술개발지원에 관한 법률」제14조의
2제1항 및 같은 법 시행령 제27조제1항에 따라 위와 같이
기업의 연구개발전담부서로 인정합니다.

2024년 5월 13일

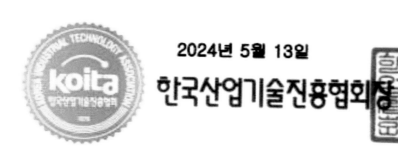

한국산업기술진흥협회장

G-CERTI *certificate*

hereby certifies that

Hangul 2119 Research Institute Co., Ltd.

Rm. 2, Lower level, Sangga-dong, 33, Majang-ro 264beon-gil, Bupyeong-gu, Incheon, Korea

meets the Standard Requirements & Scope as following

ISO 9001:2015
Quality Management Systems

**Creation of Media Content, Publication
of Korean Paper and Electronic Textbooks, Production
and Release of Albums for Korean Language Education**

Certificate No: GIS-6934-QC   Code   : 08, 39
Initial Date   : 2024-05-21   Issue Date   : 2024-05-21
Expiry Date   : 2027-05-20   Valid Period : 2024-05-21 ~ 2027-05-20

Signed for and on behalf of GCERTI
President I.K Cho

G-CERTi
SYSTEM SERVICE
MSCB-113

IAS ACCREDITED
Management Systems
Certification Body

IAF

G-CERTI *certificate*

hereby certifies that

Hangul 2119 Research Institute Co., Ltd.

**Rm. 2, Lower level, Sangga-dong, 33, Majang-ro 264beon-gil,
Bupyeong-gu, Incheon, Korea**

meets the Standard Requirements & Scope as following

ISO 14001:2015
Environmental Management Systems

**Creation of Media Content, Publication
of Korean Paper and Electronic Textbooks, Production and
Release of Albums for Korean Language Education**

Certificate No: GIS-6934-EC	**Code**	: 08, 39
Initial Date : 2024-05-21	**Issue Date**	: 2024-05-21
Expiry Date : 2027-05-20	**Valid Period**	: 2024-05-21 ~ 2027-05-20

Signed for and on behalf of GCERTI
President / K. Cho

G-CERTi
SYSTEM SERVICE
MSCB-113

IAS ACCREDITED
Management Systems
Certification Body
MSCB-113

< 목차(daftar) >

< 대화(pembicaraan) > - 1

배고플 텐데 왜 밥을 많이 남겼어?
배고플 텐데 왜 바블 마니 남겨써?
baegopeul tende wae babeul mani namgyeosseo?

사실은 조금 전에 간식으로 빵을 먹었거든요.
사시른 조금 저네 간시그로 빵을 머걷꺼드뇨.
sasireun jogeum jeone gansigeuro ppangeul meogeotgeodeunyo.

< 설명(penjelasan) / 번역(penerjemahan) >

<u>배고프</u>+[<u>ㄹ 텐데]</u> 왜 밥+을 많이 <u>남기</u>+<u>었</u>+<u>어</u>?
　　배고플 텐데　　　　　　　　　　남겼어

• **배고프다 (adjektiva)** : 배 속이 빈 것을 느껴 음식이 먹고 싶다.
   lapar, kelaparan
   perut terasa kosong sehingga ingin makan sesuatu

• **ㅡㄹ 텐데** : 앞에 오는 말에 대하여 말하는 사람의 강한 추측을 나타내면서 그와 관련되는 내용을 이어
   　　　　　말할 때 쓰는 표현.
   mungkin pasti
   ungkapan untuk mengatakan sesuatu yang berhubungan dengan dugaan pembicara tentang
   perkataan depan

• **왜 (adverbia)** : 무슨 이유로. 또는 어째서.
   kenapa, mengapa
   untuk alasan apa, atau bagaimana bisa

• **밥 (nomina)** : 쌀과 다른 곡식에 물을 붓고 물이 없어질 때까지 끓여서 익힌 음식.
   nasi
   makanan berupa beras dan biji-bijian lain yang diberi air dan direbus hingga air surut agar
   matang

• **을** : 동작이 직접적으로 영향을 미치는 대상을 나타내는 조사.
   Tiada Penjelasan Arti
   partikel yang menyatakan objek dari suatu gerakan yang secara langsung memberikan
   pengaruh

- **많이 (adverbia)** : 수나 양, 정도 등이 일정한 기준보다 넘게.
  dengan banyak
  dengan angka atau jumlah, kadar, dsb melebihi standar yang ditentukan

- **남기다 (verba)** : 다 쓰지 않고 나머지가 있게 하다.
  menyisakan
  tidak menghilangkan jumlah atau angka yang ditentukan dan mempertahankan seluruh atau sebagian seperti apa adanya atau seperti sebelumnya

- **-었-** : 어떤 사건이 과거에 완료되었거나 그 사건의 결과가 현재까지 지속되는 상황을 나타내는 어미.
  sudah, pasti, yakin
  akhiran kalimat yang menyatakan sebuah peristiwa sudah selesai di masa lampau atau menyatakan keadaan di mana hasil peristiwa tersebut terus berlangsung hingga sekarang

- **-어** : (두루낮춤으로) 어떤 사실을 서술하거나 **물음**, 명령, 권유를 나타내는 종결 어미.
  -kah, -lah
  (dalam bentuk rendah) akhiran penutup untuk menyatakan suatu kenyataan atau menandai pertanyaan, perintah, dan ajakan <pertanyaan>

사실+은 조금 전+에 간식+으로 빵+을 먹+었+거든요.

- **사실 (nomina)** : 겉으로 드러나지 않은 일을 솔직하게 말할 때 쓰는 말.
  sebenarnya
  kata yang digunakan ketika berbicara dengan jujur akan hal yang tidak terlihat dari luar

- **은** : 문장 속에서 어떤 대상이 화제임을 나타내는 조사.
  Tiada Penjelasan Arti
  partikel yang menyatakan suatu objek menjadi topik di dalam kalimat

- **조금 (nomina)** : 짧은 시간 동안.
  sebentar
  dalam waktu yang sangat singkat

- **전 (nomina)** : 일정한 때보다 앞.
  sebelum
  sebelum waktu tertentu

- **에** : 앞말이 시간이나 때임을 나타내는 조사.
  pada
  partikel yang menyatakan kalimat di depan adalah waktu atau saat

- **간식 (nomina)** : 식사와 식사 사이에 간단히 먹는 음식.
  makanan kecil, cemilan
  makanan yang dimakan dengan mudah sebelum atau sesudah makan besar

- **으로** : 신분이나 자격을 나타내는 조사.
  sebagai, menjadi
  partikel yang menyatakan jati diri atau kelayakan

- **빵 (nomina)** : 밀가루를 반죽하여 발효시켜 찌거나 구운 음식.
  roti
  makanan yang terbuat dari adonan tepung yang difermentasi kemudian dikukus atau dipanggang

- **을** : 동작이 직접적으로 영향을 미치는 대상을 나타내는 조사.
  Tiada Penjelasan Arti
  partikel yang menyatakan objek dari suatu gerakan yang secara langsung memberikan pengaruh

- **먹다 (verba)** : 음식 등을 입을 통하여 배 속에 들여보내다.
  makan
  memasukkan makanan ke dalam mulut lalu menelannya

- **-었-** : 사건이 과거에 일어났음을 나타내는 어미.
  sudah, pasti, yakin
  akhiran kalimat yang menyatakan peristiwa terjadi di masa lampau

- **-거든요** : (두루높임으로) 앞의 내용에 대해 말하는 사람이 생각한 이유나 원인, 근거를 나타내는 표현.
  karena, soalnya, sebenarnya
  (dalam bentuk hormat) ungkapan yang menunjukkan alasan atau sebab, bukti yang dipikirkan orang yang berbicara mengenai keterangan di depan

< 대화(pembicaraan) > - 2

제가 지금 돈이 얼마 없거든요. 회비를 다음에 드려도 될까요?
제가 지금 도니 얼마 업꺼드뇨. 회비를 다으메 드려도 될까요?
jega jigeum doni eolma eopgeodeunyo. hoebireul daeume deuryeodo doelkkayo?

네. 그럼 다음 주 모임에 오실 때 주세요.
네. 그럼 다음 주 모이메 오실 때 주세요.
ne. geureom daeum ju moime osil ttae juseyo.

< 설명(penjelasan) / 번역(penerjemahan) >

제+가 지금 돈+이 얼마 없+거든요.

회비+를 다음+에 드리+[어도 되]+ㄹ까요?
드려도 될까요

- 제 (pronomina) : 말하는 사람이 자신을 낮추어 가리키는 말인 '저'에 조사 '가'가 붙을 때의 형태.
  saya
  bentuk ketika melekatkan partikel '가' ke '저' yang berarti 'saya' dalam bentuk sopan

- 가 : 어떤 상태나 상황에 놓인 대상이나 동작의 주체를 나타내는 조사.
  Tiada Penjelasan Arti
  partikel yang menyatakan subjek sebuah keadaan atau situasi atau pelaku utama sebuah tindakan

- 지금 (adverbia) : 말을 하고 있는 바로 이때에. 또는 그 즉시에.
  sekarang
  saat sedang berbicara, atau pada saat itu

- 돈 (nomina) : 물건을 사고팔 때나 일한 값으로 주고받는 동전이나 지폐.
  uang
  uang logam atau uang kertas yang diberi dan diterima sebagai bayaran tertentu saat menjualbelikan barang

• 이 : 어떤 상태나 상황의 대상이나 동작의 주체를 나타내는 조사.
  Tiada Penjelasan Arti
  partikel yang menyatakan objek dari suatu keadaan atau kondisi atau pelaku dari suatu tindakan

• 얼마 (nomina) : 밝힐 필요가 없는 적은 수량, 값, 정도.
  seberapa, sekian
  menyatakan jumlah, harga, kadar yang sedikit yang tidak perlu disebutkan

• 없다 (adjektiva) : 어떤 물건을 가지고 있지 않거나 자격이나 능력 등을 갖추지 않은 상태이다.
  tidak ada
  keadaan tidak memiliki suatu benda atau tidak mempunyai kelayakan atau kemampuan dsb

• -거든요 : (두루높임으로) 앞으로 이어질 내용의 전제를 이야기하면서 뒤에 이야기가 계속 이어짐을 나타내는 표현.
  tetapi
  (dalam bentuk hormat) ungkapan yang menunjukkan hal menceritakan keseluruhan penjelasan yang berlangsung ke depannya sambil terus cerita di belakangnya berlanjut

• 회비 (nomina) : 모임에서 사용하기 위하여 그 모임의 회원들이 내는 돈.
  iuran
  uang yang dikeluarkan oleh anggota-anggota yang termasuk dalam suatu perkumpulan untuk digunakan oleh perkumpulan itu sendiri

• 를 : 동작이 직접적으로 영향을 미치는 대상을 나타내는 조사.
  Tiada Penjelasan Arti
  partikel yang menyatakan objek dari suatu gerakan yang secara langsung memberikan pengaruh

• 다음 (nomina) : 시간이 지난 뒤.
  kapan-kapan, nanti, lain kali
  setelah waktu berlalu

• 에 : 앞말이 시간이나 때임을 나타내는 조사.
  pada
  partikel yang menyatakan kalimat di depan adalah waktu atau saat

• 드리다 (verba) : (높임말로) 주다. 무엇을 다른 사람에게 건네어 가지게 하거나 사용하게 하다.
  mempersembahkan, menyerahkan
  (dalam sebutan hormat) memberi. menyampaikan sesuatu kepada orang lain

• -어도 되다 : 어떤 행동에 대한 허락이나 허용을 나타낼 때 쓰는 표현.
  boleh, memperbolehkan
  ungkapan yang digunakan ketika menyatakan mengizinkan atau membolehkan suatu tindakan

• -ㄹ까요 : (두루높임으로) 듣는 사람에게 의견을 묻거나 제안함을 나타내는 표현.
  apakah, maukah
  (dalam bentuk hormat) ungkapan yang menunjukkan hal menanyakan atau mengajukan pendapat kepada orang yang mendengar

네.

그럼 다음 주 모임+에 오+시+[ㄹ 때] 주+세요.
오실 때

• 네 (interjeksi) : 윗사람의 물음이나 명령 등에 긍정하여 대답할 때 쓰는 말.
  ya
  kata yang digunakan untuk memberikan jawaban positif, setuju terhadap pertanyaan, perintah orang yang lebih tua umurnya, atau lebih tinggi posisinya

• 그럼 (adverbia) : 앞의 내용을 받아들이거나 그 내용을 바탕으로 하여 새로운 주장을 할 때 쓰는 말.
  jadi, maka, kalau demikian
  kata yang digunakan saat menerima isi ucapan yang ada di depan atau membuat pernyataan baru berdasar latar belakang tersebut

• 다음 (nomina) : 이번 차례의 바로 뒤.
  berikut, berikutnya
  tepat berikutnya setelah urutan pada kali ini

• 주 (nomina) : 월요일부터 일요일까지의 칠 일 동안.
  minggu
  selama tujuh hari, mulai hari minggu sampai hari sabtu

• 모임 (nomina) : 어떤 일을 하기 위하여 여러 사람이 모이는 일.
  pertemuan, perkumpulan
  kegiatan di mana beberapa orang berkumpul untuk melakukan suatu hal

• 에 : 앞말이 목적지이거나 어떤 행위의 진행 방향임을 나타내는 조사.
  ke
  partikel yang menyatakan kalimat di depan adalah tempat tujuan atau arah jalannya tindakan

• 오다 (verba) : 어떤 목적이 있는 모임에 참석하기 위해 다른 곳에 있다가 이곳으로 위치를 옮기다.
  datang, ikut serta
  berpindah lokasi dari tempat lain ke tempat ini untuk berpartisipasi dalam pertemuan yang memiliki tujuan tertentu

- -시- : 어떤 동작이나 상태의 주체를 높이는 뜻을 나타내는 어미.

  Tiada Penjelasan Arti

  akhiran kalimat yang menyatakan arti meninggikan subjek atau topik suatu tindakan atau keadaan

- -ㄹ 때 : 어떤 행동이나 상황이 일어나는 동안이나 그 시기 또는 그러한 일이 일어난 경우를 나타내는 표현.

  ketika, waktu, saat

  ungkapan yang menunjukkan hal selama atau sewaktu suatu tindakan atau kondisi berlangsung, atau saat hal yang demikian terjadi

- 주다 (verba) : 물건 등을 남에게 건네어 가지거나 쓰게 하다.

  kasih, memberi

  mengeluarkan barang dsb untuk orang lain kemudian membuat menjadi memiliki atau menggunakannya

- -세요 : (두루높임으로) 설명, 의문, 명령, **요청**의 뜻을 나타내는 종결 어미.

  apakah, silakan

  (dalam bentuk hormat) akhiran kalimat penutup yang menyatakan arti penjelasan, pertanyaan, perintah, permintaan, dsb <permohonan>

< 대화(pembicaraan) > - 3

내가 급한 사정이 생겨서 못 가게 된 공연 티켓이 있는데 네가 갈래?
내가 그판 사정이 생겨서 몯 가게 된 공연 티케시 인는데 네가 갈래?
naega geupan sajeongi saenggyeoseo mot gage doen gongyeon tikesi inneunde nega gallae?

정말? 그러면 나야 고맙지.
정말? 그러면 나야 고맙찌.
jeongmal? geureomyeon naya gomapji.

< 설명(penjelasan) / 번역(penerjemahan) >

내+가 급하+ㄴ 사정+이 생기+어서 못 가+[게 되]+ㄴ 공연 티켓+이 있+는데
　　급한　　　　　생겨서　　　　　가게 된

네+가 가+ㄹ래?
　　갈래

- 내 (pronomina) : '나'에 조사 '가'가 붙을 때의 형태.
  aku, saya
  bentuk saat partikel '가' melekat pada '나'

- 가 : 어떤 상태나 상황에 놓인 대상이나 동작의 주체를 나타내는 조사.
  Tiada Penjelasan Arti
  partikel yang menyatakan subjek sebuah keadaan atau situasi atau pelaku utama sebuah tindakan

- 급하다 (adjektiva) : 사정이나 형편이 빨리 처리해야 할 상태에 있다.
  mendesak
  situasi atau kondisi berada dalam keadaan harus segera diselesaikan

- -ㄴ : 앞의 말이 관형어의 기능을 하게 만들고 현재의 상태를 나타내는 어미.
  yang
  akhiran yang membuat kata di depannya berfungsi sebagai kata pewatas, dan menyatakan keadaan saat ini

• 사정 (nomina) : 일의 형편이나 이유.
keadaan, kondisi
kondisi atau penjelasan dari suatu hal

• 이 : 어떤 상태나 상황의 대상이나 동작의 주체를 나타내는 조사.
Tiada Penjelasan Arti
partikel yang menyatakan objek dari suatu keadaan atau kondisi atau pelaku dari suatu tindakan

• 생기다 (verba) : 사고나 일, 문제 등이 일어나다.
terjadi, terdapat
kecelakaan atau hal, masalah, dsb muncul

• -어서 : 이유나 근거를 나타내는 연결 어미.
lalu, kemudian, karena, dengan
kata penutup sambung yang menyatakan alasan atau landasan

• 못 (adverbia) : 동사가 나타내는 동작을 할 수 없게.
tidak bisa, tidak mampu
tidak bisa melakukan suatu tindakan yang muncul di kata kerja

• 가다 (verba) : 어떤 목적을 가진 모임에 참석하기 위해 이동하다.
pergi
bergerak untuk menghadiri suatu pertemuan yang memiliki tujuan

• -게 되다 : 앞의 말이 나타내는 상태나 상황이 됨을 나타내는 표현.
menjadi
ungkapan yang menyatakan keadaan atau situasi yang disebutkan dalam kalimat di depan terwujud, atau menyatakan terwujud dalam keadaan demikian

• -ㄴ : 앞의 말이 관형어의 기능을 하게 만들고 사건이나 동작이 완료되어 그 상태가 유지되고 있음을 나타내는 어미.
yang
akhiran yang membuat kata di depannya berfungsi sebagai kata pewatas, dan menyatakan bahwa tindakan atau peristiwa sudah selesai dan menahan keadaan itu

• 공연 (nomina) : 음악, 무용, 연극 등을 많은 사람들 앞에서 보이는 것.
pertunjukan, tontonan, persembahan
hal negara atau anggota masyarakat menjalankan atau mengatur suatu kegiatan demi keuntungan bersama

• 티켓 (nomina) : 입장권, 승차권 등의 표.
tiket, karcis
tiket masuk, karcis penumpang, dsb

- 이 : 어떤 상태나 상황의 대상이나 동작의 주체를 나타내는 조사.
  Tiada Penjelasan Arti
  partikel yang menyatakan objek dari suatu keadaan atau kondisi atau pelaku dari suatu tindakan

- 있다 (adjektiva) : 어떤 물건을 가지고 있거나 자격이나 능력 등을 갖춘 상태이다.
  ada, sudah punya
  keadaan sudah mempunyai sesuatu

- -는데 : 뒤의 말을 하기 위하여 그 대상과 관련이 있는 상황을 미리 말함을 나타내는 연결 어미.
  sebenarnya, nyatanya
  akhiran kalimat penyambung yang menyatakan mengatakan terlebih dahulu keadaan yang berhubungan sebelum mengatakan kalimat yang berhubungan

- 네 (pronomina) : '너'에 조사 '가'가 붙을 때의 형태.
  kamu, engkau
  bentuk saat partikel subjek '가' melekat pada '너'

- 가 : 어떤 상태나 상황에 놓인 대상이나 동작의 주체를 나타내는 조사.
  Tiada Penjelasan Arti
  partikel yang menyatakan subjek sebuah keadaan atau situasi atau pelaku utama sebuah tindakan

- 가다 (verba) : 어떤 목적을 가진 모임에 참석하기 위해 이동하다.
  pergi
  bergerak untuk menghadiri suatu pertemuan yang memiliki tujuan

- -ㄹ래 : (두루낮춤으로) 앞으로 어떤 일을 하려고 하는 자신의 의사를 나타내거나 그 일에 대하여 듣는 사람의 의사를 물어봄을 나타내는 종결 어미.
  mau, ingin, akan
  (dalam bentuk rendah) kata penutup final yang menyatakan maksud diri sendiri untuk melakukan suatu pekerjaan ke masa depan atau menanyakan maksud pendengar tentang pekerjaan tersebut

정말?

그러면 나+야 고맙+지.

- 정말 (nomina) : 거짓이 없는 사실. 또는 사실과 조금도 틀림이 없는 말.
  fakta, kenyataan
  kebenaran yang tidak ada kebohongan, atau perkataan yang tidak ada perbedaan sedikitpun dengan yang sebenarnya

• **그러면 (adverbia)** : 앞의 내용이 뒤의 내용의 조건이 될 때 쓰는 말.
kalau memang demikian
kalau memang begitu

• **나 (pronomina)** : 말하는 사람이 친구나 아랫사람에게 자기를 가리키는 말.
aku
kata yang digunakan orang yang berbicara untuk menunjuk dirinya sendiri kepada teman atau orang yang berada di bawahnya

• **야** : 강조의 뜻을 나타내는 조사.
Tiada Penjelasan Arti
partikel yang menyatakan arti penekanan

• **고맙다 (adjektiva)** : 남이 자신을 위해 무엇을 해주어서 마음이 흐뭇하고 보답하고 싶다.
terima kasih
perasaan senang dan ingin membalas budi kepada orang lain yang telah melakukan kebaikan untuk kita

• **-지** : (두루낮춤으로) 말하는 사람이 자신에 대한 이야기나 자신의 생각을 친근하게 말할 때 쓰는 종결 어미.
kan?, bukan?
(dalam bentuk rendah) kata penutup final yang digunakan saat pembicara berbicara tentang dirinya atau saat mengatakan pikirannya secara akrab

< 대화(pembicaraan) > - 4

저녁때 손님이 오신다고 불고기에다가 잡채까지 준비하게요?
저녁때 손니미 오신다고 불고기에다가 잡채까지 준비하게요?
jeonyeoktae sonnimi osindago bulgogiedaga japchaekkaji junbihageyo?

그럼, 그 정도는 준비해야지.
그럼, 그 정도는 준비해야지.
geureom, geu jeongdoneun junbihaeyaji.

< 설명(penjelasan) / 번역(penerjemahan) >

저녁때 손님+이 <u>오+시+ㄴ다고</u> 불고기+에다가 잡채+까지 준비하+게요?
오신다고

- **저녁때 (nomina)** : 저녁밥을 먹는 때.
  waktu makan malam
  waktu makan malam

- **손님 (nomina)** : (높임말로) 다른 곳에서 찾아온 사람.
  tamu
  (dalam sebutan hormat) orang yang berkunjung dari tempat lain

- 이 : 어떤 상태나 상황의 대상이나 동작의 주체를 나타내는 조사.
  Tiada Penjelasan Arti
  partikel yang menyatakan objek dari suatu keadaan atau kondisi atau pelaku dari suatu tindakan

- **오다 (verba)** : 무엇이 다른 곳에서 이곳으로 움직이다.
  datang,kemari, ke sini
  sesuatu bergerak dari tempat lain ke sini

- -시- : 어떤 동작이나 상태의 주체를 높이는 뜻을 나타내는 어미.
  Tiada Penjelasan Arti
  akhiran kalimat yang menyatakan arti meninggikan subjek atau topik suatu tindakan atau keadaan

• -ㄴ다고 : 어떤 행위의 목적, 의도를 나타내거나 어떤 상황의 이유, 원인을 나타내는 연결 어미.

untuk, karena

kata penutup sambung yang menyatakan tujuan atau maksud suatu tindakan atau alasan atau penyebab suatu keadaan

• 불고기 (nomina) : 얇게 썰어 양념한 돼지고기나 쇠고기를 불에 구운 한국 전통 음식.

bulgogi

makanan khas Korea yang dibuat dari daging babi atau daging sapi diiris tipis kemudian dipanggang

• 에다가 : 더해지는 대상을 나타내는 조사.

pada

partikel yang menyatakan objek yang ditambahakan

• 잡채 (nomina) : 여러 가지 채소와 고기 등을 가늘게 썰어 기름에 볶은 것을 당면과 섞어 만든 음식.

japchae

makanan yang terbuat dari berbagai sayuran, daging, dsb yang diiris kecil-kecil, digoreng dengan minyak, serta dicampur dengan mi soun

• 까지 : 현재의 상태나 정도에서 그 위에 더함을 나타내는 조사.

ditambah

partikel yang menyatakan bertambahnya sesuatu di atas keadaan atau taraf yang ada saat ini

• 준비하다 (verba) : 미리 마련하여 갖추다.

menyiapkan, mempersiapkan

mempersiapkan lebih awal dan memiliki

• -게요 : (두루높임으로) 앞의 내용이 그러하다면 뒤의 내용은 어떠할 것이라고 추측해 물음을 나타내는 표현.

apakah akan, apa benar, (apa, siapa) gerangan, kelihatannya, maukah

(dalam bentuk hormat) ungkapan yang menunjukkan hal menebak kemudian bertanya jika sesuatu di depan demikian maka sesuatu yang di belakangnya akan bagaimana

그럼, 그 정도+는 준비하+여야지.

준비해야지

• 그럼 (interjeksi) : 말할 것도 없이 당연하다는 뜻으로 대답할 때 쓰는 말.

tentu saja, ya dong

kata yang digunakan untuk menjawab arti "tentu saja" tanpa ada keraguan

• 그 (pewatas) : 앞에서 이미 이야기한 대상을 가리킬 때 쓰는 말.
  itu
  kata yang digunakan saat menunjuk sesuatu yang sudah diceritakan di depan

• 정도 (nomina) : 사물의 성질이나 가치를 좋고 나쁨이나 더하고 덜한 정도로 나타내는 분량이나 수준.
  kadar, derajat, taraf
  jumlah atau standar yang menunjukkan baik atau buruk, lebih atau kurangnya suatu karakter atau nilai benda

• 는 : 강조의 뜻을 나타내는 조사.
  Tiada Penjelasan Arti
  partikel yang menyatakan arti penekanan

• 준비하다 (verba) : 미리 마련하여 갖추다.
  menyiapkan, mempersiapkan
  mempersiapkan lebih awal dan memiliki

• -여야지 : (두루낮춤으로) 말하는 사람의 결심이나 의지를 나타내는 종결 어미.
  akan
  (dalam bentuk rendah) akhiran penutup untuk menyatakan tekad atau resolusi penutur

< 대화(pembicaraan) > - 5

장사가 잘됐으면 제가 그만뒀게요?
장사가 잘돼쓰면 제가 그만뒬께요?
jangsaga jaldwaesseumyeon jega geumandwotgeyo?

요즘은 장사하는 사람들이 다 어렵다고 하더라고요.
요즈믄 장사하는 사람드리 다 어렵따고 하더라고요.
yojeumeun jangsahaneun saramdeuri da eoryeopdago hadeoragoyo.

< 설명(penjelasan) / 번역(penerjemahan) >

장사+가 잘되+었으면 제+가 그만두+었+게요?
　　　잘됐으면　　　　　그만뒀게요

- 장사 (nomina) : 이익을 얻으려고 물건을 사서 팖. 또는 그런 일.
  jual beli, berdagang, berjualan
  hal membeli kemudian menjual barang untuk mendapatkan keuntungan, atau pekerjaan yang demikian

- 가 : 어떤 상태나 상황에 놓인 대상이나 동작의 주체를 나타내는 조사.
  Tiada Penjelasan Arti
  partikel yang menyatakan subjek sebuah keadaan atau situasi atau pelaku utama sebuah tindakan

- 잘되다 (verba) : 어떤 일이나 현상이 좋게 이루어지다.
  berhasil, berjalan lancar, terwujud, sukses
  suatu hal atau fenomena berhasil dengan baik

- -었으면 : 현재 그렇지 않음을 표현하기 위해 실제 상황과 반대되는 가정을 할 때 쓰는 표현.
  seandainya, kalau, apabila terus~
  ungkapan yang digunakan ketika berasumsi terbalik dengan keadaan sebenarnya demi mengekspresikan bahwa masa kini tidak demikian

- 제 (pronomina) : 말하는 사람이 자신을 낮추어 가리키는 말인 '저'에 조사 '가'가 붙을 때의 형태.
  saya
  bentuk ketika melekatkan partikel '가' ke '저' yang berarti 'saya' dalam bentuk sopan

• 가 : 어떤 상태나 상황에 놓인 대상이나 동작의 주체를 나타내는 조사.
  Tiada Penjelasan Arti
  partikel yang menyatakan subjek sebuah keadaan atau situasi atau pelaku utama sebuah tindakan

• **그만두다 (verba)** : 하던 일을 중간에 그치고 하지 않다.
  berhenti
  berhenti di tengah-tengah dan tidak lagi melakukan pekerjaan yang sedang dikerjakan

• -었- : 어떤 사건이 과거에 완료되었거나 그 사건의 결과가 현재까지 지속되는 상황을 나타내는 어미.
  sudah, pasti, yakin
  akhiran kalimat yang menyatakan sebuah peristiwa sudah selesai di masa lampau atau menyatakan keadaan di mana hasil peristiwa tersebut terus berlangsung hingga sekarang

• -게요 : (두루높임으로) 앞의 내용이 사실이라면 당연히 뒤의 내용이 이루어지겠지만 실제로는 그렇지
           않음을 나타내는 표현.
  apakah akan, apa benar, (apa, siapa) gerangan, kelihatannya, maukah
  (dalam bentuk hormat) ungkapan yang menunjukkan hal kalau sesuatu di depan adalah fakta maka sesuatu di belakangnya sudah pasti akan terjadi tetapi pada kenyataannya tidak demikian

요즘+은 장사하+는 사람+들+이 다 어렵+다고 하+더라고요.

• **요즘 (nomina)** : 아주 가까운 과거부터 지금까지의 사이.
  akhir-akhir ini, belakangan ini
  di antara waktu sampai sekarang dari waktu yang sangat dekat dengan saat ini.

• 은 : 문장 속에서 어떤 대상이 화제임을 나타내는 조사.
  Tiada Penjelasan Arti
  partikel yang menyatakan suatu objek menjadi topik di dalam kalimat

• **장사하다 (verba)** : 이익을 얻으려고 물건을 사서 팔다.
  berjualan, berdagang
  membeli kemudian menjual barang untuk mendapatkan keuntungan

• -는 : 앞의 말이 관형어의 기능을 하게 만들고 사건이나 동작이 현재 일어남을 나타내는 어미.
  yang
  akhiran untuk membuat kata di depannya berfungsi sebagai pewatas dan menyatakan kejadian atau tindakan terjadi sekarang

• **사람 (nomina)** : 특별히 정해지지 않은 자기 외의 남을 가리키는 말.
  orang
  kata untuk menunjukkan orang lain selain diri sendiri yang tidak ditentukan secara khusus

- 들 : '복수'의 뜻을 더하는 접미사.
  Tiada Penjelasan Arti
  akhiran yang menambahkan arti "jamak"

- 이 : 어떤 상태나 상황의 대상이나 동작의 주체를 나타내는 조사.
  Tiada Penjelasan Arti
  partikel yang menyatakan objek dari suatu keadaan atau kondisi atau pelaku dari suatu tindakan

- 다 (adverbia) : 남거나 빠진 것이 없이 모두.
  semua, semuanya, seluruhnya
  semua tanpa ada yang tersisa atau terlewat

- 어렵다 (adjektiva) : 곤란한 일이나 고난이 많다.
  sulit, penuh penderitaan, susah
  hal yang menyulitkan atau banyak penderitaannya

- -다고 : 다른 사람에게서 들은 내용을 간접적으로 전달하거나 주어의 생각, 의견 등을 나타내는 표현.
  katanya
  ungkapan yang menyatakan menyampaikan keterangan atau penjelasan yang didengar dari orang lain atau menunjukkan pikiran, pendapat, dsb dari subjek

- 하다 (verba) : 무엇에 대해 말하다.
  Tiada Penjelasan Arti
  berbicara tentang sesuatu

- -더라고요 : (두루높임으로) 과거에 경험하여 새로 알게 된 사실에 대해 지금 상대방에게 옮겨 전할 때 쓰는 표현.
  nyatanya
  (dalam bentuk hormat) ungkapan yang digunakan untuk menyampaikan fakta yang dialami dan baru saja diketahui di masa lampau kepada lawan bicara

< 대화(pembicaraan) > - 6

우리 가족 중에서 누가 가장 늦게 일어나게요?
우리 가족 중에서 누가 가장 늗께 이러나게요?
uri gajok jungeseo nuga gajang neutge ireonageyo?

보나 마나 너겠지, 뭐.
보나 마나 너겠찌, 뭐.
bona mana neogetji, mwo.

< 설명(penjelasan) / 번역(penerjemahan) >

우리 가족 중+에서 <u>누(구)+가</u> 가장 늦+게 일어나+게요?
누가

- **우리 (pronomina)** : 말하는 사람이 자기보다 높지 않은 사람에게 자기와 관련된 것을 친근하게 나타낼 때 쓰는 말.
  kita, kami
  kata akrab untuk menyebutkan beberapa orang yang dekat dengan pembicara saat berbicara dengan lawan bicara yang tidak lebih tinggi posisinya dari pembicara

- **가족 (nomina)** : 주로 한 집에 모여 살고 결혼이나 부모, 자식, 형제 등의 관계로 이루어진 사람들의 집단. 또는 그 구성원.
  keluarga atau anggota keluarga
  kelompok yang umumnya tinggal di satu rumah, terdiri dari pernikahan, dan terdiri atas orang tua, anak, saudara, dan lainnya. Atau anggota kelompok itu.

- **중 (nomina)** : 여럿 가운데.
  di antara
  di antara beberapa

- **에서** : 여럿으로 이루어진 일정한 범위의 안.
  Tiada Penjelasan Arti
  di antara beberapa lingkup

- **누구 (pronomina)** : 모르는 사람을 가리키는 말.
  siapa
  kata untuk menunjuk orang yang tidak dikenal baik

• **가** : 어떤 상태나 상황에 놓인 대상이나 동작의 주체를 나타내는 조사.
  Tiada Penjelasan Arti
  partikel yang menyatakan subjek sebuah keadaan atau situasi atau pelaku utama sebuah tindakan

• **가장 (adverbia)** : 여럿 가운데에서 제일로.
  paling
  yang sangat utama di antara beberapa

• **늦다 (adjektiva)** : 기준이 되는 때보다 뒤져 있다.
  terlambat
  tertinggal dibandingkan masa yang menjadi patokan

• **-게** : 앞의 말이 뒤에서 가리키는 일의 목적이나 결과, 방식, 정도 등이 됨을 나타내는 연결 어미.
  dengan
  kata penutup sambung yang menyatakan isi kalimat di depan dibutuhkan sementara kalimat di belakang terus dilanjutkan(formal, kedudukan penerima sangat rendah)

• **일어나다 (verba)** : 잠에서 깨어나다.
  bangun tidur, bangun, terjaga
  bangun dari tidur

• **-게요** : (두루높임으로) 듣는 사람에게 한 번 추측해서 대답해 보라고 물을 때 쓰는 표현.
  silahkan tebak
  (dalam bentuk hormat) ungkapan yang digunakan saat menebak sekali lalu menyuruh untuk menjawab kepada orang yang mendengar

보+[나 마나] 너+(이)+겠+지, 뭐.
너겠지

• **보다 (verba)** : 눈으로 대상의 존재나 겉모습을 알다.
  melihat
  mengetahui keberadaan atau penampilan sesuatu dengan mata

• **-나 마나** : 그렇게 하나 그렇게 하지 않으나 다름이 없는 상황임을 나타내는 표현.
  biarpun
  ungkapan untuk menyatakan keadaan yang sama saja dengan melakukan baik begitu maupun tidak begitu.

• **너 (pronomina)** : 듣는 사람이 친구나 아랫사람일 때, 그 사람을 가리키는 말.
  kamu
  kata untuk menunjuk lawan bicara yang merupakan teman atau orang yang lebih muda

- 이다 : 주어가 지시하는 대상의 속성이나 부류를 지정하는 뜻을 나타내는 서술격 조사.
  adalah
  partikel kasus predikatif yang menyatakan maksud menentukan karakter atau jenis dari objek yang diindikasikan subjek

- -겠- : 미래의 일이나 추측을 나타내는 어미.
  barangkali, mungkin
  akhiran untuk menyatakan dugaan atau peristiwa di masa depan

- -지 : (두루낮춤으로) 말하는 사람이 자신에 대한 이야기나 자신의 생각을 친근하게 말할 때 쓰는 종결 어미.
  kan?, bukan?
  (dalam bentuk rendah) kata penutup final yang digunakan saat pembicara berbicara tentang dirinya atau saat mengatakan pikirannya secara akrab

- 뭐 (interjeksi) : 사실을 말할 때, 상대의 생각을 가볍게 반박하거나 새롭게 일깨워 주는 뜻으로 하는 말.
  Tiada Penjelasan Arti
  kata yang diucapkan untuk membantah atau menentang pikiran orang lain saat mengatakan fakta

< 대화(pembicaraan) > - 7

저 앞 도로에서 무슨 일이 생겼나 봐요. 길이 이렇게 막히게요.
저 압 도로에서 무슨 이리 생견나 봐요. 기리 이러케 마키게요.
jeo ap doroeseo museun iri saenggyeonna bwayo. giri ireoke makigeyo.

사고라도 난 모양이네.
사고라도 난 모양이네.
sagorado nan moyangine.

< 설명(penjelasan) / 번역(penerjemahan) >

저 앞 도로+에서 무슨 일+이 <u>생기</u>+었+[나 보]+아요.
생겼나 봐요

길+이 이렇+게 막히+게요.

- **저 (pewatas)** : 말하는 사람과 듣는 사람에게서 멀리 떨어져 있는 대상을 가리킬 때 쓰는 말.
  itu
  kata yang digunakan untuk menunjuk objek yang berada jauh dari orang yang berbicara dan orang yang mendengar

- **앞 (nomina)** : 향하고 있는 쪽이나 곳.
  depan
  tempat atau sisi yang dituju

- **도로 (nomina)** : 사람이나 차가 잘 다닐 수 있도록 만들어 놓은 길.
  jalan, jalan raya
  jalan yang dibangun untuk dilalui orang dan mobil

- **에서** : 앞말이 행동이 이루어지고 있는 장소임을 나타내는 조사.
  Tiada Penjelasan Arti
  partikel yang menyatakan bahwa kata di depannya adalah tempat tindakan terjadi

- **무슨 (pewatas)** : 확실하지 않거나 잘 모르는 일, 대상, 물건 등을 물을 때 쓰는 말.
  apa
  kata yang digunakan untuk menanyakan sesuatu, objek, benda, dsb yang tidak jelas atau tidak diketahui dengan baik

• 일 (nomina) : 어떤 내용을 가진 상황이나 사실.
  hal, masalah, keadaan
  kondisi atau fakta yang memiliki suatu isi

• 이 : 어떤 상태나 상황의 대상이나 동작의 주체를 나타내는 조사.
  Tiada Penjelasan Arti
  partikel yang menyatakan objek dari suatu keadaan atau kondisi atau pelaku dari suatu tindakan

• 생기다 (verba) : 사고나 일, 문제 등이 일어나다.
  terjadi, terdapat
  kecelakaan atau hal, masalah, dsb muncul

• -었- : 어떤 사건이 과거에 완료되었거나 그 사건의 결과가 현재까지 지속되는 상황을 나타내는 어미.
  sudah, pasti, yakin
  akhiran kalimat yang menyatakan sebuah peristiwa sudah selesai di masa lampau atau menyatakan keadaan di mana hasil peristiwa tersebut terus berlangsung hingga sekarang

• -나 보다 : 앞의 말이 나타내는 사실을 추측함을 나타내는 표현.
  mungkin, sepertinya, nampaknya, kelihatannya
  ungkapan untuk menduga kenyataan dalam perkataan depan

• -아요 : (두루높임으로) 어떤 사실을 서술하거나 질문, 명령, 권유함을 나타내는 종결 어미.
  cobalah, sebenarnya, apa
  (dalam bentuk hormat) kata penutup final yang mengungkapkan suatu kenyataan atau menyatakan pertanyaan, perintah, atau ajakan <penjabaran>

• 길 (nomina) : 사람이나 차 등이 지나다닐 수 있게 땅 위에 일정한 너비로 길게 이어져 있는 공간.
  jalan
  ruang yang berwujud panjang dengan lebar tertentu di atas tanah agar dapat dilalui oleh orang, mobil, dsb

• 이 : 어떤 상태나 상황의 대상이나 동작의 주체를 나타내는 조사.
  Tiada Penjelasan Arti
  partikel yang menyatakan objek dari suatu keadaan atau kondisi atau pelaku dari suatu tindakan

• 이렇다 (adjektiva) : 상태, 모양, 성질 등이 이와 같다.
  demikian, begitu, begini
  keadaan, bentuk, karakter, dsb sama dengan ini

• -게 : 앞의 말이 뒤에서 가리키는 일의 목적이나 결과, 방식, 정도 등이 됨을 나타내는 연결 어미.
  dengan
  kata penutup sambung yang menyatakan isi kalimat di depan dibutuhkan sementara kalimat di belakang terus dilanjutkan(formal, kedudukan penerima sangat rendah)

• **막히다 (verba)** : 길에 차가 많아 차가 제대로 가지 못하게 되다.
  macet, tersumbat
  banyak mobil di jalan sehingga mobil menjadi tidak bisa lewat dengan lancar

• **-게요** : (두루높임으로) 앞 문장의 내용에 대한 근거를 제시할 때 쓰는 표현.
  karena, sebab
  (dalam bentuk hormat) ungkapan yang digunakan saat mengajukan bukti akan isi kalimat di depan

사고+라도 나+[ㄴ 모양이]+네.
난 모양이네

• **사고 (nomina)** : 예상하지 못하게 일어난 좋지 않은 일.
  kecelakaan
  peristiwa tidak baik yang terjadi dan tidak diperkirakan

• **라도** : 유사한 것을 예로 들어 설명할 때 쓰는 조사.
  pun
  partikel yang digunakan untuk menjelaskan contoh yang sama

• **나다 (verba)** : 어떤 현상이나 사건이 일어나다.
  muncul, terjadi
  munculnya suatu fenomena atau peristiwa

• **-ㄴ 모양이다** : 다른 사실이나 상황으로 보아 현재 어떤 일이 일어났거나 어떤 상태라고 추측함을 나타 내는 표현.
  kayaknya, sepertinya, nampaknya, kelihatannya
  ungkapan untuk menyangka suatu peristiwa terjadi saat ini berdasarkan kenyataan atau kondisi lain

• **-네** : (아주낮춤으로) 지금 깨달은 일에 대하여 말함을 나타내는 종결 어미.
  wah, ternyata
  (dalam bentuk sangat rendah) kata penutup final yang menyatakan perkataan tentang peristiwa yang sekarang disadari

< 대화(pembicaraan) > - 8

다음 달에 적금을 타면 뭐 하게요?
다음 다레 적끄믈 타면 뭐 하게요?
daeum dare jeokgeumeul tamyeon mwo hageyo?

그걸로 딸아이 피아노 사 주려고 해요.
그걸로 따라이 피아노 사 주려고 해요.
geugeollo ttarai piano sa juryeogo haeyo.

< 설명(penjelasan) / 번역(penerjemahan) >

다음 달+에 적금+을 타+면 뭐 하+게요?

- **다음 (nomina)** : 어떤 차례에서 바로 뒤.
  berikut, berikutnya
  tepat berikutnya dalam sebuah urutan

- **달 (nomina)** : 일 년을 열둘로 나누어 놓은 기간.
  bulan
  periode yang dibagi menjadi dua belas dalam satu tahun

- **에** : 앞말이 시간이나 때임을 나타내는 조사.
  pada
  partikel yang menyatakan kalimat di depan adalah waktu atau saat

- **적금 (nomina)** : 은행에 일정한 돈을 일정한 기간 동안 낸 다음에 찾는 저금.
  deposito
  simpanan sejumlah uang yang diambil dari bank setelah disimpan selama periode tertentu

- **을** : 동작이 직접적으로 영향을 미치는 대상을 나타내는 조사.
  Tiada Penjelasan Arti
  partikel yang menyatakan objek dari suatu gerakan yang secara langsung memberikan pengaruh

- **타다 (verba)** : 몫이나 상으로 주는 돈이나 물건을 받다.
  menerima, mendapat
  menerima uang atau barang yang diterima sebagai bagian atau penghargaan

• -면 : 뒤에 오는 말에 대한 근거나 조건이 됨을 나타내는 연결 어미.

kalau, seandainya, apabila

akhiran penghubung untuk menyatakan menjadi landasan atau syarat terhadap kalimat induk

• 뭐 (pronomina) : 모르는 사실이나 사물을 가리키는 말.

apa

kata yang merujuk pada kenyataan atau benda yang tidak diketahui

• 하다 (verba) : 어떤 행동이나 동작, 활동 등을 행하다.

melakukan, mengerjakan, menjalankan

melaksanakan suatu tindakan atau aksi, kegiatan, dsb

• -게요 : (두루높임으로) 상대의 의도를 물을 때 쓰는 표현.

apakah akan, apa benar, (apa, siapa) gerangan, kelihatannya, maukah

(dalam bentuk hormat) ungkapan yang digunakan saat bertanya maksud dari lawan bicara

그것(그거)+ㄹ로 딸아이 피아노 사+[(아) 주]+[려고 하]+여요.
그걸로   사 주려고 해요

• 그것 (pronomina) : 앞에서 이미 이야기한 대상을 가리키는 말.

itu, tersebut

kata yang menunjukkan benda atau sesuatu yang telah disebutkan sebelumnya

• ㄹ로 : 어떤 일의 수단이나 도구를 나타내는 조사.

dengan

partikel yang menyatakan cara atau alat suatu pekerjaan

• 딸아이 (nomina) : 남에게 자기 딸을 이르는 말.

anak perempuan

kata yang merujuk pada anak perempuan sendiri saat berbicara dengan orang lain

• 피아노 (nomina) : 검은색과 흰색 건반을 손가락으로 두드리거나 눌러서 소리를 내는 큰 악기.

piano

alat musik berukuran besar dengan tuts kayu berwarna hitam dan putih untuk ditekan agar menghasilkan nada

• 사다 (verba) : 돈을 주고 어떤 물건이나 권리 등을 자기 것으로 만들다.

membeli

menjadikan sesuatu atau hak dsb milik dengan memberikan sejumlah uang

• -아 주다 : 남을 위해 앞의 말이 나타내는 행동을 함을 나타내는 표현.

mohon, minta, karena

ungkapan yang menyatakan melakukan tindakan yang disebutkan dalam kalimat di depan untuk orang lain

• -려고 하다 : 앞의 말이 나타내는 행동을 할 의도나 의향이 있음을 나타내는 표현.

bermaksud, akan, mau, hendak

ungkapan yang menyatakan bermaksud atau berhasrat melakukan tindakan dalam kalimat yang disebutkan di depan

• -여요 : (두루높임으로) 어떤 사실을 서술하거나 질문, 명령, 권유함을 나타내는 종결 어미.

apakah, adalah

(dalam bentuk hormat) kata penutup final yang mengungkapkan suatu kenyataan atau menyatakan pertanyaan, perintah, atau ajakan **<penjabaran>**

< 대화(pembicaraan) > - 9

누가 책상을 치우라고 시켰어요?
누가 책상을 치우라고 시켜써요?
nuga chaeksangeul chiurago sikyeosseoyo?

제가 영수에게 치우게 했습니다.
제가 영수에게 치우게 핻씀니다.
jega yeongsuege chiuge haetseumnida.

< 설명(penjelasan) / 번역(penerjemahan) >

<u>누(구)</u>+가 책상+을 치우+<u>라고</u> <u>시키</u>+<u>었</u>+<u>어요</u>?
　누가　　　　　　　　　　　시켰어요

- **누구 (pronomina)** : 모르는 사람을 가리키는 말.
  siapa
  kata untuk menunjuk orang yang tidak dikenal baik

- **가** : 어떤 상태나 상황에 놓인 대상이나 동작의 주체를 나타내는 조사.
  Tiada Penjelasan Arti
  partikel yang menyatakan subjek sebuah keadaan atau situasi atau pelaku utama sebuah tindakan

- **책상 (nomina)** : 책을 읽거나 글을 쓰거나 사무를 볼 때 앞에 놓고 쓰는 상.
  meja tulis, meja belajar, meja kerja
  meja yang diletakkan dan digunakan untuk membaca buku atau menulis atau bekerja di kantor

- **을** : 동작이 직접적으로 영향을 미치는 대상을 나타내는 조사.
  Tiada Penjelasan Arti
  partikel yang menyatakan objek dari suatu gerakan yang secara langsung memberikan pengaruh

- **치우다 (verba)** : 물건을 다른 데로 옮기다.
  memindahkan, membereskan
  memindahkan benda ke tempat lain

• -라고 : 다른 사람에게 들은 명령이나 권유 등의 내용을 간접적으로 전할 때 쓰는 표현.
dikatakan seperti, meminta, menyuruh
ungkapan yang digunakan untuk menyampaikan secara langsung hal seperti perintah atau anjuran yang didengar langsung dari orang lain

• **시키다 (verba)** : 어떤 일이나 행동을 하게 하다.
menyuruh, memerintah
membuat melakukan pekerjaan atau tindakan

• -었- : 사건이 과거에 일어났음을 나타내는 어미.
sudah, pasti, yakin
akhiran kalimat yang menyatakan peristiwa terjadi di masa lampau

• -어요 : (두루높임으로) 어떤 사실을 서술하거나 질문, 명령, 권유함을 나타내는 종결 어미.
apakah, apa, ~saja, silakan
(dalam bentuk hormat) kata penutup final yang mengungkapkan suatu kenyataan atau menyatakan pertanyaan, perintah, atau ajakan <pertanyaan>

제+가 영수+에게 치우+[게 하]+였+습니다.
치우게 했습니다

• **제 (pronomina)** : 말하는 사람이 자신을 낮추어 가리키는 말인 '저'에 조사 '가'가 붙을 때의 형태.
saya
bentuk ketika melekatkan partikel '가' ke '저' yang berarti 'saya' dalam bentuk sopan

• **가** : 어떤 상태나 상황에 놓인 대상이나 동작의 주체를 나타내는 조사.
Tiada Penjelasan Arti
partikel yang menyatakan subjek sebuah keadaan atau situasi atau pelaku utama sebuah tindakan

• **영수 (nomina)** : nama

• **에게** : 어떤 행동이 미치는 대상임을 나타내는 조사.
Tiada Penjelasan Arti
partikel yang menyatakan sesuatu yang mendapat pengaruh dari sebuah tindakan

• **치우다 (verba)** : 물건을 다른 데로 옮기다.
memindahkan, membereskan
memindahkan benda ke tempat lain

• -게 하다 : 남에게 어떤 행동을 하도록 시키거나 물건이 어떤 작동을 하게 만듦을 나타내는 표현.
meminta, menyuruh, memerintah, membuat
ungkapan untuk membuat orang lain bertindak atau membuat agar suatu benda bergerak

- -였- : 사건이 과거에 일어났음을 나타내는 어미.

  sudah, telah, pernah

  akhiran kalimat yang menyatakan peristiwa terjadi di masa lampau

- -습니다 : (아주높임으로) 현재의 동작이나 상태, 사실을 정중하게 설명함을 나타내는 종결 어미.

  Tiada Penjelasan Arti

  (dalam bentuk sangat hormat) kata penutup final yang menyatakan menjelaskan tindakan, keadaan, atau kenyataan di masa kini dengan sopan

< 대화(pembicaraan) > - 10

어머니가 아직도 여행을 못 가게 하셔?
어머니가 아직또 여행을 몯 가게 하셔?
eomeoniga ajikdo yeohaengeul mot gage hasyeo?

응. 끝까지 허락을 안 해 주실 모양이야.
응. 끋까지 허라글 안 해 주실 모양이야.
eung. kkeutkkaji heorageul an hae jusil moyangiya.

< 설명(penjelasan) / 번역(penerjemahan) >

어머니+가 아직+도 여행+을 못 <u>가+[게 하]+시+어</u>?
가게 하셔

• **어머니 (nomina)** : 자기를 낳아 준 여자를 이르거나 부르는 말.
  ibu
  panggilan untuk menyebutkan wanita yang melahirkan dirinya

• 가 : 어떤 상태나 상황에 놓인 대상이나 동작의 주체를 나타내는 조사.
  Tiada Penjelasan Arti
  partikel yang menyatakan subjek sebuah keadaan atau situasi atau pelaku utama sebuah tindakan

• **아직 (adverbia)** : 어떤 일이나 상태 또는 어떻게 되기까지 시간이 더 지나야 함을 나타내거나, 어떤 일이나 상태가 끝나지 않고 계속 이어지고 있음을 나타내는 말.
  belum, masih
  kata yang menunjukkan suatu hal atau keadaan, perlu waktu lagi sampai sesuatu terwujud, maupun suatu hal yang kondisinya belum berakhir dan terus berlanjut

• 도 : 놀라움, 감탄, 실망 등의 감정을 강조함을 나타내는 조사.
  Tiada Penjelasan Arti
  partikel yang menyatakan penekanan perasaan seperti keterkejutan, seruan, kekecewaan, dsb

• **여행 (nomina)** : 집을 떠나 다른 지역이나 외국을 두루 구경하며 다니는 일.
  wisata, perjalanan
  kegiatan meninggalkan rumah kemudian berkeliling dan melihat-lihat ke daerah lain, atau luar negeri

• 을 : 그 행동의 목적이 되는 일을 나타내는 조사.
Tiada Penjelasan Arti
partikel yang menyatakan hal yang menjadi tujuan suatu tindakan

• 못 (adverbia) : 동사가 나타내는 동작을 할 수 없게.
Tiada Penjelasan Arti
partikel yang menyatakan hal yang menjadi tujuan suatu tindakan

• 가다 (verba) : 어떤 목적을 가지고 일정한 곳으로 움직이다.
pergi
memiliki tujuan kemudian bergerak ke tempat tertentu

• -게 하다 : 다른 사람의 어떤 행동을 허용하거나 허락함을 나타내는 표현.
mengizinkan, membiarkan
ungkapan untuk membiarkan atau mengizinkan sebuah tindakan yang dilakukan orang lain

• -시- : 어떤 동작이나 상태의 주체를 높이는 뜻을 나타내는 어미.
Tiada Penjelasan Arti
akhiran kalimat yang menyatakan arti meninggikan subjek atau topik suatu tindakan atau keadaan

• -어 : (두루낮춤으로) 어떤 사실을 서술하거나 물음, 명령, 권유를 나타내는 종결 어미.
-kah, -lah
(dalam bentuk rendah) akhiran penutup untuk menyatakan suatu kenyataan atau menandai pertanyaan, perintah, dan ajakan <pertanyaan>

응.

끝+까지 허락+을 안 하+[여 주]+시+[ㄹ 모양이]+야.
해 주실 모양이야

• 응 (interjeksi) : 상대방의 물음이나 명령 등에 긍정하여 대답할 때 쓰는 말.
he-eh
kata yang digunakan untuk memberikan jawaban positif pada pertanyaan, perintah lawan bicara

• 끝 (nomina) : 시간에서의 마지막 때.
akhir
saat terakhir dalam waktu

•까지 : 어떤 범위의 끝임을 나타내는 조사.
  sampai
  partikel yang menyatakan akhir dari suatu lingkup

•허락 (nomina) : 요청하는 일을 하도록 들어줌.
  izin
  hal mengabulkan permintaan

•을 : 동작이 직접적으로 영향을 미치는 대상을 나타내는 조사.
  Tiada Penjelasan Arti
  partikel yang menyatakan objek dari suatu gerakan yang secara langsung memberikan pengaruh

•안 (adverbia) : 부정이나 반대의 뜻을 나타내는 말.
  tidak
  kata yang menampilkan lawan arti atau negatif

•하다 (verba) : 어떤 행동이나 동작, 활동 등을 행하다.
  melakukan, mengerjakan, menjalankan
  melaksanakan suatu tindakan atau aksi, kegiatan, dsb

•-여 주다 : 남을 위해 앞의 말이 나타내는 행동을 함을 나타내는 표현.
  memberi
  ungkapan yang menyatakan melakukan tindakan yang disebutkan dalam kalimat di depan untuk orang lain

•-시- : 어떤 동작이나 상태의 주체를 높이는 뜻을 나타내는 어미.
  Tiada Penjelasan Arti
  akhiran kalimat yang menyatakan arti meninggikan subjek atau topik suatu tindakan atau keadaan

•-ㄹ 모양이다 : 다른 사실이나 상황으로 보아 앞으로 어떤 일이 일어나거나 어떤 상태일 것이라고 추측함을 나타내는 표현.
  kayaknya, sepertinya, nampaknya, kelihatannya
  ungkapan untuk menyangka suatu peristiwa akan terjadi berdasarkan kenyataan atau kondisi lain

•-야 : (두루낮춤으로) 어떤 사실에 대하여 서술하거나 물음을 나타내는 종결 어미.
  Tiada Penjelasan Arti
  (dalam bentuk rendah) kata penutup final yang mengungkapkan suatu kenyataan atau menyatakan pertanyaan <penjabaran>

< 대화(pembicaraan) > - 11

할머니는 집에 계세요?
할머니는 지베 계세요(게세요)?
halmeonineun jibe gyeseyo(geseyo)?

응. 그런데 주무시고 계시니 깨우지 말고 좀 기다려.
응. 그런데 주무시고 계시니(게시니) 깨우지 말고 좀 기다려.
eung. geureonde jumusigo gyesini(gesini) kkaeuji malgo jom gidaryeo.

< 설명(penjelasan) / 번역(penerjemahan) >

할머니+는 집+에 계시+어요?
계세요

• **할머니 (nomina)** : 아버지의 어머니, 또는 어머니의 어머니를 이르거나 부르는 말.
nenek
panggilan untuk menyebutkan ibu dari ayah atau ibu

• **는** : 문장 속에서 어떤 대상이 화제임을 나타내는 조사.
Tiada Penjelasan Arti
partikel yang menyatakan suatu subjek dalam kalimat menjadi bahan pembicaraan

• **집 (nomina)** : 사람이나 동물이 추위나 더위 등을 막고 그 속에 들어 살기 위해 지은 건물.
rumah, tempat tinggal
bangunan untuk orang atau hewan untuk menahan dingin atau panas dsb dan untuk ditinggali di dalamnya

• **에** : 앞말이 어떤 장소나 자리임을 나타내는 조사.
di, pada
partikel yang menyatakan kalimat di depan adalah tempat atau lokasi

• **계시다 (verba)** : (높임말로) 높은 분이나 어른이 어느 곳에 있다.
ada, hidup
(dalam sebutan hormat) berada

- -어요 : (두루높임으로) 어떤 사실을 서술하거나 질문, 명령, 권유함을 나타내는 종결 어미.
  apakah, apa, ~saja, silakan
  (dalam bentuk hormat) kata penutup final yang mengungkapkan suatu kenyataan atau menyatakan pertanyaan, perintah, atau ajakan <pertanyaan>

응.

그런데 주무시+[고 계시]+니 깨우+[지 말]+고 좀 기다리+어.
기다려

- 응 (interjeksi) : 상대방의 물음이나 명령 등에 긍정하여 대답할 때 쓰는 말.
  he-eh
  kata yang digunakan untuk memberikan jawaban positif pada pertanyaan, perintah lawan bicara

- 그런데 (adverbia) : 이야기를 앞의 내용과 관련시키면서 다른 방향으로 바꿀 때 쓰는 말.
  tetapi
  kata yang digunakan untuk mengganti cerita ke arah lain sambil mengaitkan dengan isi cerita sebelumnya

- 주무시다 (verba) : (높임말로) 자다.
  tidur
  (dalam sebutan hormat) tidur

- -고 계시다 : (높임말로) 앞의 말이 나타내는 행동이 계속 진행됨을 나타내는 표현.
  sedang, tengah
  (dalam sebutan hormat) ungkapan yang menyatakan bahwa tindakan yang disebutkan dalam kalimat di depan terus berjalan

- -니 : 뒤에 오는 말에 대하여 앞에 오는 말이 원인이나 근거, 전제가 됨을 나타내는 연결 어미.
  karena, berhubung
  akhiran kalimat penyambung yang menyatakan bahwa kalimat di depan menjadi alasan, dasar, atau premis dari kalimat di belakang

- 깨우다 (verba) : 잠들거나 취한 상태 등에서 벗어나 온전한 정신 상태로 돌아오게 하다.
  membangunkan, menyadarkan
  membuat kembali ke keadaan kesadaran yang baik setelah lepas dari tidur atau keadaan mabuk dsb

• -지 말다 : 앞의 말이 나타내는 행동을 하지 못하게 함을 나타내는 표현.

tidak, jangan

ungkapan yang menyatakan menjadikan tidak dapat melakukan tindakan dalam kalimat yang disebutkan di depan

• -고 : 앞의 말과 뒤의 말이 차례대로 일어남을 나타내는 연결 어미.

lalu

akhiran penghubung yang menyatakan bahwa kalimat di depan dan di belakang muncul secara berturut-turut

• 좀 (adverbia) : 시간이 짧게.

agak, sebentar

dengan waktu pendek

• **기다리다 (verba)** : 사람, 때가 오거나 어떤 일이 이루어질 때까지 시간을 보내다.

tunggu, menunggu

melewatkan waktu sampai seseorang atau sesuatu datang atau terwujud

• -어 : (두루낮춤으로) 어떤 사실을 서술하거나 물음, 명령, 권유를 나타내는 종결 어미.

-kah, -lah

(dalam bentuk rendah) akhiran penutup untuk menyatakan suatu kenyataan atau menandai pertanyaan, perintah, dan ajakan <perintah>

< 대화(pembicaraan) > - 12

여기서 산 가방을 환불하고 싶은데 어떻게 하면 되나요?
여기서 산 가방을 환불하고 시픈데 어떠케 하면 되나요?
yeogiseo san gabangeul hwanbulhago sipeunde eotteoke hamyeon doenayo?

네, 손님. 영수증은 가지고 계신가요?
네, 손님. 영수증은 가지고 계신가요(게신가요)?
ne, sonnim. yeongsujeungeun gajigo gyesingayo(gesingayo)?

< 설명(penjelasan) / 번역(penerjemahan) >

여기+서 <u>사+ㄴ</u> 가방+을 환불하+[고 싶]+은데 어떻게 하+[면 되]+나요?
      산

- **여기 (pronomina)** : 말하는 사람에게 가까운 곳을 가리키는 말.
  sini
  kata untuk menunjukkan tempat yang dekat dengan orang yang berbicara

- **서** : 앞말이 행동이 이루어지고 있는 장소임을 나타내는 조사.
  di
  partikel yang menyatakan bahwa kata di depannya adalah tempat tindakan terjadi

- **사다 (verba)** : 돈을 주고 어떤 물건이나 권리 등을 자기 것으로 만들다.
  membeli
  menjadikan sesuatu atau hak dsb milik dengan memberikan sejumlah uang

- **-ㄴ** : 앞의 말이 관형어의 기능을 하게 만들고 사건이나 동작이 과거에 일어났음을 나타내는 어미.
  yang
  akhiran yang membuat kata di depannya berfungsi sebagai kata pewatas, dan menyatakan bahwa tindakan dan peristiwa terjadi di masa lampau

- **가방 (nomina)** : 물건을 넣어 손에 들거나 어깨에 멜 수 있게 만든 것.
  tas
  benda yang digunakan untuk menaruh barang-barang dan dibawa di tangan atau disampirkan di pundak

- 을 : 동작이 직접적으로 영향을 미치는 대상을 나타내는 조사.
  Tiada Penjelasan Arti
  partikel yang menyatakan objek dari suatu gerakan yang secara langsung memberikan pengaruh

- 환불하다 (verba) : 이미 낸 돈을 되돌려주다.
  mengembalikan uang, mengembalikan pembayaran
  mengembalikan uang yang telah dibayarkan

- -고 싶다 : 앞의 말이 나타내는 행동을 하기를 원함을 나타내는 표현.
  ingin, mau
  ungkapan yang menyatakan bahwa pembicara ingin melakukan tindakan yang disebut dalam kalimat di depan

- -은데 : 뒤의 말을 하기 위하여 그 대상과 관련이 있는 상황을 미리 말함을 나타내는 연결 어미.
  tetapi, namun
  akhiran penghubung untuk mengatakan terlebih dahulu keadaan yang berhubungan sebelum mengatakan kalimat yang berhubungan

- 어떻게 (adverbia) : 어떤 방법으로. 또는 어떤 방식으로.
  bagaimana
  dengan suatu cara, atau dengan suatu metode

- 하다 (verba) : 어떤 방식으로 행위를 이루다.
  Tiada Penjelasan Arti
  mewujudkan tindakan dengan suatu cara

- -면 되다 : 조건이 되는 어떤 행동을 하거나 어떤 상태만 갖추어지면 문제가 없거나 충분함을 나타내는 표현.
  cukup~saja, hanya~saja
  ungkapan yang menunjukkan hal melakukan suatu tindakan yang menjadi syarat atau suatu kondisi saja dimiliki maka tidak akan ada masalah atau cukup

- -나요 : (두루높임으로) 앞의 내용에 대해 상대방에게 물어볼 때 쓰는 표현.
  apakah, apa
  (dalam bentuk hormat) ungkapan yang digunakan saat bertanya kepada lawan bicara mengenai hal di depan

네, 손님.

영수증+은 가지+[고 계시]+ㄴ가요?
　　　　가지고 계신가요

• **네 (interjeksi)** : 윗사람의 물음이나 명령 등에 긍정하여 대답할 때 쓰는 말.
  ya
  kata yang digunakan untuk memberikan jawaban positif, setuju terhadap pertanyaan, perintah orang yang lebih tua umurnya, atau lebih tinggi posisinya

• **손님 (nomina)** : (높임말로) 여관이나 음식점 등의 가게에 찾아온 사람.
  pengunjung, tamu
  (dalam sebutan hormat) orang yang datang ke toko penginapan atau restoran dsb

• **영수증 (nomina)** : 돈이나 물건을 주고받은 사실이 적힌 종이.
  kuitansi, bon, tanda pembayaran
  kertas berisikan kenyataan memberi dan menerima uang atau barang

• **은** : 문장 속에서 어떤 대상이 화제임을 나타내는 조사.
  Tiada Penjelasan Arti
  partikel yang menyatakan suatu objek menjadi topik di dalam kalimat

• **가지다 (verba)** : 무엇을 손에 쥐거나 몸에 지니다.
  memiliki, ada
  membuat sesuatu ada di tangan atau tubuh dsb

• **-고 계시다** : (높임말로) 앞의 말이 나타내는 행동의 결과가 계속됨을 나타내는 표현.
  sedang, tengah
  (dalam sebutan hormat) ungkapan yang menyatakan bahwa hasil dari tindakan yang disebutkan dalam kalimat di depan terus berjalan

• **-ㄴ가요** : (두루높임으로) 현재의 사실에 대한 물음을 나타내는 종결 어미.
  Tiada Penjelasan Arti
  (dalam bentuk hormat) kata penutup final yang menyatakan pertanyaan terhadap kenyataan di masa kini

< 대화(pembicaraan) > - 13

숙제는 다 하고 나서 놀아라.
숙쩨는 다 하고 나서 노라라.
sukjeneun da hago naseo norara.

벌써 다 했어요. 저 놀다 올게요.
벌써 다 해써요. 저 놀다 올께요.
beolsseo da haesseoyo. jeo nolda olgeyo.

< 설명(penjelasan) / 번역(penerjemahan) >

숙제+는 다 <u>하+[고 나]+(아)서</u> 놀+아라.
                하고 나서

- **숙제 (nomina)** : 학생들에게 복습이나 예습을 위하여 수업 후에 하도록 내 주는 과제.
  pekerjaan rumah, PR
  tugas yang diberikan kepada siswa untuk mempersiapkan atau mengulangi pelajaran setelah kelas

- **는** : 문장 속에서 어떤 대상이 화제임을 나타내는 조사.
  Tiada Penjelasan Arti
  partikel yang menyatakan suatu subjek dalam kalimat menjadi bahan pembicaraan

- **다 (adverbia)** : 남거나 빠진 것이 없이 모두.
  semua, semuanya, seluruhnya
  semua tanpa ada yang tersisa atau terlewat

- **하다 (verba)** : 어떤 행동이나 동작, 활동 등을 행하다.
  melakukan, mengerjakan, menjalankan
  melaksanakan suatu tindakan atau aksi, kegiatan, dsb

- **-고 나다** : 앞에 오는 말이 나타내는 행동이 끝났음을 나타내는 표현.
  seusai, sesudah, setelah
  ungkapan yang menyatakan bahwa tindakan yang disebutkan dalam kalimat di depan sudah berakhir

- -아서 : 앞의 말과 뒤의 말이 순차적으로 일어남을 나타내는 연결 어미.
  lalu, kemudian
  kata penutup sambung yang menyatakan kalimat di depan dan kalimat di belakang muncul secara berurutan

- 놀다 (verba) : 놀이 등을 하면서 재미있고 즐겁게 지내다.
  bermain
  melewatkan waktu dengan asyik dan gembira sambil melakukan permainan dsb

- -아라 : (아주낮춤으로) 명령을 나타내는 종결 어미.
  tolong, jangan
  (dalam bentuk sangat rendah) kata penutup final yang menyatakan perintah

벌써 다 <u>하+였+어요</u>.
　　　했어요

저 놀+다 <u>오+ㄹ게요</u>.
　　　올게요

- 벌써 (adverbia) : 이미 오래전에.
  sudah
  dahulu sudah terjadi

- 다 (adverbia) : 남거나 빠진 것이 없이 모두.
  semua, semuanya, seluruhnya
  semua tanpa ada yang tersisa atau terlewat

- 하다 (verba) : 어떤 행동이나 동작, 활동 등을 행하다.
  melakukan, mengerjakan, menjalankan
  melaksanakan suatu tindakan atau aksi, kegiatan, dsb

- -였- : 어떤 사건이 과거에 완료되었거나 그 사건의 결과가 현재까지 지속되는 상황을 나타내는 어미.
  sudah, telah, pernah
  akhiran kalimat yang menyatakan sebuah peristiwa sudah selesai di masa lampau atau menyatakan keadaan di mana hasil peristiwa tersebut terus berlangsung hingga sekarang

- -어요 : (두루높임으로) 어떤 사실을 서술하거나 질문, 명령, 권유함을 나타내는 종결 어미.
  apakah, apa, ~saja, silakan
  (dalam bentuk hormat) kata penutup final yang mengungkapkan suatu kenyataan atau menyatakan pertanyaan, perintah, atau ajakan <penjabaran>

- 저 (pronomina) : 말하는 사람이 듣는 사람에게 자신을 낮추어 가리키는 말.

  saya

  kata yang digunakan oleh pembicara untuk menunjuk dirinya sendiri sambil merendahkan diri

- 놀다 (verba) : 놀이 등을 하면서 재미있고 즐겁게 지내다.

  bermain

  melewatkan waktu dengan asyik dan gembira sambil melakukan permainan dsb

- -다 : 어떤 행동이나 상태 등이 중단되고 다른 행동이나 상태로 바뀜을 나타내는 연결 어미.

  lalu, kemudian

  akhiran penghubung untuk menyatakan bahwa suatu tindakan atau keadaan dsb terhenti dan diubah menjadi tindakan atau keadaan lain

- 오다 (verba) : 무엇이 다른 곳에서 이곳으로 움직이다.

  datang, kemari, ke sini

  sesuatu bergerak dari tempat lain ke sini

- -ㄹ게요 : (두루높임으로) 말하는 사람이 어떤 행동을 할 것을 듣는 사람에게 약속하거나 의지를 나타내는 표현.

  saya akan~, saya mau

  (dalam bentuk hormat) ungkapan yang menunjukkan hal orang yang berbicara berjanji atau memberitahukan akan melakukan suatu tindakan kepada orang yang mendengar

< 대화(pembicaraan) > - 14

이번 달리기 대회에서 시우가 일 등 할 줄 알았는데.
이번 달리기 대회에서 시우가 일 등 할 쭐 아란는데.
ibeon dalligi daehoeeseo siuga il deung hal jul aranneunde.

그러게, 너무 욕심을 부리다 넘어지고 만 거지.
그러게, 너무 욕씨믈 부리다 너머지고 만 거지.
geureoge, neomu yoksimeul burida neomeojigo man geoji.

< 설명(penjelasan) / 번역(penerjemahan) >

이번 달리기 대회+에서 시우+가 일 등 하+[ㄹ 줄] 알+았+는데.
할 줄

- **이번 (nomina)** : 곧 돌아올 차례. 또는 막 지나간 차례.
  kali ini
  urutan yang akan datang, atau urutan yang baru saja lewat

- **달리기 (nomina)** : 일정한 거리를 누가 빨리 뛰는지 겨루는 경기.
  Tiada Penjelasan Arti
  pertandingan berlari dalam jarak tertentu untuk menentukan siapa yang paling cepat

- **대회 (nomina)** : 여러 사람이 실력이나 기술을 겨루는 행사.
  perlombaan, kompetisi, pertandingan
  acara yang melombakan kemampuan atau teknik beberapa orang

- **에서** : 앞말이 행동이 이루어지고 있는 장소임을 나타내는 조사.
  Tiada Penjelasan Arti
  partikel yang menyatakan bahwa kata di depannya adalah tempat tindakan terjadi

- **시우 (nomina)** : nama

- **가** : 어떤 상태나 상황에 놓인 대상이나 동작의 주체를 나타내는 조사.
  Tiada Penjelasan Arti
  partikel yang menyatakan subjek sebuah keadaan atau situasi atau pelaku utama sebuah tindakan

• 일 (pewatas) : 첫 번째의.
satu, pertama
urutan pertama

• 등 (nomina) : 등급이나 등수를 나타내는 단위.
tingkat, peringkat
satuan untuk menyatakan kelas, tingkat, atau peringkat

• 하다 (verba) : 어떠한 결과를 이루어 내다.
menghasilkan, mewujudkan
mewujudkan suatu hasil

• -ㄹ 줄 : 어떤 사실이나 상태에 대해 알고 있거나 모르고 있음을 나타내는 표현.
bahwa
ungkapan untuk menyatakan mengetahui atau tidak mengetahui suatu kenyataan atau keadaan

• 알다 (verba) : 어떤 사실을 그러하다고 여기거나 생각하다.
menganggap, mengira
menganggap atau berpikir bahwa suatu kenyataan seperti itu

• -았- : 사건이 과거에 일어났음을 나타내는 어미.
sudah, telah, pasti akan
akhiran kalimat yang menyatakan peristiwa terjadi di masa lampau

• -는데 : (두루낮춤으로) 듣는 사람의 반응을 기대하며 어떤 일에 대해 감탄함을 나타내는 종결 어미.
sebenarnya, nyatanya
(dalam bentuk rendah) kata penutup final yang menyatakan seruan terhadap suatu peristiwa sambil mengharapkan tanggapan pendengar

그러게, 너무 욕심+을 부리+다 넘어지+[고 말(마)]+[ㄴ 것(거)]+(이)+지.
넘어지고 만 거지

• 그러게 (interjeksi) : 상대방의 말에 찬성하거나 동의하는 뜻을 나타낼 때 쓰는 말.
Iya, ya!, Yah!, Iya!
kata yang digunakan untuk menyetujui apa yang dikatakan oleh lawan bicara

• 너무 (adverbia) : 일정한 정도나 한계를 훨씬 넘어선 상태로.
terlalu, berlebihan
tarafnya melebihi batas tertentu

• 욕심 (nomina) : 무엇을 지나치게 탐내거나 가지고 싶어 하는 마음.
  nafsu, ketamakan, kerakusan, keserakahan
  hati yang menginginkan atau ingin memiliki sesuatu dengan berlebihan

• 을 : 동작이 직접적으로 영향을 미치는 대상을 나타내는 조사.
  Tiada Penjelasan Arti
  partikel yang menyatakan objek dari suatu gerakan yang secara langsung memberikan pengaruh

• 부리다 (verba) : 바람직하지 못한 행동이나 성질을 계속 드러내거나 보이다.
  bersikap
  terus menonjolkan atau memperlihatkan sikap atau karakter yang tidak benar

• -다 : 앞에 오는 말이 뒤에 오는 말의 원인이나 근거가 됨을 나타내는 연결 어미.
  karena, sebab
  akhiran penghubung untuk menyatakan bahwa isi kalimat di depan menjadi alasan atau dasar isi kalimat di belakang

• 넘어지다 (verba) : 서 있던 사람이나 물체가 중심을 잃고 한쪽으로 기울어지며 쓰러지다.
  jatuh, runtuh, roboh
  orang atau benda yang sedang berdiri kehilangan keseimbangan sehingga miring atau jatuh ke satu arah

• -고 말다 : 앞에 오는 말이 가리키는 행동이 안타깝게도 끝내 일어났음을 나타내는 표현.
  akhirnya
  ungkapan untuk menyatakan akhirnya terjadi sebuah peristiwa yang ditunjuk dalam kalimat di depan

• -ㄴ 것 : 명사가 아닌 것을 문장에서 명사처럼 쓰이게 하거나 '이다' 앞에 쓰일 수 있게 할 때 쓰는 표현.
  yang
  ungkapan yang dapat membuat suatu kelas kata bisa digunakan sebagai kata benda dalam kalimat dan berfungsi sebagai subjek atau objek, atau dapat membuat suatu kelas kata bisa digunakan di depan '이다'

• 이다 : 주어가 지시하는 대상의 속성이나 부류를 지정하는 뜻을 나타내는 서술격 조사.
  adalah
  partikel kasus predikatif yang menyatakan maksud menentukan karakter atau jenis dari objek yang diindikasikan subjek

• -지 : (두루낮춤으로) 말하는 사람이 자신에 대한 이야기나 자신의 생각을 친근하게 말할 때 쓰는 종결 어미.
  kan?, bukan?
  (dalam bentuk rendah) kata penutup final yang digunakan saat pembicara berbicara tentang dirinya atau saat mengatakan pikirannya secara akrab

< 대화(pembicaraan) > - 15

감독님, 저희 모두가 마지막 경기에 거는 기대가 큽니다.
감동님, 저히 모두가 마지막 경기에 거는 기대가 큼니다.
gamdongnim, jeohi moduga majimak gyeonggie geoneun gidaega keumnida.

네. 마지막 경기는 꼭 승리하고 말겠습니다.
네. 마지막 경기는 꼭 승니하고 말겔씀니다.
ne. majimak gyeonggineun kkok seungnihago malgetseumnida.

< 설명(penjelasan) / 번역(penerjemahan) >

감독+님, 저희 모두+가 마지막 경기+에 <u>걸(거)</u>+는 기대+가 <u>크+ㅂ니다</u>.
　　　　　　　　　　　　　　　　　　　　거는　　　　　　크니다

- **감독 (nomina)** : 공연, 영화, 운동 경기 등에서 일의 전체를 지휘하며 책임지는 사람.
  sutradara, administrator panggung, manajer
  orang yang bertanggung jawab atas kelancaran pertunjukan, siaran, pemutaran film, tim olahraga, dan lain sebagainya

- **님** : '높임'의 뜻을 더하는 접미사.
  bapak, ibu
  akhiran yang menambahkan arti "meninggikan"

- **저희 (pronomina)** : 말하는 사람이 자기보다 높은 사람에게 자기를 포함한 여러 사람들을 가리키는 말.
  kami, saya
  kata yang digunakan orang yang berbicara untuk menunjuk beberapa orang termasuk diri sendiri kepada orang yang lebih tinggi jabatan atau umurnya dari dirinya sendiri

- **모두 (nomina)** : 남거나 빠진 것이 없는 전체.
  semua, seluruhnya
  seluruhnya tanpa sisa atau tanpa ada yang tertinggal

- **가** : 어떤 상태나 상황에 놓인 대상이나 동작의 주체를 나타내는 조사.
  Tiada Penjelasan Arti
  partikel yang menyatakan subjek sebuah keadaan atau situasi atau pelaku utama sebuah tindakan

• **마지막 (nomina)** : 시간이나 순서의 맨 끝.
  terakhir
  akhir atau ujung dari waktu atau urutan

• **경기 (nomina)** : 운동이나 기술 등의 능력을 서로 겨룸.
  pertandingan
  hal saling bertarung keahlian seperti olahraga atau teknik dsb

• 에 : 앞말이 어떤 행위나 감정 등의 대상임을 나타내는 조사.
  karena, dengan, akibat, oleh
  partikel yang menyatakan kalimat di depan adalah objek suatu tindakan atau perasaan dsb

• **걸다 (verba)** : 앞으로의 일에 대한 희망 등을 품거나 기대하다.
  menggantungkan, menancapkan
  memiliki cita-cita, harapan, dsb pada sesuatu atau orang

• -는 : 앞의 말이 관형어의 기능을 하게 만들고 사건이나 동작이 현재 일어남을 나타내는 어미.
  yang
  akhiran untuk membuat kata di depannya berfungsi sebagai pewatas dan menyatakan kejadian atau tindakan terjadi sekarang

• **기대 (nomina)** : 어떤 일이 이루어지기를 바라며 기다림.
  pengharapan, harapan
  hal berharap dan menunggu terwujudnya sesuatu

• 가 : 어떤 상태나 상황에 놓인 대상이나 동작의 주체를 나타내는 조사.
  Tiada Penjelasan Arti
  partikel yang menyatakan subjek sebuah keadaan atau situasi atau pelaku utama sebuah tindakan

• **크다 (adjektiva)** : 어떤 일의 규모, 범위, 정도, 힘 등이 보통 수준을 넘다.
  besar, lebat, deras, kuat, kencang
  skala, lingkup, taraf, tenaga dsb melebihi biasanya

• -ㅂ니다 : (아주높임으로) 현재의 동작이나 상태, 사실을 정중하게 설명함을 나타내는 종결 어미.
  adalah
  (dalam bentuk sangat hormat) kata penutup final yang menyatakan menjelaskan tindakan, keadaan, atau kenyataan di masa kini dengan sopan

네.

마지막 경기+는 꼭 승리하+[고 말]+겠+습니다.

• **네 (interjeksi)** : 윗사람의 물음이나 명령 등에 긍정하여 대답할 때 쓰는 말.
ya
kata yang digunakan untuk memberikan jawaban positif, setuju terhadap pertanyaan, perintah orang yang lebih tua umurnya, atau lebih tinggi posisinya

• **마지막 (nomina)** : 시간이나 순서의 맨 끝.
terakhir
akhir atau ujung dari waktu atau urutan

• **경기 (nomina)** : 운동이나 기술 등의 능력을 서로 겨룸.
pertandingan
hal saling bertarung keahlian seperti olahraga atau teknik dsb

• **는** : 문장 속에서 어떤 대상이 화제임을 나타내는 조사.
Tiada Penjelasan Arti
partikel yang menyatakan suatu subjek dalam kalimat menjadi bahan pembicaraan

• **꼭 (adverbia)** : 어떤 일이 있어도 반드시.
sudah tentu, pasti
apapun yang terjadi pasti

• **승리하다 (verba)** : 전쟁이나 경기 등에서 이기다.
menang
menang dalam perang atau pertandingan dsb

• **-고 말다** : 앞에 오는 말이 가리키는 일을 이루고자 하는 말하는 사람의 강한 의지를 나타내는 표현.
berhasrat
ungkapan yang menyatakan keinginan yang kuat dari pembicara untuk mewujudkan sebuah pekerjaan dalam kalimat di depan

• **-겠-** : 말하는 사람의 의지를 나타내는 어미.
akan, mau, berharap
akhiran untuk menyatakan tekad dari pembicara

• **-습니다** : (아주높임으로) 현재의 동작이나 상태, 사실을 정중하게 설명함을 나타내는 종결 어미.
Tiada Penjelasan Arti
(dalam bentuk sangat hormat) kata penutup final yang menyatakan menjelaskan tindakan, keadaan, atau kenyataan di masa kini dengan sopan

< 대화(pembicaraan) > - 16

시간이 지나고 보니 모든 순간이 다 소중한 것 같아.
시가니 지나고 보니 모든 순가니 다 소중한 걷 가타.
sigani jinago boni modeun sungani da sojunghan geot gata.

무슨 일 있어? 갑자기 왜 그런 말을 해?
무슨 일 이써? 갑짜기 왜 그런 마를 해?
museun il isseo? gapjagi wae geureon mareul hae?

< 설명(penjelasan) / 번역(penerjemahan) >

시간+이 지나+[고 보]+니 모든 순간+이 다 <u>소중하+[ㄴ 것 같]+아</u>.
소중한 것 같아

- **시간 (nomina)** : 자연히 지나가는 세월.
  masa, waktu
  masa yang mengalir dengan sendirinya

- 이 : 어떤 상태나 상황의 대상이나 동작의 주체를 나타내는 조사.
  Tiada Penjelasan Arti
  partikel yang menyatakan objek dari suatu keadaan atau kondisi atau pelaku dari suatu tindakan

- **지나다 (verba)** : 시간이 흘러 그 시기에서 벗어나다.
  lalu, lewat
  waktu mengalir sehingga lepas dari masa tersebut

- **-고 보다** : 앞의 말이 나타내는 행동을 하고 난 후에 뒤의 말이 나타내는 사실을 새로 깨달음을 나타내는 표현.
  ternyata, setelah
  ungkapan yang menyatakan menjadi sadar akan kenyataan yang disebutkan oleh kalimat di belakang setelah melakukan tindakan yang disebutkan oleh kalimat di depan

- **-니** : 앞에서 이야기한 내용과 관련된 다른 사실을 이어서 설명할 때 쓰는 연결 어미.
  berhubung, berkaitan, karena
  kata penutup sambung yang digunakan saat menjelaskan kenyataan lain yang berhubungan dengan isi kalimat di depan

• 모든 (pewatas) : 빠지거나 남는 것 없이 전부인.
semua, seluruh
semua tanpa ada yang terlewat atau tersisa

• 순간 (nomina) : 아주 짧은 시간 동안.
detik-detik
selama jangka waktu yang pendek

• 이 : 어떤 상태나 상황의 대상이나 동작의 주체를 나타내는 조사.
Tiada Penjelasan Arti
partikel yang menyatakan objek dari suatu keadaan atau kondisi atau pelaku dari suatu tindakan

• 다 (adverbia) : 남거나 빠진 것이 없이 모두.
semua, semuanya, seluruhnya
semua tanpa ada yang tersisa atau terlewat

• 소중하다 (adjektiva) : 매우 귀중하다.
berharga, sangat berarti
sangat berharga

• -ㄴ 것 같다 : 추측을 나타내는 표현.
sepertinya, kelihatannya, nampaknya
ungkapan yang menyatakan dugaan atau terkaan

• -아 : (두루낮춤으로) 어떤 사실을 서술하거나 물음, 명령, 권유를 나타내는 종결 어미.
-kah, -lah
(dalam bentuk rendah) akhiran penutup untuk menyatakan suatu kenyataan atau menandai pertanyaan, perintah, dan ajakan <penjabaran>

무슨 일 있+어?

갑자기 왜 그런 말+을 <u>하+여</u>?
해

• 무슨 (pewatas) : 확실하지 않거나 잘 모르는 일, 대상, 물건 등을 물을 때 쓰는 말.
apa
kata yang digunakan untuk menanyakan sesuatu, objek, benda, dsb yang tidak jelas atau tidak diketahui dengan baik

• 일 (nomina) : 해결하거나 처리해야 할 문제나 사항.
 urusan, masalah
 masalah atau hal yang harus diselesaikan atau diurus

• 있다 (adjektiva) : 어떤 사람에게 무슨 일이 생긴 상태이다.
 terjadi sesuatu
 keadaan sudah terjadi sesuatu pada seseorang

• -어 : (두루낮춤으로) 어떤 사실을 서술하거나 물음, 명령, 권유를 나타내는 종결 어미.
 -kah, -lah
 (dalam bentuk rendah) akhiran penutup untuk menyatakan suatu kenyataan atau menandai
 pertanyaan, perintah, dan ajakan <pertanyaan>

• 갑자기 (adverbia) : 미처 생각할 틈도 없이 빨리.
 tiba-tiba
 tanpa ada waktu untuk berpikir, sangat cepat di luar dugaan

• 왜 (adverbia) : 무슨 이유로. 또는 어째서.
 kenapa, mengapa
 untuk alasan apa, atau bagaimana bisa

• 그런 (pewatas) : 상태, 모양, 성질 등이 그러한.
 seperti itu
 yang bersifat kondisi, bentuk, karakter, dsb demikian

• 말 (nomina) : 생각이나 느낌을 표현하고 전달하는 사람의 소리.
 perkataan, kata-kata
 bunyi atau suara manusia yang merupakan ungkapan perasaan atau pikiran

• 을 : 동작이 직접적으로 영향을 미치는 대상을 나타내는 조사.
 Tiada Penjelasan Arti
 partikel yang menyatakan objek dari suatu gerakan yang secara langsung memberikan
 pengaruh

• 하다 (verba) : 어떤 행동이나 동작, 활동 등을 행하다.
 melakukan, mengerjakan, menjalankan
 melaksanakan suatu tindakan atau aksi, kegiatan, dsb

• -여 : (두루낮춤으로) 어떤 사실을 서술하거나 물음, 명령, 권유를 나타내는 종결 어미.
 -kah, -lah
 (dalam bentuk rendah) akhiran penutup untuk menyatakan suatu kenyataan atau menandai
 pertanyaan, perintah, dan ajakan <pertanyaan>

< 대화(pembicaraan) > - 17

날씨가 추우니까 따뜻한 게 먹고 싶네.
날씨가 추우니까 따뜨탄 게 먹꼬 심네.
nalssiga chuunikka ttatteutan ge meokgo simne.

그럼 오늘 점심은 삼계탕을 먹으러 갈까?
그럼 오늘 점시믄 삼계탕을(삼계탕을) 머그러 갈까?
geureom oneul jeomsimeun samgyetangeul(samgetangeul) meogeureo galkka?

< 설명(penjelasan) / 번역(penerjemahan) >

날씨+가 춥(추우)+니까 따뜻하+[ㄴ 것(거)]+이 먹+[고 싶]+네.
추우니까　　　　따뜻한 게

• **날씨 (nomina)** : 그날그날의 기온이나 공기 중에 비, 구름, 바람, 안개 등이 나타나는 상태.
  cuaca
  kondisi yang menyatakan suhu, udara, hujan, angin, awan, dsb setiap harinya

• **가** : 어떤 상태나 상황에 놓인 대상이나 동작의 주체를 나타내는 조사.
  Tiada Penjelasan Arti
  partikel yang menyatakan subjek sebuah keadaan atau situasi atau pelaku utama sebuah tindakan

• **춥다 (adjektiva)** : 대기의 온도가 낮다.
  dingin
  rendah suhu di udara

• **-니까** : 뒤에 오는 말에 대하여 앞에 오는 말이 원인이나 근거, 전제가 됨을 강조하여 나타내는 연결 어미.
  karena, sebab, ketika
  akhiran penghubung untuk menegaskan bahwa kalimat di depan menjadi alasan, dasar, atau premis dari kalimat di belakang

• **따뜻하다 (adjektiva)** : 아주 덥지 않고 기분이 좋은 정도로 온도가 알맞게 높다.
  hangat
  tidak terlalu panas, memiliki suhu cukup yang sampai membuat hati senang

• -ㄴ 것 : 명사가 아닌 것을 문장에서 명사처럼 쓰이게 하거나 '이다' 앞에 쓰일 수 있게 할 때 쓰는 표현.

yang

ungkapan yang dapat membuat suatu kelas kata bisa digunakan sebagai kata benda dalam kalimat dan berfungsi sebagai subjek atau objek, atau dapat membuat suatu kelas kata bisa digunakan di depan '이다'

• 이 : 어떤 상태나 상황의 대상이나 동작의 주체를 나타내는 조사.

Tiada Penjelasan Arti

partikel yang menyatakan objek dari suatu keadaan atau kondisi atau pelaku dari suatu tindakan

• 먹다 (verba) : 음식 등을 입을 통하여 배 속에 들여보내다.

makan

memasukkan makanan ke dalam mulut lalu menelannya

• -고 싶다 : 앞의 말이 나타내는 행동을 하기를 원함을 나타내는 표현.

ingin, mau

ungkapan yang menyatakan bahwa pembicara ingin melakukan tindakan yang disebut dalam kalimat di depan

• -네 : (예사 낮춤으로) 단순한 서술을 나타내는 종결 어미.

ternyata, sebenarnya

(dalam bentuk rendah) kata penutup final yang menyatakan predikat biasa

그럼 오늘 점심+은 삼계탕+을 먹+으러 가+ㄹ까?
갈까

• 그럼 (adverbia) : 앞의 내용을 받아들이거나 그 내용을 바탕으로 하여 새로운 주장을 할 때 쓰는 말.

jadi, maka, kalau demikian

kata yang digunakan saat menerima isi ucapan yang ada di depan atau membuat pernyataan baru berdasar latar belakang tersebut

• 오늘 (nomina) : 지금 지나가고 있는 이날.

hari ini

hari ini yang sekarang sedang dilalui sekarang

• 점심 (nomina) : 아침과 저녁 식사 중간에, 낮에 하는 식사.

makan siang

makan yang dilakukan pada siang hari, di antara makan pagi dan makan malam

• 은 : 문장 속에서 어떤 대상이 화제임을 나타내는 조사.
  Tiada Penjelasan Arti
  partikel yang menyatakan suatu objek menjadi topik di dalam kalimat

• **삼계탕 (nomina)** : 어린 닭에 인삼, 찹쌀, 대추 등을 넣고 푹 삶은 음식.
  samgyetang
  makanan Korea, sup ayam yang bahannya terdiri dari ayam muda, gingseng, beras ketan, kurma Cina. Gingseng, beras ketan dan kurma Cina, dsb dimasukkan ke dalam perut ayam kemudian direbus

• 을 : 동작이 직접적으로 영향을 미치는 대상을 나타내는 조사.
  Tiada Penjelasan Arti
  partikel yang menyatakan objek dari suatu gerakan yang secara langsung memberikan pengaruh

• **먹다 (verba)** : 음식 등을 입을 통하여 배 속에 들여보내다.
  makan
  memasukkan makanan ke dalam mulut lalu menelannya

• -으러 : 가거나 오거나 하는 동작의 목적을 나타내는 연결 어미.
  untuk
  kata penutup sambung yang menyatakan tujuan dari tindakan pergi atau datang

• **가다 (verba)** : 어떤 목적을 가지고 일정한 곳으로 움직이다.
  pergi
  memiliki tujuan kemudian bergerak ke tempat tertentu

• -ㄹ까 : (두루낮춤으로) 듣는 사람의 의사를 물을 때 쓰는 종결 어미.
  maukah
  (dalam bentuk rendah) akhiran penutup untuk menanyakan pendapat pendengar

< 대화(pembicaraan) > - 18

아들이 자꾸 컴퓨터를 새로 사 달라고 해요.
아드리 자꾸 컴퓨터를 새로 사 달라고 해요.
adeuri jakku keompyuteoreul saero sa dallago haeyo.

그렇게 갖고 싶어 하는데 하나 사 줘요.
그러케 갇꼬 시퍼 하는데 하나 사 줘요.
geureoke gatgo sipeo haneunde hana sa jwoyo.

< 설명(penjelasan) / 번역(penerjemahan) >

아들+이 자꾸 컴퓨터+를 새로 <u>사+[(아) 달]</u>+라고 <u>하+여요</u>.
사 달라고　　해요

- **아들 (nomina)** : 남자인 자식.
  anak laki-laki
  anak laki-laki

- **이** : 어떤 상태나 상황의 대상이나 동작의 주체를 나타내는 조사.
  Tiada Penjelasan Arti
  partikel yang menyatakan objek dari suatu keadaan atau kondisi atau pelaku dari suatu tindakan

- **자꾸 (adverbia)** : 여러 번 계속하여.
  sering, terus-menerus
  terus-menerus beberapa kali

- **컴퓨터 (nomina)** : 전자 회로를 이용하여 문서, 사진, 영상 등의 대량의 데이터를 빠르고 정확하게 처리하는 기계.
  komputer
  mesin hitung otomatis yang menggunakan jalur elektronik yang biasanya mengatur data berukuran besar seperti dokumen, foto, video, dsb dengan cepat dan tepat

- **를** : 동작이 직접적으로 영향을 미치는 대상을 나타내는 조사.
  Tiada Penjelasan Arti
  partikel yang menyatakan objek dari suatu gerakan yang secara langsung memberikan pengaruh

• **새로 (adverbia)** : 전과 달리 새롭게. 또는 새것으로.
  baru
  dengan baru yang berbeda dari sebelumnya, atau dengan sesuatu yang baru

• **사다 (verba)** : 돈을 주고 어떤 물건이나 권리 등을 자기 것으로 만들다.
  membeli
  menjadikan sesuatu atau hak dsb milik dengan memberikan sejumlah uang

• **-아 달다** : 앞의 말이 나타내는 행동을 해 줄 것을 요구함을 나타내는 표현.
  minta, mohon
  kata yang menyatakan memohon untuk melakukan tindakan yang disebutkan dalam kalimat di depan

• **-라고** : 다른 사람에게 들은 명령이나 권유 등의 내용을 간접적으로 전할 때 쓰는 표현.
  dikatakan seperti, meminta, menyuruh
  ungkapan yang digunakan untuk menyampaikan secara langsung hal seperti perintah atau anjuran yang didengar langsung dari orang lain

• **하다 (verba)** : 무엇에 대해 말하다.
  Tiada Penjelasan Arti
  berbicara tentang sesuatu

• **-여요** : (두루높임으로) 어떤 사실을 서술하거나 질문, 명령, 권유함을 나타내는 종결 어미.
  apakah, adalah
  (dalam bentuk hormat) kata penutup final yang mengungkapkan suatu kenyataan atau menyatakan pertanyaan, perintah, atau ajakan <penjabaran>

그렇+게 갖+[고 싶어 하]+는데 하나 사+[(아) 주]+어요.
사 줘요

• **그렇다 (adjektiva)** : 상태, 모양, 성질 등이 그와 같다.
  begitu, demikian
  keadaan, bentuk, karakter, dsb sama dengan isi kalimat di depan atau di belakang

• **-게** : 앞의 말이 뒤에서 가리키는 일의 목적이나 결과, 방식, 정도 등이 됨을 나타내는 연결 어미.
  dengan
  kata penutup sambung yang menyatakan isi kalimat di depan dibutuhkan sementara kalimat di belakang terus dilanjutkan(formal, kedudukan penerima sangat rendah)

• **갖다 (verba)** : 자기 것으로 하다.
  memiliki
  membuat menjadi milik sendiri

• -고 싶어 하다 : 앞의 말이 나타내는 행동을 하기를 바라거나 그렇게 되기를 원함을 나타내는 표현.

ingin, mau

ungkapan yang menyatakan ingin melakukan tindakan yang disebut dalam kalimat di depan

• -는데 : 뒤의 말을 하기 위하여 그 대상과 관련이 있는 상황을 미리 말함을 나타내는 연결 어미.

sebenarnya, nyatanya

akhiran kalimat penyambung yang menyatakan mengatakan terlebih dahulu keadaan yang berhubungan sebelum mengatakan kalimat yang berhubungan

• 하나 (numeralia) : 숫자를 셀 때 맨 처음의 수.

satu

angka yang pertama kali muncul saat dihitung, atau angka yang dihasilkan dari tiga dikurangi dua

• 사다 (verba) : 돈을 주고 어떤 물건이나 권리 등을 자기 것으로 만들다.

membeli

menjadikan sesuatu atau hak dsb milik dengan memberikan sejumlah uang

• -아 주다 : 남을 위해 앞의 말이 나타내는 행동을 함을 나타내는 표현.

mohon, minta, karena

ungkapan yang menyatakan melakukan tindakan yang disebutkan dalam kalimat di depan untuk orang lain

• -어요 : (두루높임으로) 어떤 사실을 서술하거나 질문, 명령, 권유함을 나타내는 종결 어미.

apakah, apa, ~saja, silakan

(dalam bentuk hormat) kata penutup final yang mengungkapkan suatu kenyataan atau menyatakan pertanyaan, perintah, atau ajakan **<perintah>**

< 대화(pembicaraan) > - 19

출발했니? 언제쯤 도착할 것 같아?
출발핸니? 언제쯤 도차칼 껃 가타?
chulbalhaenni? eonjejjeum dochakal geot gata?

지금 가고 있으니까 십 분쯤 뒤에 도착할 거야.
지금 가고 이쓰니까 십 분쯤 뒤에 도차칼 꺼야.
jigeum gago isseunikka sip bunjjeum dwie dochakal geoya.

< 설명(penjelasan) / 번역(penerjemahan) >

<u>출발하</u>+였+니?
　　출발했니

언제+쯤 <u>도착하</u>+[ㄹ 것 같]+아?
　　　도착할 것 같아

• **출발하다 (verba)** : 어떤 곳을 향하여 길을 떠나다.
　berangkat
　pergi meninggalkan mengikuti jalan menuju suatu tempat

• **-였-** : 어떤 사건이 과거에 완료되었거나 그 사건의 결과가 현재까지 지속되는 상황을 나타내는 어미.
　sudah, telah, pernah
　akhiran kalimat yang menyatakan sebuah peristiwa sudah selesai di masa lampau atau menyatakan keadaan di mana hasil peristiwa tersebut terus berlangsung hingga sekarang

• **-니** : (아주낮춤으로) 물음을 나타내는 종결 어미.
　-kah?
　(dalam bentuk sangat rendah) akhiran penutup yang menyatakan pertanyaan

• **언제 (pronomina)** : 알지 못하는 어느 때.
　kapan
　suatu waktu yang tidak diketahui digunakan untuk pertanyaan

• **쯤** : '정도'의 뜻을 더하는 접미사.
　kira-kira, sekitar
　akhiran yang menambahkan arti "kira-kira"

• 도착하다 (verba) : 목적지에 다다르다.
  tiba, sampai
  mencapai tempat yang dituju

• -ㄹ 것 같다 : 추측을 나타내는 표현.
  sepertinya, kelihatannya, nampaknya
  ungkapan yang menyatakan dugaan atau terkaan

• -아 : (두루낮춤으로) 어떤 사실을 서술하거나 물음, 명령, 권유를 나타내는 종결 어미.
  -kah, -lah
  (dalam bentuk rendah) akhiran penutup untuk menyatakan suatu kenyataan atau menandai
  pertanyaan, perintah, dan ajakan <pertanyaan>

지금 가+[고 있]+으니까 십 분+쯤 뒤+에 도착하+[ㄹ 것(거)]+(이)+야.
도착할 거야

• 지금 (adverbia) : 말을 하고 있는 바로 이때에. 또는 그 즉시에.
  sekarang
  saat sedang berbicara, atau pada saat itu

• 가다 (verba) : 한 곳에서 다른 곳으로 장소를 이동하다.
  pergi
  bergerak dari satu tempat ke tempat lain

• -고 있다 : 앞의 말이 나타내는 행동이 계속 진행됨을 나타내는 표현.
  sedang
  ungkapan yang menyatakan bahwa tindakan yang disebutkan dalam kalimat di depan terus
  berjalan

• -으니까 : 뒤에 오는 말에 대하여 앞에 오는 말이 원인이나 근거, 전제가 됨을 강조하여 나타내는 연결
  어미.
  karena, sebab, ketika
  akhiran penghubung untuk menegaskan bahwa kalimat di depan menjadi alasan, dasar, atau
  premis dari kalimat di belakang

• 십 (pewatas) : 열의.
  sepuluh, 10
  berjumlah sepuluh

• 분 (nomina) : 한 시간의 60분의 1을 나타내는 시간의 단위.
  menit
  satuan waktu yang memperlihatkan 1/60 dari satu jam

• 쯤 : '정도'의 뜻을 더하는 접미사.
kira-kira, sekitar
akhiran yang menambahkan arti "kira-kira"

• **뒤 (nomina)** : 시간이나 순서상으로 다음이나 나중.
nanti, selanjutnya
nanti secara waktu atau urutan atau selanjutnya

• 에 : 앞말이 시간이나 때임을 나타내는 조사.
pada
partikel yang menyatakan kalimat di depan adalah waktu atau saat

• **도착하다 (verba)** : 목적지에 다다르다.
tiba, sampai
mencapai tempat yang dituju

• -ㄹ 것 : 명사가 아닌 것을 문장에서 명사처럼 쓰이게 하거나 '이다' 앞에 쓰일 수 있게 할 때 쓰는 표현.
minta, mohon, yang
ungkapan yang dapat membuat suatu kelas kata bisa digunakan sebagai kata benda dalam kalimat dan berfungsi sebagai subjek atau objek, atau dapat membuat suatu kelas kata bisa digunakan di depan '이다'

• 이다 : 주어가 지시하는 대상의 속성이나 부류를 지정하는 뜻을 나타내는 서술격 조사.
adalah
partikel kasus predikatif yang menyatakan maksud menentukan karakter atau jenis dari objek yang diindikasikan subjek

• -야 : (두루낮춤으로) 어떤 사실에 대하여 서술하거나 물음을 나타내는 종결 어미.
Tiada Penjelasan Arti
(dalam bentuk rendah) kata penutup final yang mengungkapkan suatu kenyataan atau menyatakan pertanyaan <penjabaran>

< 대화(pembicaraan) > - 20

넌 안경을 쓰고 있을 때 더 멋있어 보인다.
넌 안경을 쓰고 이쓸 때 더 머시써 보인다.
neon angyeongeul sseugo isseul ttae deo meosisseo boinda.

그래? 이제부터 계속 쓰고 다닐까 봐.
그래? 이제부터 계속(계속) 쓰고 다닐까 봐.
geurae? ijebuteo gyesok(gesok) sseugo danilkka bwa.

< 설명(penjelasan) / 번역(penerjemahan) >

너+는 안경+을 쓰+[고 있]+[을 때] 더 멋있+[어 보이]+ㄴ다.
넌   멋있어 보인다

- 너 (pronomina) : 듣는 사람이 친구나 아랫사람일 때, 그 사람을 가리키는 말.
  kamu
  kata untuk menunjuk lawan bicara yang merupakan teman atau orang yang lebih muda

- 는 : 문장 속에서 어떤 대상이 화제임을 나타내는 조사.
  Tiada Penjelasan Arti
  partikel yang menyatakan suatu subjek dalam kalimat menjadi bahan pembicaraan

- 안경 (nomina) : 눈을 보호하거나 시력이 좋지 않은 사람이 잘 볼 수 있도록 눈에 쓰는 물건.
  kacamata
  benda yang digunakan untuk membantu yang penglihatannya kurang atau tidak baik, atau untuk melindungi mata

- 을 : 동작이 직접적으로 영향을 미치는 대상을 나타내는 조사.
  Tiada Penjelasan Arti
  partikel yang menyatakan objek dari suatu gerakan yang secara langsung memberikan pengaruh

- 쓰다 (verba) : 얼굴에 어떤 물건을 걸거나 덮어쓰다.
  memakai, mengenakan
  menggantungkan suatu benda di wajah kemudian menutupi bagian wajah tersebut

- -고 있다 : 앞의 말이 나타내는 행동의 결과가 계속됨을 나타내는 표현.
  sedang
  ungkapan yang menyatakan bahwa hasil dari tindakan yang disebutkan dalam kalimat di depan terus berjalan

- -을 때 : 어떤 행동이나 상황이 일어나는 동안이나 그 시기 또는 그러한 일이 일어난 경우를 나타내는 표현.
  ketika, saat
  ungkapan yang menyatakan selama atau saat terjadinya suatu tindakan atau keadaan, atau saat terjadinya hal demikian

- 더 (adverbia) : 비교의 대상이나 어떤 기준보다 정도가 크게, 그 이상으로.
  lebih
  dengan ukuran yang lebih besar daripada objek bandingan atau suatu standar, lebih dari itu

- 멋있다 (adjektiva) : 매우 좋거나 훌륭하다.
  menakjubkan, keren, megah, luar biasa, menarik
  sangat baik, sangat bagus

- -어 보이다 : 겉으로 볼 때 앞의 말이 나타내는 것처럼 느껴지거나 추측됨을 나타내는 표현.
  tampak, terlihat
  ungkapan yang menyatakan bahwa kalimat yang disebutkan di depan terasa atau diperkirakan seperti muncul atau terjadi

- -ㄴ다 : (아주낮춤으로) 현재 사건이나 사실을 서술함을 나타내는 종결 어미.
  Tiada Penjelasan Arti
  (dalam bentuk sangat rendah) kata penutup final yang menyatakan pernyataan kejadian atau keadaan masa kini

그래?

이제+부터 계속 쓰+고 다니+[ㄹ까 보]+아.
다닐까 봐

- 그래 (interjeksi) : 상대편의 말에 대한 감탄이나 가벼운 놀라움을 나타낼 때 쓰는 말.
  oh ya (?), begitukah
  kata yang digunakan untuk memperlihatkan ekspresi atau sedikit keterkejutan terhadap perkataan lawan bicara

- **이제 (nomina)** : 말하고 있는 바로 이때.
  sekarang, saat ini
  langsung pada saat sedang berbicara

- **부터** : 어떤 일의 시작이나 처음을 나타내는 조사.
  Tiada Penjelasan Arti
  partikel yang menyatakan awal atau mula sebuah peristiwa

- **계속 (adverbia)** : 끊이지 않고 잇따라.
  berlanjut
  terus menerus

- **쓰다 (verba)** : 얼굴에 어떤 물건을 걸거나 덮어쓰다.
  memakai, mengenakan
  menggantungkan suatu benda di wajah kemudian menutupi bagian wajah tersebut

- **-고** : 앞의 말이 나타내는 행동이나 그 결과가 뒤에 오는 행동이 일어나는 동안에 그대로 지속됨을 나타내는 연결 어미.
  dan, dengan, sambil
  akhiran penghubung yang menyatakan bahwa tindakan atau hasil di kalimat depan terus berjalan selama tindakan di kalimat belakang terjadi.

- **다니다 (verba)** : 이리저리 오고 가다.
  pergi ke sana sini
  bolak-balik ke sana sini

- **-ㄹ까 보다** : 앞에 오는 말이 나타내는 행동을 할 의도가 있음을 나타내는 표현.
  mau, hendak, mungkin, barangkali
  ungkapan untuk menyatakan memiliki hasrat untuk melakukan tindakan yang disebutkan dalam kalimat depan

- **-아** : (두루낮춤으로) 어떤 사실을 서술하거나 물음, 명령, 권유를 나타내는 종결 어미.
  -kah, -lah
  (dalam bentuk rendah) akhiran penutup untuk menyatakan suatu kenyataan atau menandai pertanyaan, perintah, dan ajakan <penjabaran>

< 대화(pembicaraan) > - 21

이건 어렸을 때 찍은 제 가족 사진이에요.
이건 어려쓸 때 찌근 제 가족 사지니에요.
igeon eoryeosseul ttae jjigeun je gajok sajinieyo.

시우 씨 어렸을 때는 키가 작고 통통했군요.
시우 씨 어려쓸 때는 키가 작꼬 통통핻꾸뇨.
siu ssi eoryeosseul ttaeneun kiga jakgo tongtonghaetgunyo.

< 설명(penjelasan) / 번역(penerjemahan) >

의것(이거)+은 어리+었+[을 때] 찍+은 저+의 가족 사진+이+에요.
　　이건　　　　　어렸을 때　　　　　　제

- 이것(이거) (pronomina) : 말하는 사람에게 가까이 있거나 말하는 사람이 생각하고 있는 것을 가리키는 말.
  ini
  kata yang menunjukkan benda yang dekat dengan pembicara atau ada dalam pikiran pembicara

- 은 : 문장 속에서 어떤 대상이 화제임을 나타내는 조사.
  Tiada Penjelasan Arti
  partikel yang menyatakan suatu objek menjadi topik di dalam kalimat

- 어리다 (adjektiva) : 나이가 적다.
  muda
  berusia muda

- -었- : 사건이 과거에 일어났음을 나타내는 어미.
  sudah, pasti, yakin
  akhiran kalimat yang menyatakan peristiwa terjadi di masa lampau

- -을 때 : 어떤 행동이나 상황이 일어나는 동안이나 그 시기 또는 그러한 일이 일어난 경우를 나타내는 표현.
  ketika, saat
  ungkapan yang menyatakan selama atau saat terjadinya suatu tindakan atau keadaan, atau saat terjadinya hal demikian

- **찍다 (verba)** : 어떤 대상을 카메라로 비추어 그 모양을 필름에 옮기다.
  memotret
  mencerminkan suatu objek dengan kamera kemudian memindahkan bentuknya ke film

- **-은** : 앞의 말이 관형어의 기능을 하게 만들고 사건이나 동작이 과거에 일어났음을 나타내는 어미.
  yang
  akhiran yang membuat kata di depannya berfungsi sebagai kata pewatas, dan menyatakan bahwa tindakan dan peristiwa terjadi di masa lampau

- **저 (pronomina)** : 말하는 사람이 듣는 사람에게 자신을 낮추어 가리키는 말.
  saya
  kata yang digunakan oleh pembicara untuk menunjuk dirinya sendiri sambil merendahkan diri

- **의** : 앞의 말이 뒤의 말에 대하여 소유, 소속, 소재, 관계, 기원, 주체의 관계를 가짐을 나타내는 조사.
  dari, milik
  partikel yang menyatakan perkataan di depan memiliki hubungan kepemilikian, bagian tempat diri bekerja, bahan, hubungan, asal, topik dengan perkataan di belakang

- **가족 (nomina)** : 주로 한 집에 모여 살고 결혼이나 부모, 자식, 형제 등의 관계로 이루어진 사람들의 집단. 또는 그 구성원.
  keluarga atau anggota keluarga
  kelompok yang umumnya tinggal di satu rumah, terdiri dari pernikahan, dan terdiri atas orang tua, anak, saudara, dan lainnya. Atau anggota kelompok itu.

- **사진 (nomina)** : 사물의 모습을 오래 보존할 수 있도록 사진기로 찍어 종이나 컴퓨터 등에 나타낸 영상.
  foto
  gambar pada kertas, layar komputer, dsb, yang diambil dengan kamera untuk mengabadikan rupa suatu obyek

- **이다** : 주어가 지시하는 대상의 속성이나 부류를 지정하는 뜻을 나타내는 서술격 조사.
  adalah
  partikel kasus predikatif yang menyatakan maksud menentukan karakter atau jenis dari objek yang diindikasikan subjek

- **-에요** : (두루높임으로) 어떤 사실을 서술하거나 질문함을 나타내는 종결 어미.
  apakah, adalah
  (dalam bentuk hormat) kata penutup final yang mengungkapkan suatu kenyataan atau menyatakan pertanyaan, perintah, atau ajakan <penjabaran>

시우 씨 어리+었+[을 때]+는 키+가 작+고 통통하+였+군요.
　　　　어렸을 때는　　　　　　　　　통통했군요

• 시우 (nomina) : nama

• 씨 (nomina) : 그 사람을 높여 부르거나 이르는 말.
kata panggilan seperti ibu, bapak, mas, mbak, dsb
kata untuk memanggil orang yang memiliki nama atau orang yang memiliki marga

• 어리다 (adjektiva) : 나이가 적다.
muda
berusia muda

• -었- : 사건이 과거에 일어났음을 나타내는 어미.
sudah, pasti, yakin
akhiran kalimat yang menyatakan peristiwa terjadi di masa lampau

• -을 때 : 어떤 행동이나 상황이 일어나는 동안이나 그 시기 또는 그러한 일이 일어난 경우를 나타내는
표현.
ketika, saat
ungkapan yang menyatakan selama atau saat terjadinya suatu tindakan atau keadaan, atau saat terjadinya hal demikian

• 는 : 어떤 대상이 다른 것과 대조됨을 나타내는 조사.
Tiada Penjelasan Arti
partikel yang menyatakan suatu subjek diperbandingkan dengan sesuatu yang lain

• 키 (nomina) : 사람이나 동물이 바로 섰을 때의 발에서부터 머리까지의 몸의 길이.
tinggi badan
panjang badan manusia atau binatang dari ujung kaki sampai ujung kepala saat berdiri

• 가 : 어떤 상태나 상황에 놓인 대상이나 동작의 주체를 나타내는 조사.
Tiada Penjelasan Arti
partikel yang menyatakan subjek sebuah keadaan atau situasi atau pelaku utama sebuah tindakan

• 작다 (adjektiva) : 길이, 넓이, 부피 등이 다른 것이나 보통보다 덜하다.
kecil
panjang, luas, tebal, dsb kurang dari pada yang lain atau yang biasa

• -고 : 두 가지 이상의 대등한 사실을 나열할 때 쓰는 연결 어미.
dan
akhiran penghubung yang digunakan untuk menyusun dua atau lebih kenyataan yang setara

• 통통하다 (adjektiva) : 키가 작고 살이 쪄서 몸이 옆으로 퍼져 있다.
gemuk
tubuh membentang ke samping karena pendek dan gemuk

• -였- : 사건이 과거에 일어났음을 나타내는 어미.
  sudah, telah, pernah
  akhiran kalimat yang menyatakan peristiwa terjadi di masa lampau

• -군요 : (두루높임으로) 새롭게 알게 된 사실에 주목하거나 감탄함을 나타내는 표현.
  wah, ternyata
  (dalam bentuk hormat) ungkapan yang menunjukkan hal meyakinkan atau menyadari suatu hal dengan baru sehingga terkejut

< 대화(pembicaraan) > - 22

꼼꼼한 지우 씨도 어제 큰 실수를 했나 봐요.
꼼꼼한 지우 씨도 어제 큰 실쑤를 핸나 봐요.
kkomkkomhan jiu ssido eoje keun silsureul haenna bwayo.

아무리 꼼꼼한 사람이라도 서두르면 실수하기 쉽지요.
아무리 꼼꼼한 사라미라도 서두르면 실쑤하기 쉽찌요.
amuri kkomkkomhan saramirado seodureumyeon silsuhagi swipjiyo.

< 설명(penjelasan) / 번역(penerjemahan) >

꼼꼼하+ㄴ 지우 씨+도 어제 크+ㄴ 실수+를 하+였+[나 보]+아요.
꼼꼼한   큰   했나 봐요

• **꼼꼼하다 (adjektiva)** : 빈틈이 없이 자세하고 차분하다.
  teliti
  sifat dan perilaku sangat hati-hati dan tidak ada celah yang kurang

• **-ㄴ** : 앞의 말이 관형어의 기능을 하게 만들고 현재의 상태를 나타내는 어미.
  yang
  akhiran yang membuat kata di depannya berfungsi sebagai kata pewatas, dan menyatakan keadaan saat ini

• **지우 (nomina)** : nama

• **씨 (nomina)** : 그 사람을 높여 부르거나 이르는 말.
  kata panggilan seperti ibu, bapak, mas, mbak, dsb
  kata untuk memanggil orang yang memiliki nama atau orang yang memiliki marga

• **도** : 이미 있는 어떤 것에 다른 것을 더하거나 포함함을 나타내는 조사.
  juga
  partikel yang menyatakan menambahkan atau mengikutsertakan sesuatu yang lain pada sesuatu yang sudah ada

• **어제 (adverbia)** : 오늘의 하루 전날에.
  kemarin
  sehari sebelum hari ini

- 크다 (adjektiva) : 어떤 일의 규모, 범위, 정도, 힘 등이 보통 수준을 넘다.
  besar, lebat, deras, kuat, kencang
  skala, lingkup, taraf, tenaga dsb melebihi biasanya

- -ㄴ : 앞의 말이 관형어의 기능을 하게 만들고 현재의 상태를 나타내는 어미.
  yang
  akhiran yang membuat kata di depannya berfungsi sebagai kata pewatas, dan menyatakan keadaan saat ini

- 실수 (nomina) : 잘 알지 못하거나 조심하지 않아서 저지르는 잘못.
  kesalahan, kekeliruan, kealpaan
  kesalahan yang dilakukan karena tidak tahu atau tidak berhati-hati

- 를 : 동작이 직접적으로 영향을 미치는 대상을 나타내는 조사.
  Tiada Penjelasan Arti
  partikel yang menyatakan objek dari suatu gerakan yang secara langsung memberikan pengaruh

- 하다 (verba) : 어떤 행동이나 동작, 활동 등을 행하다.
  melakukan, mengerjakan, menjalankan
  melaksanakan suatu tindakan atau aksi, kegiatan, dsb

- -였- : 사건이 과거에 일어났음을 나타내는 어미.
  sudah, telah, pernah
  akhiran kalimat yang menyatakan peristiwa terjadi di masa lampau

- -나 보다 : 앞의 말이 나타내는 사실을 추측함을 나타내는 표현.
  mungkin, sepertinya, nampaknya, kelihatannya
  ungkapan untuk menduga kenyataan dalam perkataan depan

- -아요 : (두루높임으로) 어떤 사실을 서술하거나 질문, 명령, 권유함을 나타내는 종결 어미.
  cobalah, sebenarnya, apa
  (dalam bentuk hormat) kata penutup final yang mengungkapkan suatu kenyataan atau menyatakan pertanyaan, perintah, atau ajakan <penjabaran>

아무리 꼼꼼하+ㄴ 사람+이라도 서두르+면 실수하+[기가 쉽]+지요.
　　　　꼼꼼한

- 아무리 (adverbia) : 정도가 매우 심하게.
  seberapapun ~nya, betapapun ~nya
  dengan tingkat yang sangat tinggi atau serius

• **꼼꼼하다 (adjektiva)** : 빈틈이 없이 자세하고 차분하다.
  teliti
  sifat dan perilaku sangat hati-hati dan tidak ada celah yang kurang

• **-ㄴ** : 앞의 말이 관형어의 기능을 하게 만들고 현재의 상태를 나타내는 어미.
  yang
  akhiran yang membuat kata di depannya berfungsi sebagai kata pewatas, dan menyatakan keadaan saat ini

• **사람 (nomina)** : 생각할 수 있으며 언어와 도구를 만들어 사용하고 사회를 이루어 사는 존재.
  manusia, orang
  keberadaan yang bisa berpikir, membuat bahasa dan alat lalu menggunakannya, dan membentuk masyarakat

• **이라도** : 다른 경우들과 마찬가지임을 나타내는 조사.
  apapun, pun
  partikel yang menyatakan hal sama saja dengan beberapa hal lainnya

• **서두르다 (verba)** : 일을 빨리하려고 침착하지 못하고 급하게 행동하다.
  buru-buru, tergesa-gesa
  bersikap dengan tidak tenang dan tergesa-gesa dengan maksud melakukan sesuatu

• **-면** : 뒤에 오는 말에 대한 근거나 조건이 됨을 나타내는 연결 어미.
  kalau, seandainya, apabila
  akhiran penghubung untuk menyatakan menjadi landasan atau syarat terhadap kalimat induk

• **실수하다 (verba)** : 잘 알지 못하거나 조심하지 않아서 잘못을 저지르다.
  bersalah, teledor, ceroboh
  berbuat salah karena tidak berhati-hati atau tidak tahu

• **-기가 쉽다** : 앞의 말이 나타내는 행위를 하거나 그런 상태가 될 가능성이 많음을 나타내는 표현.
  mudah untuk
  ungkapan yang menunjukkan hal banyak kemungkinan untuk melakukan tindakan atau kondisi yang demikian yang diperlihatkan kata di depan

• **-지요** : (두루높임으로) 말하는 사람이 자신에 대한 이야기나 자신의 생각을 친근하게 말할 때 쓰는 종결 어미.
  kan?, bukan?
  (dalam bentuk hormat) kata penutup final yang digunakan saat pembicara berbicara tentang dirinya atau saat mengatakan pikirannya secara akrab

< 대화(pembicaraan) > - 23

방이 되게 좁은 줄 알았는데 이렇게 보니 괜찮네.
방이 되게 조븐 줄 아란는데 이러케 보니 괜찬네.
bangi doege jobeun jul aranneunde ireoke boni gwaenchanne.

좁은 공간도 꾸미기 나름이야.
조븐 공간도 꾸미기 나르미야.
jobeun gonggando kkumigi nareumiya.

< 설명(penjelasan) / 번역(penerjemahan) >

방+이 되게 좁+[은 줄] 알+았+는데 이렇+게 보+니 괜찮+네.

- **방 (nomina)** : 사람이 살거나 일을 하기 위해 벽을 둘러서 막은 공간.
  ruang, kamar
  ruang yang dipagari dinding untuk ditinggali atau dijadikan tempat bekerja orang

- **이** : 어떤 상태나 상황의 대상이나 동작의 주체를 나타내는 조사.
  Tiada Penjelasan Arti
  partikel yang menyatakan objek dari suatu keadaan atau kondisi atau pelaku dari suatu tindakan

- **되게 (adverbia)** : 아주 몹시.
  sangat
  sekali, benar-benar, amat, terlalu

- **좁다 (adjektiva)** : 면이나 바닥 등의 면적이 작다.
  sempit, kecil
  luas permukaan atau lantai dsb kecil

- **-은 줄** : 어떤 사실이나 상태에 대해 알고 있거나 모르고 있음을 나타내는 표현.
  bahwa
  ungkapan untuk menyatakan mengetahui atau tidak mengetahui suatu kenyataan atau keadaan

- **알다 (verba)** : 어떤 사실을 그러하다고 여기거나 생각하다.
  menganggap, mengira
  menganggap atau berpikir bahwa suatu kenyataan seperti itu

• -았- : 사건이 과거에 일어났음을 나타내는 어미.

sudah, telah, pasti akan

akhiran kalimat yang menyatakan peristiwa terjadi di masa lampau

• -는데 : 뒤의 말을 하기 위하여 그 대상과 관련이 있는 상황을 미리 말함을 나타내는 연결 어미.

sebenarnya, nyatanya

akhiran kalimat penyambung yang menyatakan mengatakan terlebih dahulu keadaan yang berhubungan sebelum mengatakan kalimat yang berhubungan

• **이렇다 (adjektiva)** : 상태, 모양, 성질 등이 이와 같다.

demikian, begitu, begini

keadaan, bentuk, karakter, dsb sama dengan ini

• -게 : 앞의 말이 뒤에서 가리키는 일의 목적이나 결과, 방식, 정도 등이 됨을 나타내는 연결 어미.

dengan

kata penutup sambung yang menyatakan isi kalimat di depan dibutuhkan sementara kalimat di belakang terus dilanjutkan(formal, kedudukan penerima sangat rendah)

• **보다 (verba)** : 대상의 내용이나 상태를 알기 위하여 살피다.

Tiada Penjelasan Arti

memeriksa untuk mengetahui isi atau kondisi target.

• -니 : 뒤에 오는 말에 대하여 앞에 오는 말이 원인이나 근거, 전제가 됨을 나타내는 연결 어미.

karena, berhubung

akhiran kalimat penyambung yang menyatakan bahwa kalimat di depan menjadi alasan, dasar, atau premis dari kalimat di belakang

• **괜찮다 (adjektiva)** : 꽤 좋다.

lumayan baik, tidak apa-apa, bagus

cukup baik

• -네 : (아주낮춤으로) 지금 깨달은 일에 대하여 말함을 나타내는 종결 어미.

wah, ternyata

(dalam bentuk sangat rendah) kata penutup final yang menyatakan perkataan tentang peristiwa yang sekarang disadari

좁+은 공간+도 꾸미+[기 나름이]+야.

• **좁다 (adjektiva)** : 면이나 바닥 등의 면적이 작다.

sempit, kecil

luas permukaan atau lantai dsb kecil

- -은 : 앞의 말이 관형어의 기능을 하게 만들고 현재의 상태를 나타내는 어미.

  yang

  akhiran yang membuat kata di depannya berfungsi sebagai kata pewatas, dan menyatakan keadaan saat ini

- **공간 (nomina)** : 아무것도 없는 빈 곳이나 자리.

  ruang, ruangan

  tempat kosong tak berisi, ruang kosong

- **도** : 이미 있는 어떤 것에 다른 것을 더하거나 포함함을 나타내는 조사.

  juga

  partikel yang menyatakan menambahkan atau mengikutsertakan sesuatu yang lain pada sesuatu yang sudah ada

- **꾸미다 (verba)** : 모양이 좋아지도록 손질하다.

  mempercantik, menata, menghiasi

  merapikan agar bentuknya terlihat baik dan rapi

- **-기 나름이다** : 어떤 일이 앞의 말이 나타내는 행동을 어떻게 하느냐에 따라 달라질 수 있음을 나타내는 표현.

  tergantung, terserah

  ungkapan untuk menyatakan suatu peristiwa akan berbeda sesuai dengan karakter atau cara perlakuannya

- **-야** : (두루낮춤으로) 어떤 사실에 대하여 서술하거나 물음을 나타내는 종결 어미.

  Tiada Penjelasan Arti

  (dalam bentuk rendah) kata penutup final yang mengungkapkan suatu kenyataan atau menyatakan pertanyaan <penjabaran>

< 대화(pembicaraan) > - 24

나물 반찬 말고 더 맛있는 거 없어요?
나물 반찬 말고 더 마신는 거 업써요?
namul banchan malgo deo masinneun geo eopseoyo?

반찬 투정하지 말고 빨리 먹기나 해.
반찬 투정하지 말고 빨리 먹끼나 해.
banchan tujeonghaji malgo ppalli meokgina hae.

< 설명(penjelasan) / 번역(penerjemahan) >

나물 반찬 말+고 더 <u>맛있+[는 것(거)]</u> 없+어요?
맛있는 거

- 나물 (nomina) : 먹을 수 있는 풀이나 나뭇잎, 채소 등을 삶거나 볶거나 또는 날것으로 양념하여 무친 반찬.
  sayur-sayuran, akar-akaran, daun-daunan
  jenis rumput, daun, sayur, dsb yang bisa dimakan mentah, atau direbus atau ditumis untuk dijadikan lauk

- 반찬 (nomina) : 식사를 할 때 밥에 곁들여 먹는 음식.
  lauk
  makanan yang dimakan melengkapi nasi ketika makan

- 말다 (verba) : 앞의 것이 아니고 뒤의 것임을 나타내는 말.
  bukan
  tidak seperti yang digambarkan dalam kata yang ada di depannya tetapi seperti kata di belakangnya

- -고 : 두 가지 이상의 대등한 사실을 나열할 때 쓰는 연결 어미.
  dan
  akhiran penghubung yang digunakan untuk menyusun dua atau lebih kenyataan yang setara

- 더 (adverbia) : 비교의 대상이나 어떤 기준보다 정도가 크게, 그 이상으로.
  lebih
  dengan ukuran yang lebih besar daripada objek bandingan atau suatu standar, lebih dari itu

• 맛있다 (adjektiva) : 맛이 좋다.
enak, lezat
rasanya enak

• -는 것 : 명사가 아닌 것을 문장에서 명사처럼 쓰이게 하거나 '이다' 앞에 쓰일 수 있게 할 때 쓰는 표
현.
yang
ungkapan yang dapat membuat suatu kelas kata bisa digunakan sebagai kata benda dalam kalimat dan berfungsi sebagai subjek atau objek, atau dapat membuat suatu kelas kata bisa digunakan di depan '이다'

• 없다 (adjektiva) : 사람, 사물, 현상 등이 어떤 곳에 자리나 공간을 차지하고 존재하지 않는 상태이다.
tidak ada
orang, benda, fenomena, dsb menjadi tidak menempati suatu kedudukan atau tempat atau tidak ada di suatu tempat

• -어요 : (두루높임으로) 어떤 사실을 서술하거나 질문, 명령, 권유함을 나타내는 종결 어미.
apakah, apa, ~saja, silakan
(dalam bentuk hormat) kata penutup final yang mengungkapkan suatu kenyataan atau menyatakan pertanyaan, perintah, atau ajakan <pertanyaan>

반찬 투정하+[지 말]+고 빨리 먹+[기나 하]+여.
먹기나 해

• 반찬 (nomina) : 식사를 할 때 밥에 곁들여 먹는 음식.
lauk
makanan yang dimakan melengkapi nasi ketika makan

• 투정하다 (verba) : 무엇이 모자라거나 마음에 들지 않아 떼를 쓰며 조르다.
merengek, mengeluh, menggerutu
terus beralasan sambil merengek karena ada yang kurang atau tidak berkenan di hati

• -지 말다 : 앞의 말이 나타내는 행동을 하지 못하게 함을 나타내는 표현.
tidak, jangan
ungkapan yang menyatakan menjadikan tidak dapat melakukan tindakan dalam kalimat yang disebutkan di depan

• -고 : 앞의 말과 뒤의 말이 차례대로 일어남을 나타내는 연결 어미.
lalu
akhiran penghubung yang menyatakan bahwa kalimat di depan dan di belakang muncul secara berturut-turut

· **빨리** (adverbia) : 걸리는 시간이 짧게.
　cepat, dengan cepat, secara cepat
　waktu yang diperlukan pendek, dalam waktu yang pendek

· **먹다** (verba) : 음식 등을 입을 통하여 배 속에 들여보내다.
　makan
　memasukkan makanan ke dalam mulut lalu menelannya

· **-기나 하다** : 마음에 차지는 않지만 듣는 사람이나 다른 사람이 앞의 말이 나타내는 행동을 하길 바랄
　　　　　　 때 쓰는 표현.
　~saja
　ungkapan yang digunakan saat lawan bicara berharap melakukan tindakan yang
　diperlihatkan di perkataan depan sekalipun tidak berkenan di hati

· **-여** : (두루낮춤으로) 어떤 사실을 서술하거나 물음, 명령, 권유를 나타내는 종결 어미.
　-kah, -lah
　(dalam bentuk rendah) akhiran penutup untuk menyatakan suatu kenyataan atau menandai
　pertanyaan, perintah, dan ajakan <perintah>

< 대화(pembicaraan) > - 25

수박 한 통에 이만 원이라고요? 좀 비싼데요.
수박 한 통에 이만 워니라고요? 좀 비싼데요.
subak han tonge iman woniragoyo? jom bissandeyo.

비싸기는요. 요즘 물가가 얼마나 올랐는데요.
비싸기느뇨. 요즘 물까가 얼마나 올란는데요.
bissagineunyo. yojeum mulgaga eolmana ollanneundeyo.

< 설명(penjelasan) / 번역(penerjemahan) >

수박 한 통+에 이만 원+이+라고요?

좀 <u>비싸+ㄴ데요</u>.
     비싼데요

- **수박 (nomina)** : 둥글고 크며 초록 빛깔에 검푸른 줄무늬가 있으며 속이 붉고 수분이 많은 과일.
  semangka
  buah berbentuk bulat dan besar, berwarna hijau dengan garis-garis hitam kehijauan, dan bagian dalamnya berwarna merah serta berair banyak

- **한 (pewatas)** : 하나의.
  satu
  satu

- **통 (nomina)** : 배추나 수박, 호박 등을 세는 단위.
  buah, biji
  unit satuan untuk menyatakan banyaknya sawi putih atau semangka, labu, dsb

- **에** : 앞말이 기준이 되는 대상이나 단위임을 나타내는 조사.
  dalam, bagi, untuk
  partikel yang menyatakan kalimat di depan adalah objek, subjek, atau satuan yang menjadi patokan

- **이만** : 20,000

- 원 (nomina) : 한국의 화폐 단위.
  Won
  mata uang Korea, satuan yang digunakan untuk menghitung uang Korea

- 이다 : 주어가 지시하는 대상의 속성이나 부류를 지정하는 뜻을 나타내는 서술격 조사.
  adalah
  partikel kasus predikatif yang menyatakan maksud menentukan karakter atau jenis dari objek yang diindikasikan subjek

- -라고요 : (두루높임으로) 다른 사람의 말을 확인하거나 따져 물을 때 쓰는 표현.
  sebenarnya, nyatanya, benarkah, bermaksud
  (dalam bentuk hormat) ungkapan yang digunakan untuk meyakinkan atau menanyakan perkataan orang lain

- 좀 (adverbia) : 분량이나 정도가 적게.
  agak, sedikit
  dengan jumlah atau taraf yang sedikit

- 비싸다 (adjektiva) : 물건값이나 어떤 일을 하는 데 드는 비용이 보통보다 높다.
  mahal
  harga barang atau biaya untuk melakukan sesuatu tinggi dari yang biasa

- -ㄴ데요 : (두루높임으로) 의외라 느껴지는 어떤 사실을 감탄하여 말할 때 쓰는 표현.
  sebenarnya, nyatanya
  (dalam bentuk hormat) ungkapan yang digunakan saat berkata sambil terkagum akan suatu fakta yang dirasa sungguh di luar dugaan

비싸+기는요.

요즘 물가+가 얼마나 <u>오르(올ㄹ)+았</u>+는데요.
올랐는데요

- 비싸다 (adjektiva) : 물건값이나 어떤 일을 하는 데 드는 비용이 보통보다 높다.
  mahal
  harga barang atau biaya untuk melakukan sesuatu tinggi dari yang biasa

- -기는요 : (두루높임으로) 상대방의 말을 가볍게 부정하거나 반박함을 나타내는 표현.
  masa, masakan, jangan
  (dalam bentuk hormat) ungkapan yang menunjukkan menolak atau menyanggah perkataan lawan bicara dengan ringan

- **요즘 (nomina)** : 아주 가까운 과거부터 지금까지의 사이.
  akhir-akhir ini, belakangan ini
  di antara waktu sampai sekarang dari waktu yang sangat dekat dengan saat ini.

- **물가 (nomina)** : 물건이나 서비스의 평균적인 가격.
  harga barang
  harga rata-rata barang, atau layanan

- **가** : 어떤 상태나 상황에 놓인 대상이나 동작의 주체를 나타내는 조사.
  Tiada Penjelasan Arti
  partikel yang menyatakan subjek sebuah keadaan atau situasi atau pelaku utama sebuah tindakan

- **얼마나 (adverbia)** : 상태나 느낌 등의 정도가 매우 크고 대단하게.
  betapa, sangat
  dengan ukuran kondisi atau perasaan dsb sangat besar dan luar biasa

- **오르다 (verba)** : 값, 수치, 온도, 성적 등이 이전보다 많아지거나 높아지다.
  naik
  harga, angka, suhu, nilai, dsb menjadi lebih banyak atau tinggi daripada sebelumnya

- **-았-** : 어떤 사건이 과거에 완료되었거나 그 사건의 결과가 현재까지 지속되는 상황을 나타내는 어미.
  sudah, telah, pasti akan
  akhiran kalimat yang menyatakan sebuah peristiwa sudah selesai di masa lampau atau menyatakan keadaan di mana hasil peristiwa tersebut terus berlangsung hingga sekarang

- **-는데요** : (두루높임으로) 어떤 상황을 전달하여 듣는 사람의 반응을 기대함을 나타내는 표현.
  dong, deh
  (dalam bentuk hormat) ungkapan yang menunjukkan hal menyampaikan suatu kondisi lalu mengharapkan respon dari orang yang mendengar

< 대화(pembicaraan) > - 26

왜 나한테 거짓말을 했어?
왜 나한테 거진마를 해써?
wae nahante geojinmareul haesseo?

그건 너와 멀어질까 봐 두려웠기 때문이야.
그건 너와 머러질까 봐 두려월끼 때무니야.
geugeon neowa meoreojilkka bwa duryeowotgi ttaemuniya.

< 설명(penjelasan) / 번역(penerjemahan) >

왜 나+한테 거짓말+을 <u>하+였+어</u>?
했어

• **왜 (adverbia)** : 무슨 이유로. 또는 어째서.
  kenapa, mengapa
  untuk alasan apa, atau bagaimana bisa

• **나 (pronomina)** : 말하는 사람이 친구나 아랫사람에게 자기를 가리키는 말.
  aku
  kata yang digunakan orang yang berbicara untuk menunjuk dirinya sendiri kepada teman atau orang yang berada di bawahnya

• **한테** : 어떤 행동이 미치는 대상임을 나타내는 조사.
  Tiada Penjelasan Arti
  partikel yang menyatakan sesuatu yang mendapat pengaruh dari sebuah tindakan

• **거짓말 (nomina)** : 사실이 아닌 것을 사실인 것처럼 꾸며서 하는 말.
  bohong, kebohongan
  cerita yang dibuat-buat sehingga terdengar seolah-olah benar

• **을** : 동작이 직접적으로 영향을 미치는 대상을 나타내는 조사.
  Tiada Penjelasan Arti
  partikel yang menyatakan objek dari suatu gerakan yang secara langsung memberikan pengaruh

· 하다 (verba) : 어떤 행동이나 동작, 활동 등을 행하다.
melakukan, mengerjakan, menjalankan
melaksanakan suatu tindakan atau aksi, kegiatan, dsb

· -였- : 사건이 과거에 일어났음을 나타내는 어미.
sudah, telah, pernah
akhiran kalimat yang menyatakan peristiwa terjadi di masa lampau

· -어 : (두루낮춤으로) 어떤 사실을 서술하거나 물음, 명령, 권유를 나타내는 종결 어미.
-kah, -lah
(dalam bentuk rendah) akhiran penutup untuk menyatakan suatu kenyataan atau menandai pertanyaan, perintah, dan ajakan <pertanyaan>

그것(그거)+은 너+와 멀어지+[ㄹ까 보]+아 두렵(두려우)+었+[기 때문]+이+야.
그건 　　　　멀어질까 봐 　　　　두려웠기 때문이야

· 그것 (pronomina) : 앞에서 이미 이야기한 대상을 가리키는 말.
itu, tersebut
kata yang menunjukkan benda atau sesuatu yang telah disebutkan sebelumnya

· 은 : 문장 속에서 어떤 대상이 화제임을 나타내는 조사.
Tiada Penjelasan Arti
partikel yang menyatakan suatu objek menjadi topik di dalam kalimat

· 너 (pronomina) : 듣는 사람이 친구나 아랫사람일 때, 그 사람을 가리키는 말.
kamu
kata untuk menunjuk lawan bicara yang merupakan teman atau orang yang lebih muda

· 와 : 무엇인가를 상대로 하여 어떤 일을 할 때 그 상대임을 나타내는 조사.
dengan
partikel yang menyatakan menjadi rekan dengan seseorang dan rekan dalam melakukan suatu pekerjaan

· 멀어지다 (verba) : 친하던 사이가 다정하지 않게 되다.
menjauh, makin jauh, retak
hubungan yang akrab menjadi tidak hangat

· -ㄹ까 보다 : 앞에 오는 말이 나타내는 상황이 될 것을 걱정하거나 두려워함을 나타내는 표현.
karena, sebab, gara-gara
ungkapan yang menyatakan kekhawatiran atau ketakutan bahwa keadaan dalam kalimat depan akan terjadi

- -아 : 앞에 오는 말이 뒤에 오는 말에 대한 원인이나 이유임을 나타내는 연결 어미.

  karena, sebab

  akhiran penghubung untuk menyatakan bahwa anak kalimat menjadi sebab atau alasan terhadap kalimat induk.

- **두렵다 (adjektiva)** : 걱정되고 불안하다.

  takut, khawatir, was-was, cemas

  khawatir dan was-was

- -었- : 사건이 과거에 일어났음을 나타내는 어미.

  sudah, pasti, yakin

  akhiran kalimat yang menyatakan peristiwa terjadi di masa lampau

- -기 때문 : 앞의 내용이 뒤에 오는 일의 원인이나 까닭임을 나타내는 표현.

  karena

  ungkapan yang menyatakan bahwa isi kalimat yang disebutkan di depan adalah penyebab atau alasan dari peristiwa yang disebutkan dalam kalimat di belakang

- 이다 : 주어가 지시하는 대상의 속성이나 부류를 지정하는 뜻을 나타내는 서술격 조사.

  adalah

  partikel kasus predikatif yang menyatakan maksud menentukan karakter atau jenis dari objek yang diindikasikan subjek

- -야 : (두루낮춤으로) 어떤 사실에 대하여 서술하거나 물음을 나타내는 종결 어미.

  Tiada Penjelasan Arti

  (dalam bentuk rendah) kata penutup final yang mengungkapkan suatu kenyataan atau menyatakan pertanyaan <penjabaran>

< 대화(pembicaraan) > - 27

이번 휴가 때 남자 친구에게 운전을 배우기로 했어.
이번 휴가 때 남자 친구에게 운저늘 배우기로 해써.
ibeon hyuga ttae namja chinguege unjeoneul baeugiro haesseo.

그러면 분명히 서로 싸우게 될 텐데…….
그러면 분명히 서로 싸우게 될 텐데…….
geureomyeon bunmyeonghi seoro ssauge doel tende…….

< 설명(penjelasan) / 번역(penerjemahan) >

이번 휴가 때 남자 친구+에게 운전+을 배우+[기로 하]+였+어.
배우기로 했어

- **이번 (nomina)** : 곧 돌아올 차례. 또는 막 지나간 차례.
  kali ini
  urutan yang akan datang, atau urutan yang baru saja lewat

- **휴가 (nomina)** : 직장이나 군대 등의 단체에 속한 사람이 일정한 기간 동안 일터를 벗어나서 쉬는 일. 또는 그런 기간.
  cuti, masa cuti
  hal orang yang berada di tempat kerja atau tergabung dalam organisasi seperti kemiliteran keluar dari situ dan beristirahat selama periode tertentu, atau periode yang demikian

- **때 (nomina)** : 어떤 시기 동안.
  waktu, periode
  selama periode tertentu

- **남자 친구 (nomina)** : 여자가 사랑하는 감정을 가지고 사귀는 남자.
  pacar, kekasih
  laki-laki yang dicintai dan disayangi oleh seorang wanita

- **에게** : 어떤 행동의 주체이거나 비롯되는 대상임을 나타내는 조사.
  Tiada Penjelasan Arti
  partikel yang menyatakan subjek sebuah tindakan atau sesuatu yang menjadi objekl

• 운전 (nomina) : 기계나 자동차를 움직이고 조종함.
pengoperasian, penggerakkan, penjalanan, pengemudian
hal menggerakkan dan mengoperasikan mesin atau kendaraan

• 을 : 동작이 직접적으로 영향을 미치는 대상을 나타내는 조사.
Tiada Penjelasan Arti
partikel yang menyatakan objek dari suatu gerakan yang secara langsung memberikan pengaruh

• 배우다 (verba) : 새로운 기술을 익히다.
belajar
terampil dalam keahlian baru

• -기로 하다 : 앞의 말이 나타내는 행동을 할 것을 결심하거나 약속함을 나타내는 표현.
berjanji
ungkapan untuk memutuskan atau berjanji akan melakukan tindakan di perkataan depan

• -였- : 어떤 사건이 과거에 완료되었거나 그 사건의 결과가 현재까지 지속되는 상황을 나타내는 어미.
sudah, telah, pernah
akhiran kalimat yang menyatakan sebuah peristiwa sudah selesai di masa lampau atau menyatakan keadaan di mana hasil peristiwa tersebut terus berlangsung hingga sekarang

• -어 : (두루낮춤으로) 어떤 사실을 서술하거나 물음, 명령, 권유를 나타내는 종결 어미.
-kah, -lah
(dalam bentuk rendah) akhiran penutup untuk menyatakan suatu kenyataan atau menandai pertanyaan, perintah, dan ajakan <penjabaran>

그러면 분명히 서로 싸우+[게 되]+[ㄹ 텐데]……

싸우게 될 텐데

• 그러면 (adverbia) : 앞의 내용이 뒤의 내용의 조건이 될 때 쓰는 말.
kalau memang demikian
kalau memang begitu

• 분명히 (adverbia) : 어떤 사실이 틀림이 없이 확실하게.
dengan pasti, dengan jelas, dengan yakin, dengan benar
dengan suatu fakta yang jelas tanpa salah

• 서로 (adverbia) : 관계를 맺고 있는 둘 이상의 대상이 각기 그 상대에 대하여.
saling
tentang masing-masing dari dua atau lebih perihal yang berhubungan

· **싸우다 (verba)** : 말이나 힘으로 이기려고 다투다.

  bertengkar, berkelahi

  berselisih untuk menang dengan menggunakan perkataan atau kekuatan

· **-게 되다** : 앞의 말이 나타내는 상태나 상황이 됨을 나타내는 표현.

  menjadi

  ungkapan yang menyatakan keadaan atau situasi yang disebutkan dalam kalimat di depan terwujud, atau menyatakan terwujud dalam keadaan demikian

· **-ㄹ 텐데** : 앞에 오는 말에 대하여 말하는 사람의 강한 추측을 나타내면서 그와 관련되는 내용을 이어 말할 때 쓰는 표현.

  mungkin pasti

  ungkapan untuk mengatakan sesuatu yang berhubungan dengan dugaan pembicara tentang perkataan depan

< 대화(pembicaraan) > - 28

운동선수로서 뭐가 제일 힘들어?
운동선수로서 뭐가 제일 힘드러?
undongseonsuroseo mwoga jeil himdeureo?

글쎄, 체중을 조절하기 위한 끊임없는 노력이겠지.
글쎄, 체중을 조절하기 위한 끄니멈는 노려기겔찌.
geulsse, chejungeul jojeolhagi wihan kkeunimeomneun noryeogigetji.

< 설명(penjelasan) / 번역(penerjemahan) >

운동선수+로서 뭐+가 제일 힘들+어?

• **운동선수 (nomina)** : 운동에 뛰어난 재주가 있어 전문적으로 운동을 하는 사람.
   olahragawan, atlet
   orang yang berolahraga untuk tujuan tertentu karena memiliki bakat luar biasa di bidang olahraga

• **로서** : 어떤 지위나 신분, 자격을 나타내는 조사.
   sebagai
   partikel yang menyatakan suatu jabatan atau status, kelayakan, dsb

• **뭐 (pronomina)** : 모르는 사실이나 사물을 가리키는 말.
   apa
   kata yang merujuk pada kenyataan atau benda yang tidak diketahui

• **가** : 어떤 상태나 상황에 놓인 대상이나 동작의 주체를 나타내는 조사.
   Tiada Penjelasan Arti
   partikel yang menyatakan subjek sebuah keadaan atau situasi atau pelaku utama sebuah tindakan

• **제일 (adverbia)** : 여럿 중에서 가장.
   paling, ter-
   yang paling di antara beberapa

• **힘들다 (adjektiva)** : 어떤 일을 하는 것이 어렵거나 곤란하다.
   sulit, susah
   sulit atau membingungkan untuk melakukan suatu pekerjaan

• -어 : (두루낮춤으로) 어떤 사실을 서술하거나 물음, 명령, 권유를 나타내는 종결 어미.
 -kah, -lah
 (dalam bentuk rendah) akhiran penutup untuk menyatakan suatu kenyataan atau menandai pertanyaan, perintah, dan ajakan <pertanyaan>

글쎄, 체중+을 조절하+[기 위한] 끊임없+는 노력+이+겠+지.

• 글쎄 (interjeksi) : 상대방의 물음이나 요구에 대하여 분명하지 않은 태도를 나타낼 때 쓰는 말.
 entahlah, bagaimana ya, nah
 kata yang digunakan saat menjawab pertanyaan atau permintaan lawan bicara dengan kurang yakin, ragu-ragu, dan situasinya sulit untuk menjawab

• 체중 (nomina) : 몸의 무게.
 Tiada Penjelasan Arti
 berat badan

• 을 : 동작이 직접적으로 영향을 미치는 대상을 나타내는 조사.
 Tiada Penjelasan Arti
 partikel yang menyatakan objek dari suatu gerakan yang secara langsung memberikan pengaruh

• 조절하다 (verba) : 균형에 맞게 바로잡거나 상황에 알맞게 맞추다.
 menyesuaikan, mengendalikan, membuat regulasi
 menjaga keseimbangan serta menyesuaikan dengan keadaan

• -기 위한 : 뒤에 오는 명사를 수식하면서 그 목적이나 의도를 나타내는 표현.
 untuk, demi, surpaya
 ungkapan untuk menunjukkan tujuan atau maksud sambil menerangkan kata benda di belakangnya

• 끊임없다 (adjektiva) : 계속하거나 이어져 있던 것이 끊이지 아니하다.
 terus-menerus
 terus-menerus tanpa terputus

• -는 : 앞의 말이 관형어의 기능을 하게 만들고 사건이나 동작이 현재 일어남을 나타내는 어미.
 yang
 akhiran untuk membuat kata di depannya berfungsi sebagai pewatas dan menyatakan kejadian atau tindakan terjadi sekarang

• 노력 (nomina) : 어떤 목적을 이루기 위하여 힘을 들이고 애를 씀.
 usaha
 hal mengeluarkan tenaga dan berusaha untuk mewujudkan suatu tujuan

• 이다 : 주어가 지시하는 대상의 속성이나 부류를 지정하는 뜻을 나타내는 서술격 조사.

  adalah

  partikel kasus predikatif yang menyatakan maksud menentukan karakter atau jenis dari objek yang diindikasikan subjek

• -겠- : 미래의 일이나 추측을 나타내는 어미.

  barangkali, mungkin

  akhiran untuk menyatakan dugaan atau peristiwa di masa depan

• -지 : (두루낮춤으로) 말하는 사람이 자신에 대한 이야기나 자신의 생각을 친근하게 말할 때 쓰는 종결 어미.

  kan?, bukan?

  (dalam bentuk rendah) kata penutup final yang digunakan saat pembicara berbicara tentang dirinya atau saat mengatakan pikirannya secara akrab

< 대화(pembicaraan) > - 29

요즘 부쩍 운동을 열심히 하시네요.
요즘 부쩍 운동을 열씸히 하시네요.
yojeum bujjeok undongeul yeolsimhi hasineyo.

건강을 유지하기 위해서 운동을 좀 해야겠더라고요.
건강을 유지하기 위해서 운동을 좀 해야겓떠라고요.
geongangeul yujihagi wihaeseo undongeul jom haeyagetdeoragoyo.

< 설명(penjelasan) / 번역(penerjemahan) >

요즘 부쩍 운동+을 열심히 하+시+네요.

- **요즘 (nomina)** : 아주 가까운 과거부터 지금까지의 사이.
  akhir-akhir ini, belakangan ini
  di antara waktu sampai sekarang dari waktu yang sangat dekat dengan saat ini.

- **부쩍 (adverbia)** : 어떤 사물이나 현상이 갑자기 크게 변화하는 모양.
  Tiada Penjelasan Arti
  bentuk sebuah benda atau fenomena tiba-tiba banyak berubah

- **운동 (nomina)** : 몸을 단련하거나 건강을 위하여 몸을 움직이는 일.
  olahraga
  hal melatih tubuh atau menggerakkan tubuh supaya sehat

- **을** : 동작이 직접적으로 영향을 미치는 대상을 나타내는 조사.
  Tiada Penjelasan Arti
  partikel yang menyatakan objek dari suatu gerakan yang secara langsung memberikan pengaruh

- **열심히 (adverbia)** : 어떤 일에 온 정성을 다하여.
  dengan tekun, dengan sungguh-sungguh, dengan keras
  dengan seluruh kesungguhan dalam suatu hal

- **하다 (verba)** : 어떤 행동이나 동작, 활동 등을 행하다.
  melakukan, mengerjakan, menjalankan
  melaksanakan suatu tindakan atau aksi, kegiatan, dsb

- -시- : 어떤 동작이나 상태의 주체를 높이는 뜻을 나타내는 어미.
  Tiada Penjelasan Arti
  akhiran kalimat yang menyatakan arti meninggikan subjek atau topik suatu tindakan atau keadaan

- -네요 : (두루높임으로) 말하는 사람이 직접 경험하여 새롭게 알게 된 사실에 대해 감탄함을 나타낼 때 쓰는 표현.
  wah, ternyata
  (dalam bentuk hormat) ungkapan yang digunakan saat menunjukkan orang yang berbicara berpengalaman langsung lalu terkejut atau terkagum dengan kenyataan yang baru diketahui itu

건강+을 유지하+[기 위해서] 운동+을 좀 하+여야겠+더라고요.
해야겠더라고요

- 건강 (nomina) : 몸이나 정신이 이상이 없이 튼튼한 상태.
  kesehatan
  kondisi tubuh atau mental yang baik

- 을 : 동작이 직접적으로 영향을 미치는 대상을 나타내는 조사.
  Tiada Penjelasan Arti
  partikel yang menyatakan objek dari suatu gerakan yang secara langsung memberikan pengaruh

- 유지하다 (verba) : 어떤 상태나 상황 등을 그대로 이어 나가다.
  mempertahankan, menjaga, mengontrol
  sebuah kondisi atau keadaan dsb berjalan terus seperti itu

- -기 위해서 : 어떤 일을 하는 목적인 의도를 나타내는 표현.
  untuk, demi
  ungkapan yang menunjukkan maksud yang adalah tujuan untuk melakukan sesuatu

- 운동 (nomina) : 몸을 단련하거나 건강을 위하여 몸을 움직이는 일.
  olahraga
  hal melatih tubuh atau menggerakkan tubuh supaya sehat

- 을 : 동작이 직접적으로 영향을 미치는 대상을 나타내는 조사.
  Tiada Penjelasan Arti
  partikel yang menyatakan objek dari suatu gerakan yang secara langsung memberikan pengaruh

· **좀 (adverbia)** : 분량이나 정도가 적게.
  agak, sedikit
  dengan jumlah atau taraf yang sedikit

· **하다 (verba)** : 어떤 행동이나 동작, 활동 등을 행하다.
  melakukan, mengerjakan, menjalankan
  melaksanakan suatu tindakan atau aksi, kegiatan, dsb

· **-여야겠-** : 앞의 말이 나타내는 행동에 대한 강한 의지를 나타내거나 그 행동을 할 필요가 있음을 완곡
  하게 말할 때 쓰는 표현.
  harus, lebih baik
  ungkapan untuk menunjukkan maksud kuat akan suatu tindakan dalam perkataan di depan
  atau mengatakan perlunya tindakan tersebut

· **-더라고요** : (두루높임으로) 과거에 경험하여 새로 알게 된 사실에 대해 지금 상대방에게 옮겨 전할 때
  쓰는 표현.
  nyatanya
  (dalam bentuk hormat) ungkapan yang digunakan untuk menyampaikan fakta yang dialami
  dan baru saja diketahui di masa lampau kepada lawan bicara

< 대화(pembicaraan) > - 30

해외여행을 떠나기 전에 무엇을 준비해야 할까요?
해외여행을 떠나기 저네 무어슬 준비해야 할까요?
haeoeyeohaengeul tteonagi jeone mueoseul junbihaeya halkkayo?

먼저 여권을 준비하고 환전도 해야 해요.
먼저 여꿔늘 준비하고 환전도 해야 해요.
meonjeo yeogwoneul junbihago hwanjeondo haeya haeyo.

< 설명(penjelasan) / 번역(penerjemahan) >

해외여행+을 떠나+[기 전에] 무엇+을 <u>준비하+[여야 하]</u>+ㄹ까요?
준비해야 할까요

• **해외여행 (nomina)** : 외국으로 여행을 가는 일. 또는 그런 여행.
  perjalanan luar negeri, wisata luar negeri
  hal mengadakan perjalanan ke luar negeri, atau perjalanan yang demikian

• **을** : 그 행동의 목적이 되는 일을 나타내는 조사.
  Tiada Penjelasan Arti
  partikel yang menyatakan hal yang menjadi tujuan suatu tindakan

• **떠나다 (verba)** : 어떤 일을 하러 나서다.
  pergi, berangkat
  beranjak untuk melakukan sesuatu

• **-기 전에** : 뒤에 오는 말이 나타내는 행동이 앞에 오는 말이 나타내는 행동보다 앞서는 것을 나타내는 표현.
  sebelum
  ungkapan untuk menunjukkan suatu tindakan di belakang telah mendahului tindakan di belakang

• **무엇 (pronomina)** : 모르는 사실이나 사물을 가리키는 말.
  apa
  kata untuk menunjukkan atau menanyakan fakta, benda yang tidak diketahui

• 을 : 동작이 직접적으로 영향을 미치는 대상을 나타내는 조사.
Tiada Penjelasan Arti
partikel yang menyatakan objek dari suatu gerakan yang secara langsung memberikan pengaruh

• 준비하다 (verba) : 미리 마련하여 갖추다.
menyiapkan, mempersiapkan
mempersiapkan lebih awal dan memiliki

• -여야 하다 : 앞에 오는 말이 어떤 일을 하거나 어떤 상황에 이르기 위한 의무적인 행동이거나 필수적인 조건임을 나타내는 표현.
harus, wajib, perlu
ungkapan yang menyatakan perkataan sebelumnya adalah syarat wajib atau diperlukan demi melakukan suatu hal atau mewujudkan suatu situasi

• -ㄹ까요 : (두루높임으로) 듣는 사람에게 의견을 묻거나 제안함을 나타내는 표현.
apakah, maukah
(dalam bentuk hormat) ungkapan yang menunjukkan hal menanyakan atau mengajukan pendapat kepada orang yang mendengar

먼저 여권+을 준비하+고 환전+도 하+[여야 하]+여요.
해야 해요

• 먼저 (adverbia) : 시간이나 순서에서 앞서.
duluan, terlebih dahulu
(berada) di depan dari waktu atau urutan

• 여권 (nomina) : 다른 나라를 여행하는 사람의 신분이나 국적을 증명하고, 여행하는 나라에 그 사람의 보호를 맡기는 문서.
paspor
dokumen yang menunjukkan identitas atau kewarganegaraan seseorang yang berwisata di negara lain atau dokumen yang memberikan perlindungan kepada orang tersebut di negara tempatnya berwisata

• 을 : 동작이 직접적으로 영향을 미치는 대상을 나타내는 조사.
Tiada Penjelasan Arti
partikel yang menyatakan objek dari suatu gerakan yang secara langsung memberikan pengaruh

• 준비하다 (verba) : 미리 마련하여 갖추다.
menyiapkan, mempersiapkan
mempersiapkan lebih awal dan memiliki

- -고 : 두 가지 이상의 대등한 사실을 나열할 때 쓰는 연결 어미.

  dan

  akhiran penghubung yang digunakan untuk menyusun dua atau lebih kenyataan yang setara

- **환전 (nomina)** : 한 나라의 화폐를 다른 나라의 화폐와 맞바꿈.

  penukaran uang

  hal saling menukar mata uang suatu negara dengan mata uang negara lain

- 도 : 이미 있는 어떤 것에 다른 것을 더하거나 포함함을 나타내는 조사.

  juga

  partikel yang menyatakan menambahkan atau mengikutsertakan sesuatu yang lain pada sesuatu yang sudah ada

- **하다 (verba)** : 어떤 행동이나 동작, 활동 등을 행하다.

  melakukan, mengerjakan, menjalankan

  melaksanakan suatu tindakan atau aksi, kegiatan, dsb

- -여야 하다 : 앞에 오는 말이 어떤 일을 하거나 어떤 상황에 이르기 위한 의무적인 행동이거나 필수적인 조건임을 나타내는 표현.

  harus, wajib, perlu

  ungkapan yang menyatakan perkataan sebelumnya adalah syarat wajib atau diperlukan demi melakukan suatu hal atau mewujudkan suatu situasi

- -여요 : (두루높임으로) 어떤 사실을 서술하거나 질문, 명령, 권유함을 나타내는 종결 어미.

  apakah, adalah

  (dalam bentuk hormat) kata penutup final yang mengungkapkan suatu kenyataan atau menyatakan pertanyaan, perintah, atau ajakan <penjabaran>

< 대화(pembicaraan) > - 31

저 다음 달에 한국에 갑니다.
저 다음 다레 한구게 감니다.
jeo daeum dare hanguge gamnida.

어머, 그럼 우리 서울에서 볼 수 있겠네요?
어머, 그럼 우리 서우레서 볼 쑤 읻껜네요?
eomeo, geureom uri seoureseo bol su itgenneyo?

< 설명(penjelasan) / 번역(penerjemahan) >

저 다음 달+에 한국+에 <u>가+ㅂ니다</u>.
갑니다

- 저 (pronomina) : 말하는 사람이 듣는 사람에게 자신을 낮추어 가리키는 말.
  saya
  kata yang digunakan oleh pembicara untuk menunjuk dirinya sendiri sambil merendahkan diri

- 다음 (nomina) : 어떤 차례에서 바로 뒤.
  berikut, berikutnya
  tepat berikutnya dalam sebuah urutan

- 달 (nomina) : 일 년을 열둘로 나누어 놓은 기간.
  bulan
  periode yang dibagi menjadi dua belas dalam satu tahun

- 에 : 앞말이 시간이나 때임을 나타내는 조사.
  pada
  partikel yang menyatakan kalimat di depan adalah waktu atau saat

• **한국 (nomina)** : 아시아 대륙의 동쪽에 있는 나라. 한반도와 그 부속 섬들로 이루어져 있으며, 대한민국 이라고도 부른다. 1950년에 일어난 육이오 전쟁 이후 휴전선을 사이에 두고 국토가 둘 로 나뉘었다. 언어는 한국어이고, 수도는 서울이다.

Korea Selatan

negara yang terletak di selatan benua Asia. Terdiri dari semenanjung Korea dan pulau-pulau yang berdampingan dengannya, disebut juga sebagai Daehanminguk. Terbagi menjadi dua dengan perbatasan setelah Perang Korea yang terjadi pada tahun 1950. Bahasa nasional adalah Bahasa Korea, dan ibu kotanya Seoul.

• **에** : 앞말이 목적지이거나 어떤 행위의 진행 방향임을 나타내는 조사.

ke

partikel yang menyatakan kalimat di depan adalah tempat tujuan atau arah jalannya tindakan

• **가다 (verba)** : 한 곳에서 다른 곳으로 장소를 이동하다.

pergi

bergerak dari satu tempat ke tempat lain

• **-ㅂ니다** : (아주높임으로) 현재의 동작이나 상태, 사실을 정중하게 설명함을 나타내는 종결 어미.

adalah

(dalam bentuk sangat hormat) kata penutup final yang menyatakan menjelaskan tindakan, keadaan, atau kenyataan di masa kini dengan sopan

어머, 그럼 우리 서울+에서 보+[ㄹ 수 있]+겠+네요?
볼 수 있겠네요

• **어머 (interjeksi)** : 주로 여자들이 예상하지 못한 일로 갑자기 놀라거나 감탄할 때 내는 소리.

ya ampun

suara yang keluar saat tiba-tiba terkejut, atau terkesima karena sesuatu yang tidak dibayangkan sebelumnya

• **그럼 (adverbia)** : 앞의 내용을 받아들이거나 그 내용을 바탕으로 하여 새로운 주장을 할 때 쓰는 말.

jadi, maka, kalau demikian

kata yang digunakan saat menerima isi ucapan yang ada di depan atau membuat pernyataan baru berdasar latar belakang tersebut

• **우리 (pronomina)** : 말하는 사람이 자기와 듣는 사람 또는 이를 포함한 여러 사람들을 가리키는 말.

kita

kata untuk menyebutkan beberapa orang termasuk yang berbicara dan yang mendengar

• **서울 (nomina)** : 한반도 중앙에 있는 특별시. 한국의 수도이자 정치, 경제, 산업, 사회, 문화, 교통의 중심지이다. 북한산, 관악산 등의 산에 둘러싸여 있고 가운데로는 한강이 흐른다.

Seoul

kota metropolitan yang ada di semenanjung Korea, ibukota Korea Selatan dan pusat politik, ekonomi, industri, budaya, lalu lintas, dikelilingi gunung seperti gunung Bukhan, gunung Gwanak, dsb dan di bagian tengahnya dialiri sungai Han

• 에서 : 앞말이 행동이 이루어지고 있는 장소임을 나타내는 조사.

Tiada Penjelasan Arti

partikel yang menyatakan bahwa kata di depannya adalah tempat tindakan terjadi

• **보다 (verba)** : 사람을 만나다.

Tiada Penjelasan Arti

bertemu dengan seseorang

• -ㄹ 수 있다 : 어떤 행동이나 상태가 가능함을 나타내는 표현.

bisa, mungkin

ungkapan yang memunculkan arti bahwa suatu tingkah laku atau keadaan mungkin untuk terjadi

• -겠- : 미래의 일이나 추측을 나타내는 어미.

barangkali, mungkin

akhiran untuk menyatakan dugaan atau peristiwa di masa depan

• -네요 : (두루높임으로) 말하는 사람이 추측하거나 짐작한 내용에 대해 듣는 사람에게 동의를 구하며 물을 때 쓰는 표현.

ternyata, wah

(dalam bentuk hormat) ungkapan yang digunakan saat bertanya sambil memberikan persetujuan kepada orang yang mendengar mengenai hal yang ditebak atau diperkirakan orang yang berbicara

< 대화(pembicaraan) > - 32

매일 만드는 대로 요리했는데 오늘은 평소보다 맛이 없는 것 같아요.
매일 만드는 대로 요리핸는데 오느른 평소보다 마시 엄는 걸 가타요.
maeil mandeuneun daero yorihaenneunde oneureun pyeongsoboda masi eomneun geot gatayo.

아니에요. 맛있어요. 잘 먹을게요.
아니에요. 마시써요. 잘 머글께요.
anieyo. masisseoyo. jal meogeulgeyo.

< 설명(penjelasan) / 번역(penerjemahan) >

매일 만들(만드)+[는 대로] 요리하+였+는데
　　　 만드는 대로　　　　 요리했는데

오늘+은 평소+보다 맛+이 없+[는 것 같]+아요.

- 매일 (adverbia) : 하루하루마다 빠짐없이.
  setiap hari
  tiap-tiap hari tanpa ada yang terlewat

- 만들다 (verba) : 힘과 기술을 써서 없던 것을 생기게 하다.
  membuat
  membuat ada sesuatu yang tadinya tidak ada dengan menggunakan kekuatan dan keterampilan

- -는 대로 : 앞에 오는 말이 뜻하는 현재의 행동이나 상황과 같음을 나타내는 표현.
  sejauh, sesuai dengan
  ungkapan yang menyatakan keadaan sesuai dengan tindakan atau keadaan masa lampau dalam perkataan depan

- 요리하다 (verba) : 음식을 만들다.
  memasak
  membuat makanan

- -였- : 어떤 사건이 과거에 완료되었거나 그 사건의 결과가 현재까지 지속되는 상황을 나타내는 어미.
  sudah, telah, pernah
  akhiran kalimat yang menyatakan sebuah peristiwa sudah selesai di masa lampau atau menyatakan keadaan di mana hasil peristiwa tersebut terus berlangsung hingga sekarang

- -는데 : 뒤의 말을 하기 위하여 그 대상과 관련이 있는 상황을 미리 말함을 나타내는 연결 어미.
  sebenarnya, nyatanya
  akhiran kalimat penyambung yang menyatakan mengatakan terlebih dahulu keadaan yang berhubungan sebelum mengatakan kalimat yang berhubungan

- 오늘 (nomina) : 지금 지나가고 있는 이날.
  hari ini
  hari ini yang sekarang sedang dilalui sekarang

- 은 : 어떤 대상이 다른 것과 대조됨을 나타내는 조사.
  Tiada Penjelasan Arti
  partikel yang menyatakan suatu objek dibandingkan dengan yang lain

- 평소 (nomina) : 특별한 일이 없는 보통 때.
  waktu biasa
  waktu biasa yang tidak ada hal khusus

- 보다 : 서로 차이가 있는 것을 비교할 때, 비교의 대상이 되는 것을 나타내는 조사.
  Tiada Penjelasan Arti
  partikel yang menyatakan sesuatu yang menjadi objek perbandingan saat membandingkan sesuatu yang memiliki perbedaan

- 맛 (nomina) : 음식 등을 혀에 댈 때 느껴지는 감각.
  rasa
  rasa yang didapat saat menempelkan makanan dsb pada lidah

- 이 : 어떤 상태나 상황의 대상이나 동작의 주체를 나타내는 조사.
  Tiada Penjelasan Arti
  partikel yang menyatakan objek dari suatu keadaan atau kondisi atau pelaku dari suatu tindakan

- 없다 (adjektiva) : 어떤 사실이나 현상이 현실로 존재하지 않는 상태이다.
  tidak ada
  keadaan suatu kenyataan atau fenomena sebenarnya tidak ada

- -는 것 같다 : 추측을 나타내는 표현.
  sepertinya, kelihatannya, nampaknya
  ungkapan yang menyatakan dugaan atau terkaan

• -아요 : (두루높임으로) 어떤 사실을 서술하거나 질문, 명령, 권유함을 나타내는 종결 어미.
cobalah, sebenarnya, apa
(dalam bentuk hormat) kata penutup final yang mengungkapkan suatu kenyataan atau menyatakan pertanyaan, perintah, atau ajakan <penjabaran>

아니+에요.

맛있+어요.

잘 먹+을게요.

• **아니다 (adjektiva)** : 어떤 사실이나 내용을 부정하는 뜻을 나타내는 말.
bukan
kata negatif yang tidak membenarkan suatu fakta atau keterangan tertentu

• -에요 : (두루높임으로) 어떤 사실을 서술하거나 질문함을 나타내는 종결 어미.
apakah, adalah
(dalam bentuk hormat) kata penutup final yang mengungkapkan suatu kenyataan atau menyatakan pertanyaan, perintah, atau ajakan <penjabaran>

• **맛있다 (adjektiva)** : 맛이 좋다.
enak, lezat
rasanya enak

• -어요 : (두루높임으로) 어떤 사실을 서술하거나 질문, 명령, 권유함을 나타내는 종결 어미.
apakah, apa, ~saja, silakan
(dalam bentuk hormat) kata penutup final yang mengungkapkan suatu kenyataan atau menyatakan pertanyaan, perintah, atau ajakan <penjabaran>

• **잘 (adverbia)** : 충분히 만족스럽게.
dengan puas/cukup
dengan cukup dan puas

• **먹다 (verba)** : 음식 등을 입을 통하여 배 속에 들여보내다.
makan
memasukkan makanan ke dalam mulut lalu menelannya

• -을게요 : (두루높임으로) 말하는 사람이 어떤 행동을 할 것을 듣는 사람에게 약속하거나 의지를 나타내
　　　　　는 표현.

akan

(dalam bentuk hormat) ungkapan yang menyatakan orang yang berbicara menjanjikan atau
memberitahukan akan melakukan suatu tindakan kepada pendengar

< 대화(pembicaraan) > - 33

지아야, 여행 잘 다녀와. 전화하고.
지아야, 여행 잘 다녀와. 전화하고.
jiaya, yeohaeng jal danyeowa. jeonhwahago.

네, 호텔에 도착하는 대로 전화 드릴게요.
네, 호테레 도차카는 대로 전화 드릴께요.
ne, hotere dochakaneun daero jeonhwa deurilgeyo.

< 설명(penjelasan) / 번역(penerjemahan) >

지아+야, 여행 잘 다녀오+아.
　　　　　　　　　　다녀와

전화하+고.

• 지아 (nomina) : nama

• 야 : 친구나 아랫사람, 동물 등을 부를 때 쓰는 조사.
　Tiada Penjelasan Arti
　partikel yang digunakan saat memanggil teman atau orang yang lebih muda atau berjabatan
　lebih rendah, binatang, dsb

• 여행 (nomina) : 집을 떠나 다른 지역이나 외국을 두루 구경하며 다니는 일.
　wisata, perjalanan
　kegiatan meninggalkan rumah kemudian berkeliling dan melihat-lihat ke daerah lain, atau
　luar negeri

• 잘 (adverbia) : 아무 탈 없이 편안하게.
　dengan lancar/selamat
　dengan selamat dan lancar

• 다녀오다 (verba) : 어떤 일을 하기 위해 갔다가 오다.
　pergi dan kembali
　pergi untuk melakukan sebuah pekerjaan dan datang kembali

- -아 : (두루낮춤으로) 어떤 사실을 서술하거나 물음, 명령, 권유를 나타내는 종결 어미.
  -kah, -lah
  (dalam bentuk rendah) akhiran penutup untuk menyatakan suatu kenyataan atau menandai pertanyaan, perintah, dan ajakan <perintah>

- 전화하다 (verba) : 전화기를 통해 사람들끼리 말을 주고받다.
  menelepon, bertelepon
  bertukar perkataan sesama orang melalui pesawat telepon

- -고 : (두루낮춤으로) 뒤에 올 또 다른 명령 표현을 생략한 듯한 느낌을 주면서 부드럽게 명령할 때 쓰는 종결 어미.
  apakah, ~saja
  (dalam bentuk rendah) kata penutup final yang digunakan saat memberi perintah dengan halus sambil memberikan kesan memerintah lain di belakang

네, 호텔+에 도착하+[는 대로] 전화 드리+ㄹ게요.
드릴게요

- 네 (interjeksi) : 윗사람의 물음이나 명령 등에 긍정하여 대답할 때 쓰는 말.
  ya
  kata yang digunakan untuk memberikan jawaban positif, setuju terhadap pertanyaan, perintah orang yang lebih tua umurnya, atau lebih tinggi posisinya

- 호텔 (nomina) : 시설이 잘 되어 있고 규모가 큰 고급 숙박업소.
  hotel
  fasilitas penginapan yang serba ada, mewah, dan besar

- 에 : 앞말이 목적지이거나 어떤 행위의 진행 방향임을 나타내는 조사.
  ke
  partikel yang menyatakan kalimat di depan adalah tempat tujuan atau arah jalannya tindakan

- 도착하다 (verba) : 목적지에 다다르다.
  tiba, sampai
  mencapai tempat yang dituju

- -는 대로 : 어떤 행동이나 상황이 나타나는 그때 바로, 또는 직후에 곧의 뜻을 나타내는 표현.
  segera setelah, begitu
  ungkapan yang menyatakan saat itu atau segera setelah suatu tindakan atau keadaan terjadi

• 전화 (nomina) : 전화기를 통해 사람들끼리 말을 주고받음. 또는 그렇게 하여 전달되는 내용.
  telepon
  bertukar pembicaraan antara orang-orang melalui pesawat telepon

• 드리다 (verba) : 윗사람에게 어떤 말을 하거나 인사를 하다.
  memberi, menyampaikan
  berbicara sesuatu atau memberi salam kepada orang yang lebih tua/tinggi

• -ㄹ게요 : (두루높임으로) 말하는 사람이 어떤 행동을 할 것을 듣는 사람에게 약속하거나 의지를 나타내
  는 표현.
  saya akan~, saya mau
  (dalam bentuk hormat) ungkapan yang menunjukkan hal orang yang berbicara berjanji atau memberitahukan akan melakukan suatu tindakan kepada orang yang mendengar

< 대화(pembicaraan) > - 34

우리 이번 주말에 영화 보기로 했지?
우리 이번 주마레 영화 보기로 핻찌?
uri ibeon jumare yeonghwa bogiro haetji?

응. 그런데 날씨가 좋으니까 영화를 보는 대신에 공원에 놀러 갈까?
응. 그런데 날씨가 조으니까 영화를 보는 대시네 공워네 놀러 갈까?
eung. geureonde nalssiga joeunikka yeonghwareul boneun daesine gongwone nolleo galkka?

< 설명(penjelasan) / 번역(penerjemahan) >

우리 이번 주말+에 영화 보+[기로 하]+였+지?
보기로 했지

- **우리 (pronomina)** : 말하는 사람이 자기와 듣는 사람 또는 이를 포함한 여러 사람들을 가리키는 말.
  kita
  kata untuk menyebutkan beberapa orang termasuk yang berbicara dan yang mendengar

- **이번 (nomina)** : 곧 돌아올 차례. 또는 막 지나간 차례.
  kali ini
  urutan yang akan datang, atau urutan yang baru saja lewat

- **주말 (nomina)** : 한 주일의 끝.
  akhir pekan, akhir minggu
  akhir dari satu minggu

- **에** : 앞말이 시간이나 때임을 나타내는 조사.
  pada
  partikel yang menyatakan kalimat di depan adalah waktu atau saat

- **영화 (nomina)** : 일정한 의미를 갖고 움직이는 대상을 촬영하여 영사기로 영사막에 비추어서 보게 하는 종합 예술.
  film
  seni komprehensif yang membawa satu pesan tertentu dengan merekam objek bergerak dengan menggunakan proyektor untuk diperlihatkan dengan menggunakan layar yang disinari

• 보다 (verba) : 눈으로 대상을 즐기거나 감상하다.
menonton, menyaksikan
menikmati atau menyaksikan sesuatu dengan mata

• -기로 하다 : 앞의 말이 나타내는 행동을 할 것을 결심하거나 약속함을 나타내는 표현.
berjanji
ungkapan untuk memutuskan atau berjanji akan melakukan tindakan di perkataan depan

• -였- : 어떤 사건이 과거에 완료되었거나 그 사건의 결과가 현재까지 지속되는 상황을 나타내는 어미.
sudah, telah, pernah
akhiran kalimat yang menyatakan sebuah peristiwa sudah selesai di masa lampau atau menyatakan keadaan di mana hasil peristiwa tersebut terus berlangsung hingga sekarang

• -지 : (두루낮춤으로) 이미 알고 있는 것을 다시 확인하듯이 물을 때 쓰는 종결 어미.
kan?, bukan?
(dalam bentuk rendah) kata penutup final yang digunakan saat bertanya seolah memastikan kembali sesuatu yang sudah diketahui

응.

그런데 날씨+가 좋+으니까 영화+를 보+[는 대신에] 공원+에 놀+러 가+ㄹ까?
갈까

• 응 (interjeksi) : 상대방의 물음이나 명령 등에 긍정하여 대답할 때 쓰는 말.
he-eh
kata yang digunakan untuk memberikan jawaban positif pada pertanyaan, perintah lawan bicara

• 그런데 (adverbia) : 이야기를 앞의 내용과 관련시키면서 다른 방향으로 바꿀 때 쓰는 말.
tetapi
kata yang digunakan untuk mengganti cerita ke arah lain sambil mengaitkan dengan isi cerita sebelumnya

• 날씨 (nomina) : 그날그날의 기온이나 공기 중에 비, 구름, 바람, 안개 등이 나타나는 상태.
cuaca
kondisi yang menyatakan suhu, udara, hujan, angin, awan, dsb setiap harinya

• 가 : 어떤 상태나 상황에 놓인 대상이나 동작의 주체를 나타내는 조사.
Tiada Penjelasan Arti
partikel yang menyatakan subjek sebuah keadaan atau situasi atau pelaku utama sebuah tindakan

• 좋다 (adjektiva) : 날씨가 맑고 화창하다.
　baik, bagus
　cuaca cerah dan terang

• -으니까 : 뒤에 오는 말에 대하여 앞에 오는 말이 원인이나 근거, 전제가 됨을 강조하여 나타내는 연결
　　　　　어미.
　karena, sebab, ketika
　akhiran penghubung untuk menegaskan bahwa kalimat di depan menjadi alasan, dasar, atau premis dari kalimat di belakang

• 영화 (nomina) : 일정한 의미를 갖고 움직이는 대상을 촬영하여 영사기로 영사막에 비추어서 보게 하는
　　　　　　종합 예술.
　film
　seni komprehensif yang membawa satu pesan tertentu dengan merekam objek bergerak dengan menggunakan proyektor untuk diperlihatkan dengan menggunakan layar yang disinari

• 를 : 동작이 직접적으로 영향을 미치는 대상을 나타내는 조사.
　Tiada Penjelasan Arti
　partikel yang menyatakan objek dari suatu gerakan yang secara langsung memberikan pengaruh

• 보다 (verba) : 눈으로 대상을 즐기거나 감상하다.
　menonton, menyaksikan
　menikmati atau menyaksikan sesuatu dengan mata

• -는 대신에 : 앞에 오는 말이 나타내는 행동이나 상태를 비슷하거나 맞먹는 다른 행동이나 상태로 바꾸
　　　　　는 것을 나타내는 표현.
　sebagai gantinya, padahal
　ungkapan yang menyatakan penggantian yang sesuai dengan kondisi atau tindakan dalam perkataan depan

• 공원 (nomina) : 사람들이 놀고 쉴 수 있도록 풀밭, 나무, 꽃 등을 가꾸어 놓은 넓은 장소.
　taman
　tempat yang ditanami dengan rumput, pohon, bunga, dan lain-lain agar orang dapat bermain dan beristirahat di sana

• 에 : 앞말이 목적지이거나 어떤 행위의 진행 방향임을 나타내는 조사.
　ke
　partikel yang menyatakan kalimat di depan adalah tempat tujuan atau arah jalannya tindakan

• 놀다 (verba) : 놀이 등을 하면서 재미있고 즐겁게 지내다.
　bermain
　melewatkan waktu dengan asyik dan gembira sambil melakukan permainan dsb

• -러 : 가거나 오거나 하는 동작의 목적을 나타내는 연결 어미.

untuk

kata penutup sambung yang menyatakan tujuan dari tindakan pergi atau datang

• 가다 (verba) : 어떤 목적을 가지고 일정한 곳으로 움직이다.

pergi

memiliki tujuan kemudian bergerak ke tempat tertentu

• -ㄹ까 : (두루낮춤으로) 듣는 사람의 의사를 물을 때 쓰는 종결 어미.

maukah

(dalam bentuk rendah) akhiran penutup untuk menanyakan pendapat pendengar

< 대화(pembicaraan) > - 35

열 시가 다 돼 가는데도 지우가 집에 안 들어오네요.
열 시가 다 돼 가는데도 지우가 지베 안 드러오네요.
yeol siga da dwae ganeundedo jiuga jibe an deureooneyo.

벌써 시간이 그렇게 됐네요. 제가 전화해 볼게요.
벌써 시가니 그러케 댄네요. 제가 전화해 볼께요.
beolsseo sigani geureoke dwaenneyo. jega jeonhwahae bolgeyo.

< 설명(penjelasan) / 번역(penerjemahan) >

열 시+가 다 <u>되</u>+[어 가]+는데도 지우+가 집+에 안 들어오+네요.
돼 가는데도

- **열 (pewatas)** : 아홉에 하나를 더한 수의.
  sepuluh
  angka yang ditambahkan satu angka di atas sembilan

- **시 (nomina)** : 하루를 스물넷으로 나누었을 때 그 하나를 나타내는 시간의 단위.
  jam, pukul
  satuan yang memperlihatkan waktu

- **가** : 바뀌게 되는 대상이나 부정하는 대상임을 나타내는 조사.
  Tiada Penjelasan Arti
  partikel yang menyatakan pelengkap yang menjadi berubah, atau yang dianggap negatif

- **다 (adverbia)** : 행동이나 상태의 정도가 한정된 정도에 거의 가깝게.
  hampir
  dengan ukuran suatu sikap atau kondisi yang hampir mendekati ukuran yang terbatas

- **되다 (verba)** : 어떤 때나 시기, 상태에 이르다.
  menjadi
  menjadi suatu waktu, masa, atau keadaan

- **-어 가다** : 앞의 말이 나타내는 행동이나 상태가 계속 진행됨을 나타내는 표현.
  semakin
  ungkapan yang menyatakan bahwa tindakan atau keadaan dalam kalimat depan terus berjalan

- -는데도 : 앞에 오는 말이 나타내는 상황에 상관없이 뒤에 오는 말이 나타내는 상황이 일어남을 나타내는 표현.
  walaupun, sekalipun, meskipun, biarpun
  ungkapan yang menunjukkan munculnya kondisi di belakang tanpa ada kaitannya dengan kondisi di depannya

- 지우 (nomina) : nama

- 가 : 어떤 상태나 상황에 놓인 대상이나 동작의 주체를 나타내는 조사.
  Tiada Penjelasan Arti
  partikel yang menyatakan subjek sebuah keadaan atau situasi atau pelaku utama sebuah tindakan

- 집 (nomina) : 사람이나 동물이 추위나 더위 등을 막고 그 속에 들어 살기 위해 지은 건물.
  rumah, tempat tinggal
  bangunan untuk orang atau hewan untuk menahan dingin atau panas dsb dan untuk ditinggali di dalamnya

- 에 : 앞말이 목적지이거나 어떤 행위의 진행 방향임을 나타내는 조사.
  ke
  partikel yang menyatakan kalimat di depan adalah tempat tujuan atau arah jalannya tindakan

- 안 (adverbia) : 부정이나 반대의 뜻을 나타내는 말.
  tidak
  kata yang menampilkan lawan arti atau negatif

- 들어오다 (verba) : 어떤 범위의 밖에서 안으로 이동하다.
  masuk
  bergerak ke dalam dari luar suatu lingkup

- -네요 : (두루높임으로) 말하는 사람이 직접 경험하여 새롭게 알게 된 사실에 대해 감탄함을 나타낼 때 쓰는 표현.
  wah, ternyata
  (dalam bentuk hormat) ungkapan yang digunakan saat menunjukkan orang yang berbicara berpengalaman langsung lalu terkejut atau terkagum dengan kenyataan yang baru diketahui itu

벌써 시간+이 그렇+[게 되]+었+네요.
그렇게 됐네요

제+가 전화하+[여 보]+ㄹ게요.
전화해 볼게요

• 벌써 (adverbia) : 생각보다 빠르게.
sudah
secara lebih cepat dari perkiraan

• 시간 (nomina) : 어떤 일을 하도록 정해진 때. 또는 하루 중의 어느 한 때.
waktu, masa, saat
waktu yang ditentukan untuk melakukan sesuatu, suatu waktu yang ada dalam satu hari

• 이 : 어떤 상태나 상황의 대상이나 동작의 주체를 나타내는 조사.
Tiada Penjelasan Arti
partikel yang menyatakan objek dari suatu keadaan atau kondisi atau pelaku dari suatu tindakan

• 그렇다 (adjektiva) : 상태, 모양, 성질 등이 그와 같다.
begitu, demikian
keadaan, bentuk, karakter, dsb sama dengan isi kalimat di depan atau di belakang

• -게 되다 : 앞의 말이 나타내는 상태나 상황이 됨을 나타내는 표현.
menjadi
ungkapan yang menyatakan keadaan atau situasi yang disebutkan dalam kalimat di depan terwujud, atau menyatakan terwujud dalam keadaan demikian

• -었- : 어떤 사건이 과거에 완료되었거나 그 사건의 결과가 현재까지 지속되는 상황을 나타내는 어미.
sudah, pasti, yakin
akhiran kalimat yang menyatakan sebuah peristiwa sudah selesai di masa lampau atau menyatakan keadaan di mana hasil peristiwa tersebut terus berlangsung hingga sekarang

• -네요 : (두루높임으로) 말하는 사람이 직접 경험하여 새롭게 알게 된 사실에 대해 감탄함을 나타낼 때 쓰는 표현.
wah, ternyata
(dalam bentuk hormat) ungkapan yang digunakan saat menunjukkan orang yang berbicara berpengalaman langsung lalu terkejut atau terkagum dengan kenyataan yang baru diketahui itu

• 제 (pronomina) : 말하는 사람이 자신을 낮추어 가리키는 말인 '저'에 조사 '가'가 붙을 때의 형태.
saya
bentuk ketika melekatkan partikel '가' ke '저' yang berarti 'saya' dalam bentuk sopan

• 가 : 어떤 상태나 상황에 놓인 대상이나 동작의 주체를 나타내는 조사.
Tiada Penjelasan Arti
partikel yang menyatakan subjek sebuah keadaan atau situasi atau pelaku utama sebuah tindakan

• **전화하다 (verba)** : 전화기를 통해 사람들끼리 말을 주고받다.
menelepon, bertelepon
bertukar perkataan sesama orang melalui pesawat telepon

• **-여 보다** : 앞의 말이 나타내는 행동을 시험 삼아 함을 나타내는 표현.
mencoba
ungkapan yang menyatakan menjadikan tindakan dalam kalimat yang disebutkan di depan sebagai sebuah percobaan

• **-ㄹ게요** : (두루높임으로) 말하는 사람이 어떤 행동을 할 것을 듣는 사람에게 약속하거나 의지를 나타내는 표현.
saya akan~, saya mau
(dalam bentuk hormat) ungkapan yang menunjukkan hal orang yang berbicara berjanji atau memberitahukan akan melakukan suatu tindakan kepada orang yang mendengar

< 대화(pembicaraan) > - 36

친구들이랑 여행 갈 건데 너도 갈래?
친구드리랑 여행 갈 건데 너도 갈래?
chingudeurirang yeohaeng gal geonde neodo gallae?

저도 가도 돼요? 어디로 가는데요? 혹시 제주도로 가요?
저도 가도 돼요? 어디로 가는데요? 혹씨 제주도로 가요?
jeodo gado dwaeyo? eodiro ganeundeyo? hoksi jejudoro gayo?

< 설명(penjelasan) / 번역(penerjemahan) >

친구+들+이랑 여행 가+[ㄹ 것(거)]+(이)+ㄴ데 너+도 가+ㄹ래?
　　　　　　　　　　　갈 건데　　　　　　　　갈래

- 친구 (nomina) : 사이가 가까워 서로 친하게 지내는 사람.
  teman, kawan, sahabat
  orang dekat dan akrab

- 들 : '복수'의 뜻을 더하는 접미사.
  Tiada Penjelasan Arti
  akhiran yang menambahkan arti "jamak"

- 이랑 : 어떤 일을 함께 하는 대상임을 나타내는 조사.
  dengan, bersama
  partikel yang menyatakan hal adalah objek yang digunakan bersama-sama untuk melakukan sesuatu

- 여행 (nomina) : 집을 떠나 다른 지역이나 외국을 두루 구경하며 다니는 일.
  wisata, perjalanan
  kegiatan meninggalkan rumah kemudian berkeliling dan melihat-lihat ke daerah lain, atau luar negeri

- 가다 (verba) : 어떤 일을 하기 위해서 다른 곳으로 이동하다.
  pergi
  bergerak ke tempat lain untuk melakukan suatu pekerjaan

• -ㄹ 것 : 명사가 아닌 것을 문장에서 명사처럼 쓰이게 하거나 '이다' 앞에 쓰일 수 있게 할 때 쓰는 표현.

minta, mohon, yang

ungkapan yang dapat membuat suatu kelas kata bisa digunakan sebagai kata benda dalam kalimat dan berfungsi sebagai subjek atau objek, atau dapat membuat suatu kelas kata bisa digunakan di depan '이다'

• 이다 : 주어가 지시하는 대상의 속성이나 부류를 지정하는 뜻을 나타내는 서술격 조사.

adalah

partikel kasus predikatif yang menyatakan maksud menentukan karakter atau jenis dari objek yang diindikasikan subjek

• -ㄴ데 : 뒤의 말을 하기 위하여 그 대상과 관련이 있는 상황을 미리 말함을 나타내는 연결 어미.

tetapi, karena

akhiran penghubung untuk mengatakan terlebih dahulu keadaan yang berhubungan sebelum mengatakan kalimat yang berhubungan

• 너 (pronomina) : 듣는 사람이 친구나 아랫사람일 때, 그 사람을 가리키는 말.

kamu

kata untuk menunjuk lawan bicara yang merupakan teman atau orang yang lebih muda

• 도 : 이미 있는 어떤 것에 다른 것을 더하거나 포함함을 나타내는 조사.

juga

partikel yang menyatakan menambahkan atau mengikutsertakan sesuatu yang lain pada sesuatu yang sudah ada

• 가다 (verba) : 어떤 일을 하기 위해서 다른 곳으로 이동하다.

pergi

bergerak ke tempat lain untuk melakukan suatu pekerjaan

• -ㄹ래 : (두루낮춤으로) 앞으로 어떤 일을 하려고 하는 자신의 의사를 나타내거나 그 일에 대하여 듣는 사람의 의사를 물어봄을 나타내는 종결 어미.

mau, ingin, akan

(dalam bentuk rendah) kata penutup final yang menyatakan maksud diri sendiri untuk melakukan suatu pekerjaan ke masa depan atau menanyakan maksud pendengar tentang pekerjaan tersebut

저+도 <u>가+[(아)도 되]+어요</u>?
      가도 돼요

어디+로 <u>가+는데요</u>?

혹시 제주도+로 <u>가+(아)요</u>?
      가요

• **저 (pronomina)** : 말하는 사람이 듣는 사람에게 자신을 낮추어 가리키는 말.
  saya
  kata yang digunakan oleh pembicara untuk menunjuk dirinya sendiri sambil merendahkan diri

• **도** : 이미 있는 어떤 것에 다른 것을 더하거나 포함함을 나타내는 조사.
  juga
  partikel yang menyatakan menambahkan atau mengikutsertakan sesuatu yang lain pada sesuatu yang sudah ada

• **가다 (verba)** : 어떤 일을 하기 위해서 다른 곳으로 이동하다.
  pergi
  bergerak ke tempat lain untuk melakukan suatu pekerjaan

• **-아도 되다** : 어떤 행동에 대한 허락이나 허용을 나타낼 때 쓰는 표현.
  boleh, tidak apa-apa
  ungkapan yang digunakan ketika menyatakan mengizinkan atau membolehkan suatu tindakan

• **-어요** : (두루높임으로) 어떤 사실을 서술하거나 질문, 명령, 권유함을 나타내는 종결 어미.
  apakah, apa, ~saja, silakan
  (dalam bentuk hormat) kata penutup final yang mengungkapkan suatu kenyataan atau menyatakan pertanyaan, perintah, atau ajakan <pertanyaan>

• **어디 (pronomina)** : 모르는 곳을 가리키는 말.
  tempat yang tidak tahu, di/ke/dari mana
  kata yang digunakan ketika menanyakan tempat yang tak diketahui

• **로** : 움직임의 방향을 나타내는 조사.
  ke
  partikel yang menyatakan arah gerakan

- 가다 (verba) : 어떤 일을 하기 위해서 다른 곳으로 이동하다.
  pergi
  bergerak ke tempat lain untuk melakukan suatu pekerjaan

- -는데요 : (두루높임으로) 듣는 사람에게 어떤 대답을 요구할 때 쓰는 표현.
  -kah?
  (dalam bentuk hormat) ungkapan yang digunakan saat mengingkan suatu jawaban dari orang yang mendengar

- 혹시 (adverbia) : 그러리라 생각하지만 분명하지 않아 말하기를 망설일 때 쓰는 말.
  apakah mungkin
  kata yang digunakan ketika ragu-ragu untuk berbicara karena tidak pasti meskipun berpikir demikian

- 제주도 (nomina) : 한국 서남해에 있는 화산섬. 한국에서 가장 큰 섬으로 화산 활동 지형의 특색이 잘 드러나 있어 관광 산업이 발달하였다. 해녀, 말, 귤이 유명하다.
  Pulau Jejudo
  pulau vulkanis terbesar yang berada di laut bagian barat daya Korea, industri pariwisata berkembang karena ciri khas daerah aktivitas gunung berapi sangat tampak di sini, angin banyak bertiup serta terkenal dengan haenyeo, kuda, dan jeruk

- 로 : 움직임의 방향을 나타내는 조사.
  ke
  partikel yang menyatakan arah gerakan

- 가다 (verba) : 어떤 일을 하기 위해서 다른 곳으로 이동하다.
  pergi
  bergerak ke tempat lain untuk melakukan suatu pekerjaan

- -아요 : (두루높임으로) 어떤 사실을 서술하거나 질문, 명령, 권유함을 나타내는 종결 어미.
  cobalah, sebenarnya, apa
  (dalam bentuk hormat) kata penutup final yang mengungkapkan suatu kenyataan atau menyatakan pertanyaan, perintah, atau ajakan <pertanyaan>

< 대화(pembicaraan) > - 37

요새 아르바이트하느라 힘들지 않니?
요새 아르바이트하느라 힘들지 안니?
yosae areubaiteuhaneura himdeulji anni?

네. 아르바이트를 하면 경험을 쌓는 동시에 돈도 벌 수 있어서 좋아요.
네. 아르바이트를 하면 경허믈 싼는 동시에 돈도 벌 쑤 이써서 조아요.
ne. areubaiteureul hamyeon gyeongheomeul ssanneun dongsie dondo beol su isseoseo joayo.

< 설명(penjelasan) / 번역(penerjemahan) >

요새 아르바이트하+느라 힘들+[지 않]+니?

- **요새 (nomina)** : 얼마 전부터 이제까지의 매우 짧은 동안.
  akhir-akhir ini, belakangan ini, sekarang ini
  selama waktu yang sangat dekat dari sebelum beberapa lama yang lalu sampai sekarang

- **아르바이트하다 (verba)** : 짧은 기간 동안 돈을 벌기 위해 자신의 본업 외에 임시로 하는 일을 하다.
  bekerja paruh waktu
  biasanya siswa atau pekerja melakukan pekerjaan secara sementara di luar bidangnya selama waktu yang singkat untuk mencari uang

- **-느라** : 앞에 오는 말이 나타내는 행동이 뒤에 오는 말의 목적이나 원인이 됨을 나타내는 연결 어미.
  demi, untuk, karena
  kata penutup sambung yang menyatakan bahwa tindakan dalam kalimat di depan menjadi tujuan atau alasan kalimat di belakang

- **힘들다 (adjektiva)** : 힘이 많이 쓰이는 면이 있다.
  melelahkan, memayahkan, menyusahkan, sulit, susah
  memiliki sisi banyak menggunakan tenaga

- **-지 않다** : 앞의 말이 나타내는 행위나 상태를 부정하는 뜻을 나타내는 표현.
  tidak
  ungkapan yang menyatakan arti menidakkan tindakan atau keadaan dalam kalimat yang disebutkan di depan

• -니 : (아주낮춤으로) 물음을 나타내는 종결 어미.
  -kah?
  (dalam bentuk sangat rendah) akhiran penutup yang menyatakan pertanyaan

네.

아르바이트+를 하+면 경험+을 쌓+[는 동시에]

돈+도 벌(버)+[ㄹ 수 있]+어서 좋+아요.
벌 수 있어서

• **네 (interjeksi)** : 윗사람의 물음이나 명령 등에 긍정하여 대답할 때 쓰는 말.
  ya
  kata yang digunakan untuk memberikan jawaban positif, setuju terhadap pertanyaan, perintah orang yang lebih tua umurnya, atau lebih tinggi posisinya

• **아르바이트 (nomina)** : 돈을 벌기 위해 자신의 본업 외에 임시로 하는 일.
  pekerjaan sambilan
  pekerjaan yang dilakukan di luar pekerjaan utama untuk mendapatkan uang tambahan dalam waktu yang singkat

• **를** : 동작이 직접적으로 영향을 미치는 대상을 나타내는 조사.
  Tiada Penjelasan Arti
  partikel yang menyatakan objek dari suatu gerakan yang secara langsung memberikan pengaruh

• **하다 (verba)** : 어떤 행동이나 동작, 활동 등을 행하다.
  melakukan, mengerjakan, menjalankan
  melaksanakan suatu tindakan atau aksi, kegiatan, dsb

• **-면** : 뒤에 오는 말에 대한 근거나 조건이 됨을 나타내는 연결 어미.
  kalau, seandainya, apabila
  akhiran penghubung untuk menyatakan menjadi landasan atau syarat terhadap kalimat induk

• **경험 (nomina)** : 자신이 실제로 해 보거나 겪어 봄. 또는 거기서 얻은 지식이나 기능.
  pengalaman
  sesuatu yang benar-benar dialami atau dilakukan sendiri, atau suatu pengetahuan yang didapatkan dari yang dialami atau dilakukan

• 을 : 동작이 직접적으로 영향을 미치는 대상을 나타내는 조사.
Tiada Penjelasan Arti
partikel yang menyatakan objek dari suatu gerakan yang secara langsung memberikan pengaruh

• **쌓다 (verba)** : 오랫동안 기술이나 경험, 지식 등을 많이 익히다.
memupuk
makin matangnya keterampilan, pengalaman, pengetahuan, dsb yang telah lama

• **-는 동시에** : 앞에 오는 말과 뒤에 오는 말이 나타내는 행동이나 상태가 함께 일어남을 나타내는 표현.
sekaligus, bersamaan dengan
ungkapan untuk menyatakan tindakan atau keadaan dalam perkataan depan dan belakang terjadi pada saat yang sama

• **돈 (nomina)** : 물건을 사고팔 때나 일한 값으로 주고받는 동전이나 지폐.
uang
uang logam atau uang kertas yang diberi dan diterima sebagai bayaran tertentu saat menjualbelikan barang

• 도 : 이미 있는 어떤 것에 다른 것을 더하거나 포함함을 나타내는 조사.
juga
partikel yang menyatakan menambahkan atau mengikutsertakan sesuatu yang lain pada sesuatu yang sudah ada

• **벌다 (verba)** : 일을 하여 돈을 얻거나 모으다.
mencari/mengumpulkan uang, mendapat uang
mendapat atau mengumpulkan uang dengan bekerja

• **-ㄹ 수 있다** : 어떤 행동이나 상태가 가능함을 나타내는 표현.
bisa, mungkin
ungkapan yang memunculkan arti bahwa suatu tingkah laku atau keadaan mungkin untuk terjadi

• **-어서** : 이유나 근거를 나타내는 연결 어미.
lalu, kemudian, karena, dengan
kata penutup sambung yang menyatakan alasan atau landasan

• **좋다 (adjektiva)** : 어떤 일이나 대상이 마음에 들고 만족스럽다.
suka
suatu peristiwa atau objek berkenan di hati dan memuaskan

• **-아요** : (두루높임으로) 어떤 사실을 서술하거나 질문, 명령, 권유함을 나타내는 종결 어미.
cobalah, sebenarnya, apa
(dalam bentuk hormat) kata penutup final yang mengungkapkan suatu kenyataan atau menyatakan pertanyaan, perintah, atau ajakan <penjabaran>

< 대화(pembicaraan) > - 38

저는 지금부터 청소를 할게요.
저는 지금부터 청소를 할께요.
jeoneun jigeumbuteo cheongsoreul halgeyo.

그럼, 시우 씨가 청소하는 동안 저는 장을 보러 다녀올게요.
그럼, 시우 씨가 청소하는 동안 저는 장을 보러 다녀올께요.
geureom, siu ssiga cheongsohaneun dongan jeoneun jangeul boreo danyeoolgeyo.

< 설명(penjelasan) / 번역(penerjemahan) >

저+는 지금+부터 청소+를 <u>하+ㄹ게요</u>.
할게요

- **저 (pronomina)** : 말하는 사람이 듣는 사람에게 자신을 낮추어 가리키는 말.
  saya
  kata yang digunakan oleh pembicara untuk menunjuk dirinya sendiri sambil merendahkan diri

- **는** : 문장 속에서 어떤 대상이 화제임을 나타내는 조사.
  Tiada Penjelasan Arti
  partikel yang menyatakan suatu subjek dalam kalimat menjadi bahan pembicaraan

- **지금 (nomina)** : 말을 하고 있는 바로 이때.
  sekarang
  saat sedang bicara

- **부터** : 어떤 일의 시작이나 처음을 나타내는 조사.
  Tiada Penjelasan Arti
  partikel yang menyatakan awal atau mula sebuah peristiwa

- **청소 (nomina)** : 더럽고 지저분한 것을 깨끗하게 치움.
  pembersihan
  hal menghilangkan, menghapus, atau menyapu bagian yang kotor dan bernoda

- 를 : 동작이 직접적으로 영향을 미치는 대상을 나타내는 조사.
  Tiada Penjelasan Arti
  partikel yang menyatakan objek dari suatu gerakan yang secara langsung memberikan pengaruh

- **하다 (verba)** : 어떤 행동이나 동작, 활동 등을 행하다.
  melakukan, mengerjakan, menjalankan
  melaksanakan suatu tindakan atau aksi, kegiatan, dsb

- **-ㄹ게요** : (두루높임으로) 말하는 사람이 어떤 행동을 할 것을 듣는 사람에게 약속하거나 의지를 나타내는 표현.
  saya akan~, saya mau
  (dalam bentuk hormat) ungkapan yang menunjukkan hal orang yang berbicara berjanji atau memberitahukan akan melakukan suatu tindakan kepada orang yang mendengar

그럼, 시우 씨+가 청소하+[는 동안] 저+는 장+을 보+러 다녀오+ㄹ게요.
다녀올게요

- **그럼 (adverbia)** : 앞의 내용을 받아들이거나 그 내용을 바탕으로 하여 새로운 주장을 할 때 쓰는 말.
  jadi, maka, kalau demikian
  kata yang digunakan saat menerima isi ucapan yang ada di depan atau membuat pernyataan baru berdasar latar belakang tersebut

- **시우 (nomina)** : nama

- **씨 (nomina)** : 그 사람을 높여 부르거나 이르는 말.
  kata panggilan seperti ibu, bapak, mas, mbak, dsb
  kata untuk memanggil orang yang memiliki nama atau orang yang memiliki marga

- 가 : 어떤 상태나 상황에 놓인 대상이나 동작의 주체를 나타내는 조사.
  Tiada Penjelasan Arti
  partikel yang menyatakan subjek sebuah keadaan atau situasi atau pelaku utama sebuah tindakan

- **청소하다 (verba)** : 더럽고 지저분한 것을 깨끗하게 치우다.
  membersihkan, bebersih
  menghilangkan, menghapus, atau menyapu bagian yang kotor dan bernoda

- **-는 동안** : 앞에 오는 말이 나타내는 행동이나 상태가 계속되는 시간 만큼을 나타내는 표현.
  selama
  ungkapan yang menyatakan tindakan atau kondisi yang muncul pada perkataan sebelumnya terus terjadi

• 저 (pronomina) : 말하는 사람이 듣는 사람에게 자신을 낮추어 가리키는 말.
saya
kata yang digunakan oleh pembicara untuk menunjuk dirinya sendiri sambil merendahkan diri

• 는 : 문장 속에서 어떤 대상이 화제임을 나타내는 조사.
Tiada Penjelasan Arti
partikel yang menyatakan suatu subjek dalam kalimat menjadi bahan pembicaraan

• 장 (nomina) : 여러 가지 상품을 사고파는 곳.
pasar
tempat menjualbelikan berbagai barang

• 을 : 동작이 직접적으로 영향을 미치는 대상을 나타내는 조사.
Tiada Penjelasan Arti
partikel yang menyatakan objek dari suatu gerakan yang secara langsung memberikan pengaruh

• 보다 (verba) : 시장에 가서 물건을 사다.
berbelanja
pergi ke pasar dan membeli barang

• -러 : 가거나 오거나 하는 동작의 목적을 나타내는 연결 어미.
untuk
kata penutup sambung yang menyatakan tujuan dari tindakan pergi atau datang

• 다녀오다 (verba) : 어떤 일을 하기 위해 갔다가 오다.
pergi dan kembali
pergi untuk melakukan sebuah pekerjaan dan datang kembali

• -ㄹ게요 : (두루높임으로) 말하는 사람이 어떤 행동을 할 것을 듣는 사람에게 약속하거나 의지를 나타내는 표현.
saya akan~, saya mau
(dalam bentuk hormat) ungkapan yang menunjukkan hal orang yang berbicara berjanji atau memberitahukan akan melakukan suatu tindakan kepada orang yang mendengar

< 대화(pembicaraan) > - 39

지우는 어디 갔어? 아까부터 안 보이네.
지우는 어디 가써? 아까부터 안 보이네.
jiuneun eodi gasseo? akkabuteo an boine.

글쎄, 급한 일이 있는 듯 뛰어가더라.
글쎄, 그판 이리 인는 듣 뛰어가더라.
geulsse, geupan iri inneun deut ttwieogadeora.

< 설명(penjelasan) / 번역(penerjemahan) >

지우+는 어디 <u>가+았+어</u>?
갔어

아까+부터 안 보이+네.

- **지우 (nomina)** : nama

- **는** : 문장 속에서 어떤 대상이 화제임을 나타내는 조사.
  Tiada Penjelasan Arti
  partikel yang menyatakan suatu subjek dalam kalimat menjadi bahan pembicaraan

- **어디 (pronomina)** : 모르는 곳을 가리키는 말.
  tempat yang tidak tahu, di/ke/dari mana
  kata yang digunakan ketika menanyakan tempat yang tak diketahui

- **가다 (verba)** : 한 곳에서 다른 곳으로 장소를 이동하다.
  pergi
  bergerak dari satu tempat ke tempat lain

- **-았-** : 어떤 사건이 과거에 완료되었거나 그 사건의 결과가 현재까지 지속되는 상황을 나타내는 어미.
  sudah, telah, pasti akan
  akhiran kalimat yang menyatakan sebuah peristiwa sudah selesai di masa lampau atau
  menyatakan keadaan di mana hasil peristiwa tersebut terus berlangsung hingga sekarang

• -어 : (두루낮춤으로) 어떤 사실을 서술하거나 물음, 명령, 권유를 나타내는 종결 어미.
  -kah, -lah
  (dalam bentuk rendah) akhiran penutup untuk menyatakan suatu kenyataan atau menandai pertanyaan, perintah, dan ajakan <pertanyaan>

• 아까 (nomina) : 조금 전.
  tadi
  beberapa saat lalu

• 부터 : 어떤 일의 시작이나 처음을 나타내는 조사.
  Tiada Penjelasan Arti
  partikel yang menyatakan awal atau mula sebuah peristiwa

• 안 (adverbia) : 부정이나 반대의 뜻을 나타내는 말.
  tidak
  kata yang menampilkan lawan arti atau negatif

• 보이다 (verba) : 눈으로 대상의 존재나 겉모습을 알게 되다.
  kelihatan
  menjadi bisa diketahui keberadaan atau bentuk suatu objek dengan mata

• -네 : (아주낮춤으로) 지금 깨달은 일에 대하여 말함을 나타내는 종결 어미.
  wah, ternyata
  (dalam bentuk sangat rendah) kata penutup final yang menyatakan perkataan tentang peristiwa yang sekarang disadari

글쎄, 급하+ㄴ 일+이 있+[는 듯] 뛰어가+더라.
급한

• 글쎄 (interjeksi) : 상대방의 물음이나 요구에 대하여 분명하지 않은 태도를 나타낼 때 쓰는 말.
  entahlah, bagaimana ya, nah
  kata yang digunakan saat menjawab pertanyaan atau permintaan lawan bicara dengan kurang yakin, ragu-ragu, dan situasinya sulit untuk menjawab

• 급하다 (adjektiva) : 사정이나 형편이 빨리 처리해야 할 상태에 있다.
  mendesak
  situasi atau kondisi berada dalam keadaan harus segera diselesaikan

• -ㄴ : 앞의 말이 관형어의 기능을 하게 만들고 현재의 상태를 나타내는 어미.
  yang
  akhiran yang membuat kata di depannya berfungsi sebagai kata pewatas, dan menyatakan keadaan saat ini

• **일** (nomina) : 어떤 내용을 가진 상황이나 사실.
  hal, masalah, keadaan
  kondisi atau fakta yang memiliki suatu isi

• 이 : 어떤 상태나 상황의 대상이나 동작의 주체를 나타내는 조사.
  Tiada Penjelasan Arti
  partikel yang menyatakan objek dari suatu keadaan atau kondisi atau pelaku dari suatu tindakan

• **있다** (adjektiva) : 어떤 일이 이루어지거나 벌어질 계획이다.
  terjadi, muncul, ada
  suatu pekerjaan direncanakan akan terwujud ata terjadi

• -는 듯 : 뒤에 오는 말의 내용과 관련하여 짐작할 수 있거나 비슷하다고 여겨지는 상태나 상황을 나타낼 때 쓰는 표현.
  seperti, sebagaimana
  ungkapan untuk menyatakan keadaan atau situasi yang dianggap mirip dengan perkataan belakang

• **뛰어가다** (verba) : 어떤 곳으로 빨리 뛰어서 가다.
  berlari, lari
  pergi berlari dengan cepat ke suatu tempat

• -더라 : (아주낮춤으로) 말하는 이가 직접 경험하여 새롭게 알게 된 사실을 지금 전달함을 나타내는 종결 어미.
  sebenarnya, ternyata
  (dalam bentuk sangat rendah) kata penutup final yang mengatakan penyampaian kenyataan sekarang setelah pembicara mengalami secara langsung dan baru mengetahuinya

< 대화(pembicaraan) > - 40

지아 씨, 어디서 타는 듯한 냄새가 나요.
지아 씨, 어디서 타는 드탄 냄새가 나요.
jia ssi, eodiseo taneun deutan naemsaega nayo.

어머, 냄비를 불에 올려놓고 깜빡 잊어버렸네요.
어머, 냄비를 부레 올려노코 깜빡 이저버련네요.
eomeo, naembireul bure ollyeonoko kkamppak ijeobeoryeonneyo.

< 설명(penjelasan) / 번역(penerjemahan) >

지아 씨, 어디+서 <u>타+[는 듯하]</u>+ㄴ 냄새+가 <u>나+(아)요</u>.
　　　　　　　　타는 듯한　　　　　　　나요

- **지아 (nomina)** : nama

- **씨 (nomina)** : 그 사람을 높여 부르거나 이르는 말.
 kata panggilan seperti ibu, bapak, mas, mbak, dsb
 kata untuk memanggil orang yang memiliki nama atau orang yang memiliki marga

- **어디 (pronomina)** : 정해져 있지 않거나 정확하게 말할 수 없는 어느 곳을 가리키는 말.
 suatu tempat
 tempat yang tidak ditentukan atau tidak diberitahukan dengan jelas

- **서** : 앞말이 출발점의 뜻을 나타내는 조사.
 dari
 partikel yang menyatakan arti kata di depannya adalah titik berangkat atau asal

- **타다 (verba)** : 뜨거운 열을 받아 검은색으로 변할 정도로 지나치게 익다.
 hangus
 matang dengan berlebihan sampai berubah menjadi hitam karena terkena panas

- **-는 듯하다** : 앞에 오는 말의 내용을 추측함을 나타내는 표현.
 sepertinya, nampaknya, kelihatannya
 ungkapan yang menyatakan dugaan tentang isi kalimat di depan

- -ㄴ : 앞의 말이 관형어의 기능을 하게 만들고 현재의 상태를 나타내는 어미.
  yang
  akhiran yang membuat kata di depannya berfungsi sebagai kata pewatas, dan menyatakan keadaan saat ini

- **냄새 (nomina)** : 코로 맡을 수 있는 기운.
  bau
  energi yang bisa dicium dengan hidung

- **가** : 어떤 상태나 상황에 놓인 대상이나 동작의 주체를 나타내는 조사.
  Tiada Penjelasan Arti
  partikel yang menyatakan subjek sebuah keadaan atau situasi atau pelaku utama sebuah tindakan

- **나다 (verba)** : 알아차릴 정도로 소리나 냄새 등이 드러나다.
  timbul, muncul
  timbulnya suara atau bau dsb sampai dapat diketahui/disadari

- -아요 : (두루높임으로) 어떤 사실을 서술하거나 질문, 명령, 권유함을 나타내는 종결 어미.
  cobalah, sebenarnya, apa
  (dalam bentuk hormat) kata penutup final yang mengungkapkan suatu kenyataan atau menyatakan pertanyaan, perintah, atau ajakan <penjabaran>

어머, 냄비+를 불+에 올려놓+고 깜빡 잊어버리+었+네요.
잊어버렸네요

- **어머 (interjeksi)** : 주로 여자들이 예상하지 못한 일로 갑자기 놀라거나 감탄할 때 내는 소리.
  ya ampun
  suara yang keluar saat tiba-tiba terkejut, atau terkesima karena sesuatu yang tidak dibayangkan sebelumnya

- **냄비 (nomina)** : 음식을 끓이는 데 쓰는, 솥보다 작고 뚜껑과 손잡이가 있는 그릇.
  panci
  alat yang digunakan utnuk merebus air, lebih kecil daripada kuali, memiliki tutup dan pegangan tangan.

- **를** : 동작이 직접적으로 영향을 미치는 대상을 나타내는 조사.
  Tiada Penjelasan Arti
  partikel yang menyatakan objek dari suatu gerakan yang secara langsung memberikan pengaruh

• **불 (nomina)** : 물질이 빛과 열을 내며 타는 것.
  api
  sesuatu yang membuat sesuatu bersinar dan mengeluarkan panas serta membakar

• **에** : 앞말이 어떤 행위나 작용이 미치는 대상임을 나타내는 조사.
  ke, kepada, pada
  partikel yang menyatakan kalimat di depan adalah objek dari efek suatu tindakan berpengaruh

• **올려놓다 (verba)** : 어떤 물건을 무엇의 위쪽에 옮겨다 두다.
  menumpuk
  memindahkan sesuatu di atas suatu barang

• **-고** : 앞의 말이 나타내는 행동이나 그 결과가 뒤에 오는 행동이 일어나는 동안에 그대로 지속됨을 나타내는 연결 어미.
  dan, dengan, sambil
  akhiran penghubung yang menyatakan bahwa tindakan atau hasil di kalimat depan terus berjalan selama tindakan di kalimat belakang terjadi.

• **깜빡 (adverbia)** : 기억이나 의식 등이 잠깐 흐려지는 모양.
  Tiada Penjelasan Arti
  bentuk ingatan atau kesadaran dsb hilang sekejap

• **잊어버리다 (verba)** : 기억해야 할 것을 한순간 전혀 생각해 내지 못하다.
  lupa
  tidak bisa mengingat sama sekali dalam sesaat sesuatu yang harus diingat

• **-었-** : 어떤 사건이 과거에 완료되었거나 그 사건의 결과가 현재까지 지속되는 상황을 나타내는 어미.
  sudah, pasti, yakin
  akhiran kalimat yang menyatakan sebuah peristiwa sudah selesai di masa lampau atau menyatakan keadaan di mana hasil peristiwa tersebut terus berlangsung hingga sekarang

• **-네요** : (두루높임으로) 말하는 사람이 직접 경험하여 새롭게 알게 된 사실에 대해 감탄함을 나타낼 때 쓰는 표현.
  wah, ternyata
  (dalam bentuk hormat) ungkapan yang digunakan saat menunjukkan orang yang berbicara berpengalaman langsung lalu terkejut atau terkagum dengan kenyataan yang baru diketahui itu

< 대화(pembicaraan) > - 41

너 왜 저녁을 다 안 먹고 남겼니?
너 왜 저녀글 다 안 먹꼬 남견니?
neo wae jeonyeogeul da an meokgo namgyeonni?

저는 먹는 만큼 살이 쪄서 식사량을 줄여야겠어요.
저는 멍는 만큼 사리 쪄서 식싸량을 주려야게써요.
jeoneun meongneun mankeum sari jjeoseo siksaryangeul juryeoyagesseoyo.

< 설명(penjelasan) / 번역(penerjemahan) >

너 왜 저녁+을 다 안 먹+고 <u>남기+었+니</u>?
남겼니

- 너 (pronomina) : 듣는 사람이 친구나 아랫사람일 때, 그 사람을 가리키는 말.
  kamu
  kata untuk menunjuk lawan bicara yang merupakan teman atau orang yang lebih muda

- 왜 (adverbia) : 무슨 이유로. 또는 어째서.
  kenapa, mengapa
  untuk alasan apa, atau bagaimana bisa

- 저녁 (nomina) : 저녁에 먹는 밥.
  makan malam
  makan yang dinikmati pada saat petang atau malam

- 을 : 동작이 직접적으로 영향을 미치는 대상을 나타내는 조사.
  Tiada Penjelasan Arti
  partikel yang menyatakan objek dari suatu gerakan yang secara langsung memberikan pengaruh

- 다 (adverbia) : 남거나 빠진 것이 없이 모두.
  semua, semuanya, seluruhnya
  semua tanpa ada yang tersisa atau terlewat

- 안 (adverbia) : 부정이나 반대의 뜻을 나타내는 말.
  tidak
  kata yang menampilkan lawan arti atau negatif

- 먹다 (verba) : 음식 등을 입을 통하여 배 속에 들여보내다.
  makan
  memasukkan makanan ke dalam mulut lalu menelannya

- -고 : 앞의 말과 뒤의 말이 차례대로 일어남을 나타내는 연결 어미.
  lalu
  akhiran penghubung yang menyatakan bahwa kalimat di depan dan di belakang muncul secara berturut-turut

- 남기다 (verba) : 다 쓰지 않고 나머지가 있게 하다.
  menyisakan
  tidak menghilangkan jumlah atau angka yang ditentukan dan mempertahankan seluruh atau sebagian seperti apa adanya atau seperti sebelumnya

- -었- : 어떤 사건이 과거에 완료되었거나 그 사건의 결과가 현재까지 지속되는 상황을 나타내는 어미.
  sudah, pasti, yakin
  akhiran kalimat yang menyatakan sebuah peristiwa sudah selesai di masa lampau atau menyatakan keadaan di mana hasil peristiwa tersebut terus berlangsung hingga sekarang

- -니 : (아주낮춤으로) 물음을 나타내는 종결 어미.
  -kah?
  (dalam bentuk sangat rendah) akhiran penutup yang menyatakan pertanyaan

저+는 먹+[는 만큼] 살+이 찌+어서 식사량+을 줄이+어야겠+어요.
쪄서   줄여야겠어요

- 저 (pronomina) : 말하는 사람이 듣는 사람에게 자신을 낮추어 가리키는 말.
  saya
  kata yang digunakan oleh pembicara untuk menunjuk dirinya sendiri sambil merendahkan diri

- 는 : 문장 속에서 어떤 대상이 화제임을 나타내는 조사.
  Tiada Penjelasan Arti
  partikel yang menyatakan suatu subjek dalam kalimat menjadi bahan pembicaraan

- 먹다 (verba) : 음식 등을 입을 통하여 배 속에 들여보내다.
  makan
  memasukkan makanan ke dalam mulut lalu menelannya

- -는 만큼 : 뒤에 오는 말이 앞에 오는 말과 비례하거나 비슷한 정도 혹은 수량임을 나타내는 표현.
  sejauh, sesuai
  ungkapan untuk menyatakan perkataan belakang sebanding, setara, atau sebanyak dengan perkataan depan.

• **살 (nomina)** : 사람이나 동물의 몸에서 뼈를 둘러싸고 있는 부드러운 부분.
daging
bagian halus yang melapisi tulang di tubuh manusia atau binatang

• **이** : 어떤 상태나 상황의 대상이나 동작의 주체를 나타내는 조사.
Tiada Penjelasan Arti
partikel yang menyatakan objek dari suatu keadaan atau kondisi atau pelaku dari suatu tindakan

• **찌다 (verba)** : 몸에 살이 붙어 뚱뚱해지다.
bertambah lemak, menjadi gemuk
lemak menempel di badan sehingga menjadi gemuk

• **-어서** : 이유나 근거를 나타내는 연결 어미.
lalu, kemudian, karena, dengan
kata penutup sambung yang menyatakan alasan atau landasan

• **식사량 (nomina)** : 음식을 먹는 양.
kesanggupan makan
jumlah makanan yang bisa dimakan

• **을** : 동작이 직접적으로 영향을 미치는 대상을 나타내는 조사.
Tiada Penjelasan Arti
partikel yang menyatakan objek dari suatu gerakan yang secara langsung memberikan pengaruh

• **줄이다 (verba)** : 수나 양을 원래보다 적게 하다.
mengurangi
membuat jumlah atau isi lebih sedikit dari sebenarnya

• **-어야겠-** : 앞의 말이 나타내는 행동에 대한 강한 의지를 나타내거나 그 행동을 할 필요가 있음을 완곡하게 말할 때 쓰는 표현.
harus, lebih baik
ungkapan untuk menunjukkan maksud kuat akan suatu tindakan dalam perkataan di depan atau mengatakan perlunya tindakan tersebut

• **-어요** : (두루높임으로) 어떤 사실을 서술하거나 질문, 명령, 권유함을 나타내는 종결 어미.
apakah, apa, ~saja, silakan
(dalam bentuk hormat) kata penutup final yang mengungkapkan suatu kenyataan atau menyatakan pertanyaan, perintah, atau ajakan <penjabaran>

< 대화(pembicaraan) > - 42

이 늦은 시간에 라면을 먹어?
이 느즌 시가네 라며늘 머거?
i neujeun sigane ramyeoneul meogeo?

야근하느라 저녁도 못 먹는 바람에 배고파 죽겠어.
야근하느라 저녁또 몯 멍는 바라메 배고파 죽께써.
yageunhaneura jeonyeokdo mot meongneun barame baegopa jukgesseo.

< 설명(penjelasan) / 번역(penerjemahan) >

이 늦+은 시간+에 라면+을 먹+어?

• 이 (pewatas) : 말하는 사람에게 가까이 있거나 말하는 사람이 생각하고 있는 대상을 가리킬 때 쓰는 말.
 ini, si ini
 kata yang digunakan saat menunjuk target yang berada di dekat atau yang dipikirkan si pembicara

• 늦다 (adjektiva) : 적당한 때를 지나 있다. 또는 시기가 한창인 때를 지나 있다.
 larut, lewat, terlambat
 masa yang pantas sudah lewat, atau saat puncak sudah lewat

• -은 : 앞의 말이 관형어의 기능을 하게 만들고 현재의 상태를 나타내는 어미.
 yang
 akhiran yang membuat kata di depannya berfungsi sebagai kata pewatas, dan menyatakan keadaan saat ini

• 시간 (nomina) : 어떤 일을 하도록 정해진 때. 또는 하루 중의 어느 한 때.
 waktu, masa, saat
 waktu yang ditentukan untuk melakukan sesuatu, suatu waktu yang ada dalam satu hari

• 에 : 앞말이 시간이나 때임을 나타내는 조사.
 pada
 partikel yang menyatakan kalimat di depan adalah waktu atau saat

· **라면 (nomina)** : 기름에 튀겨 말린 국수와 가루 스프가 들어 있어서 물에 끓이기만 하면 간편하게 먹을 수 있는 음식.
  mi instan
  makanan yang dimakan dengan mudah, cukup direbus dengan air karena di dalamnya sudah terdapat mie yang dikeringkan dengan minyak dan bubuk supnya

· **을** : 동작이 직접적으로 영향을 미치는 대상을 나타내는 조사.
  Tiada Penjelasan Arti
  partikel yang menyatakan objek dari suatu gerakan yang secara langsung memberikan pengaruh

· **먹다 (verba)** : 음식 등을 입을 통하여 배 속에 들여보내다.
  makan
  memasukkan makanan ke dalam mulut lalu menelannya

· **-어** : (두루낮춤으로) 어떤 사실을 서술하거나 물음, 명령, 권유를 나타내는 종결 어미.
  -kah, -lah
  (dalam bentuk rendah) akhiran penutup untuk menyatakan suatu kenyataan atau menandai pertanyaan, perintah, dan ajakan <pertanyaan>

야근하+느라고 저녁+도 못 먹+[는 바람에] 배고프(배고프)+[아 죽]+겠+어.
배고파 죽겠어

· **야근하다 (verba)** : 퇴근 시간이 지나 밤늦게까지 일하다.
  bekerja lembur, bekerja malam
  bekerja sampai larut malam melewati jam pulang kerja

· **-느라고** : 앞에 오는 말이 나타내는 행동이 뒤에 오는 말의 목적이나 원인이 됨을 나타내는 연결 어미.
  demi, untuk, karena
  kata penutup sambung yang menyatakan bahwa tindakan dalam kalimat di depan menjadi tujuan atau alasan kalimat di belakang

· **저녁 (nomina)** : 저녁에 먹는 밥.
  makan malam
  makan yang dinikmati pada saat petang atau malam

· **도** : 극단적인 경우를 들어 다른 경우는 말할 것도 없음을 나타내는 조사.
  saja
  partikel yang menyatakan tidak dapat mengatakan perihal yang lain dengan mengangkat situasi yang ekstrem

• 못 (adverbia) : 동사가 나타내는 동작을 할 수 없게.

tidak bisa, tidak mampu

tidak bisa melakukan suatu tindakan yang muncul di kata kerja

• 먹다 (verba) : 음식 등을 입을 통하여 배 속에 들여보내다.

makan

memasukkan makanan ke dalam mulut lalu menelannya

• -는 바람에 : 앞의 말이 나타내는 행동이나 상태가 뒤에 오는 말의 원인이나 이유가 됨을 나타내는 표현.

karena, sebab, gara-gara

ungkapan untuk menyatakan suatu tindakan atau keadaan dalam perkataan depan menjadi alasan atau lantaran bagi perkataan belakang

• 배고프다 (adjektiva) : 배 속이 빈 것을 느껴 음식이 먹고 싶다.

lapar, kelaparan

perut terasa kosong sehingga ingin makan sesuatu

• -아 죽다 : 앞의 말이 나타내는 상태의 정도가 매우 심함을 나타내는 표현.

setengah mati, nyaris mati, hampir mati

ungkapan yang menyatakan bahwa taraf keadaan atau perasaan dalam kalimat yang disebutkan di depan sangat parah atau berlebihan

• -겠- : 미래의 일이나 추측을 나타내는 어미.

barangkali, mungkin

akhiran untuk menyatakan dugaan atau peristiwa di masa depan

• -어 : (두루낮춤으로) 어떤 사실을 서술하거나 물음, 명령, 권유를 나타내는 종결 어미.

-kah, -lah

(dalam bentuk rendah) akhiran penutup untuk menyatakan suatu kenyataan atau menandai pertanyaan, perintah, dan ajakan <penjabaran>

< 대화(pembicaraan) > - 43

겨울이 가면 봄이 오는 법이야. 힘들다고 포기하면 안 돼.
겨우리 가면 보미 오는 버비야. 힘들다고 포기하면 안 돼.
gyeouri gamyeon bomi oneun beobiya. himdeuldago pogihamyeon an dwae.

고마워. 네 말에 다시 힘이 나는 것 같아.
고마워. 네 마레 다시 히미 나는 걷 가타.
gomawo. ne mare dasi himi naneun geot gata.

< 설명(penjelasan) / 번역(penerjemahan) >

겨울+이 가+면 봄+이 오+[는 법이]+야.

힘들+다고 포기하+[면 안 되]+어.
포기하면 안 돼

- **겨울 (nomina)** : 네 계절 중의 하나로 가을과 봄 사이의 추운 계절.
  musim dingin, musim salju
  musim di antara musim gugur dan musim semi, yang paling dingin di antara empat musim dalam satu tahun

- **이** : 어떤 상태나 상황의 대상이나 동작의 주체를 나타내는 조사.
  Tiada Penjelasan Arti
  partikel yang menyatakan objek dari suatu keadaan atau kondisi atau pelaku dari suatu tindakan

- **가다 (verba)** : 시간이 지나거나 흐르다.
  berlalu, pergi
  waktu berlalu atau mengalir

- **-면** : 뒤에 오는 말에 대한 근거나 조건이 됨을 나타내는 연결 어미.
  kalau, seandainya, apabila
  akhiran penghubung untuk menyatakan menjadi landasan atau syarat terhadap kalimat induk

• 봄 (nomina) : 네 계절 중의 하나로 겨울과 여름 사이의 계절.
musim semi

musim di mana cuaca mulai hangat, bunga yang kuncup mulai bermekaran, musim antara musim dingin dan musim panas

• 이 : 어떤 상태나 상황의 대상이나 동작의 주체를 나타내는 조사.
Tiada Penjelasan Arti

partikel yang menyatakan objek dari suatu keadaan atau kondisi atau pelaku dari suatu tindakan

• 오다 (verba) : 어떤 때나 계절 등이 닥치다.
datang, tiba, menjelang

suatu saat atau musim dsb datang atau mendekat

• -는 법이다 : 앞의 말이 나타내는 동작이나 상태가 이미 그렇게 정해져 있거나 그런 것이 당연하다는 뜻을 나타내는 표현.
seharusnya, semestinya

ungkapan yang menunjukkan gerakan atau kondisi dalam perkataan depan memang sudah diputuskan demikian atau sudah tentu demikian

• -야 : (두루낮춤으로) 어떤 사실에 대하여 서술하거나 물음을 나타내는 종결 어미.
Tiada Penjelasan Arti

(dalam bentuk rendah) kata penutup final yang mengungkapkan suatu kenyataan atau menyatakan pertanyaan <penjabaran>

• 힘들다 (adjektiva) : 마음이 쓰이거나 수고가 되는 면이 있다.
sulit, susah

memiliki sisi menyusahkan atau memberatkan hati

• -다고 : 어떤 행위의 목적, 의도를 나타내거나 어떤 상황의 이유, 원인을 나타내는 연결 어미.
karena katanya

akhiran kalimat penyambung yang menyatakan tujuan atau maksud suatu tindakan atau alasan atau penyebab suatu keadaan

• 포기하다 (verba) : 하려던 일이나 생각을 중간에 그만두다.
menyerah, putus asa

berhenti melakukan sesuatu yang ingin dilakukan atau berpikir di tengah-tengah

• -면 안 되다 : 어떤 행동이나 상태를 금지하거나 제한함을 나타내는 표현.
tidak boleh~

ungkapan yang menyatakan larangan atau batasan suatu tindakan atau keadaan

• -어 : (두루낮춤으로) 어떤 사실을 서술하거나 물음, 명령, 권유를 나타내는 종결 어미.
  -kah, -lah
  (dalam bentuk rendah) akhiran penutup untuk menyatakan suatu kenyataan atau menandai pertanyaan, perintah, dan ajakan <perintah>

고맙(고마우)+어.
고마워

너+의 말+에 다시 힘+이 나+[는 것 같]+아.
네

• **고맙다 (adjektiva)** : 남이 자신을 위해 무엇을 해주어서 마음이 흐뭇하고 보답하고 싶다.
  terima kasih
  perasaan senang dan ingin membalas budi kepada orang lain yang telah melakukan kebaikan untuk kita

• **-어** : (두루낮춤으로) 어떤 사실을 서술하거나 물음, 명령, 권유를 나타내는 종결 어미.
  -kah, -lah
  (dalam bentuk rendah) akhiran penutup untuk menyatakan suatu kenyataan atau menandai pertanyaan, perintah, dan ajakan <penjabaran>

• **너 (pronomina)** : 듣는 사람이 친구나 아랫사람일 때, 그 사람을 가리키는 말.
  kamu
  kata untuk menunjuk lawan bicara yang merupakan teman atau orang yang lebih muda

• **의** : 앞의 말이 뒤의 말에 대하여 소유, 소속, 소재, 관계, 기원, 주체의 관계를 가짐을 나타내는 조사.
  dari, milik
  partikel yang menyatakan perkataan di depan memiliki hubungan kepemilikian, bagian tempat diri bekerja, bahan, hubungan, asal, topik dengan perkataan di belakang

• **말 (nomina)** : 생각이나 느낌을 표현하고 전달하는 사람의 소리.
  perkataan, kata-kata
  bunyi atau suara manusia yang merupakan ungkapan perasaan atau pikiran

• **에** : 앞말이 어떤 일의 원인임을 나타내는 조사.
  karena, akibat, sebab
  partikel yang menyatakan kalimat di depan adalah penyebab suatu peristiwa

• **다시 (adverbia)** : 방법이나 목표 등을 바꿔서 새로이.
  lagi
  memperbarui dan mengubah cara, tujuan, dsb

- 힘 (nomina) : 용기나 자신감.
  kekuatan
  keberanian, kepercayaan diri

- 이 : 어떤 상태나 상황의 대상이나 동작의 주체를 나타내는 조사.
  Tiada Penjelasan Arti
  partikel yang menyatakan objek dari suatu keadaan atau kondisi atau pelaku dari suatu tindakan

- 나다 (verba) : 어떤 감정이나 느낌이 생기다.
  muncul, timbul
  munculnya suatu emosi atau perasaan

- -는 것 같다 : 추측을 나타내는 표현.
  sepertinya, kelihatannya, nampaknya
  ungkapan yang menyatakan dugaan atau terkaan

- -아 : (두루낮춤으로) 어떤 사실을 서술하거나 물음, 명령, 권유를 나타내는 종결 어미.
  -kah, -lah
  (dalam bentuk rendah) akhiran penutup untuk menyatakan suatu kenyataan atau menandai pertanyaan, perintah, dan ajakan <penjabaran>

< 대화(pembicaraan) > - 44

재는 도대체 여기 언제 온 거야?
재는 도대체 여기 언제 온 거야?
jyaeneun dodaeche yeogi eonje on geoya?

아까 네가 잠깐 조는 사이에 왔을걸.
아까 네가 잠깐 조는 사이에 와쓸껄.
akka nega jamkkan joneun saie wasseulgeol.

< 설명(penjelasan) / 번역(penerjemahan) >

재+는 도대체 여기 언제 <u>오+[ㄴ 것(거)]+(이)+야</u>?
온 거야

- **재 (singkatan)** : '저 아이'가 줄어든 말.
  dia, anak itu
  bentuk singkat dari '저(itu) 아이(orang ketiga)'

- **는** : 문장 속에서 어떤 대상이 화제임을 나타내는 조사.
  Tiada Penjelasan Arti
  partikel yang menyatakan suatu subjek dalam kalimat menjadi bahan pembicaraan

- **도대체 (adverbia)** : 아주 궁금해서 묻는 말인데.
  penasaran
  bermaksud bertanya karena sangat ingin tahu

- **여기 (pronomina)** : 말하는 사람에게 가까운 곳을 가리키는 말.
  sini
  kata untuk menunjukkan tempat yang dekat dengan orang yang berbicara

- **언제 (adverbia)** : 알지 못하는 어느 때에.
  kapan
  suatu waktu yang tidak diketahui

- **오다 (verba)** : 무엇이 다른 곳에서 이곳으로 움직이다.
  datang, kemari, ke sini
  sesuatu bergerak dari tempat lain ke sini

• **-ㄴ 것** : 명사가 아닌 것을 문장에서 명사처럼 쓰이게 하거나 '이다' 앞에 쓰일 수 있게 할 때 쓰는 표현.

yang

ungkapan yang dapat membuat suatu kelas kata bisa digunakan sebagai kata benda dalam kalimat dan berfungsi sebagai subjek atau objek, atau dapat membuat suatu kelas kata bisa digunakan di depan '이다'

• **이다** : 주어가 지시하는 대상의 속성이나 부류를 지정하는 뜻을 나타내는 서술격 조사.

adalah

partikel kasus predikatif yang menyatakan maksud menentukan karakter atau jenis dari objek yang diindikasikan subjek

• **-야** : (두루낮춤으로) 어떤 사실에 대하여 서술하거나 물음을 나타내는 종결 어미.

Tiada Penjelasan Arti

(dalam bentuk rendah) kata penutup final yang mengungkapkan suatu kenyataan atau menyatakan pertanyaan <pertanyaan>

아까 네+가 잠깐 <u>졸(조)+[는 사이]</u>+에 <u>오+았+을걸</u>.
조는 사이에 　　　왔을걸

• **아까 (adverbia)** : 조금 전에.

tadi

beberapa saat lalu

• **네 (pronomina)** : '너'에 조사 '가'가 붙을 때의 형태.

kamu, engkau

bentuk saat partikel subjek '가' melekat pada '너'

• **가** : 어떤 상태나 상황에 놓인 대상이나 동작의 주체를 나타내는 조사.

Tiada Penjelasan Arti

partikel yang menyatakan subjek sebuah keadaan atau situasi atau pelaku utama sebuah tindakan

• **잠깐 (adverbia)** : 아주 짧은 시간 동안에.

sebentar

dalam waktu yang sangat pendek, selama waktu yang pendek

• **졸다 (verba)** : 완전히 잠이 들지는 않으면서 자꾸 잠이 들려는 상태가 되다.

mengantuk

tidak tidur sepenuhnya, hanya dalam keadaan yang sering tidur bangun dan tidur bangun

• -는 사이 : 어떤 행동이나 상황이 일어나는 중간의 어느 짧은 시간을 나타내는 표현.

　dalam, saat, ketika

　ungkapan yang menunjukkan waktu yang pendek selama berlangsungnya suatu tindakan atau situasi

• 에 : 앞말이 시간이나 때임을 나타내는 조사.

　pada

　partikel yang menyatakan kalimat di depan adalah waktu atau saat

• 오다 (verba) : 무엇이 다른 곳에서 이곳으로 움직이다.

　datang,kemari, ke sini

　sesuatu bergerak dari tempat lain ke sini

• -았- : 어떤 사건이 과거에 완료되었거나 그 사건의 결과가 현재까지 지속되는 상황을 나타내는 어미.

　sudah, telah, pasti akan

　akhiran kalimat yang menyatakan sebuah peristiwa sudah selesai di masa lampau atau menyatakan keadaan di mana hasil peristiwa tersebut terus berlangsung hingga sekarang

• -을걸 : (두루낮춤으로) 미루어 짐작하거나 추측함을 나타내는 종결 어미.

　mungkin, kayaknya

　(dalam bentuk rendah) akhiran kalimat penutup yang menyatakan terkaan atau dugaan

< 대화(pembicaraan) > - 45

오빠, 저 내일 친구들이랑 스키 타러 갈 거예요.
오빠, 저 내일 친구드리랑 스키 타러 갈 꺼예요.
oppa, jeo naeil chingudeurirang seuki tareo gal geoyeyo.

그래? 자칫하면 다칠 수 있으니까 조심해라.
그래? 자치타면 다칠 쑤 이쓰니까 조심해라.
geurae? jachitamyeon dachil su isseunikka josimhaera.

< 설명(penjelasan) / 번역(penerjemahan) >

오빠, 저 내일 친구+들+이랑 스키 타+러 <u>가+[ㄹ 것(거)]+이+에요</u>.
갈 거예요

- **오빠 (nomina)** : 여자가 자기보다 나이 많은 남자를 다정하게 이르거나 부르는 말.
  kakak (laki-laki), kak, mas, bang
  panggilan akrab perempuan untuk laki-laki yang berusia lebih tua

- **저 (pronomina)** : 말하는 사람이 듣는 사람에게 자신을 낮추어 가리키는 말.
  saya
  kata yang digunakan oleh pembicara untuk menunjuk dirinya sendiri sambil merendahkan diri

- **내일 (adverbia)** : 오늘의 다음 날에.
  besok
  pada hari berikutnya setelah hari ini

- **친구 (nomina)** : 사이가 가까워 서로 친하게 지내는 사람.
  teman, kawan, sahabat
  orang dekat dan akrab

- **들** : '복수'의 뜻을 더하는 접미사.
  Tiada Penjelasan Arti
  akhiran yang menambahkan arti "jamak"

- 이랑 : 어떤 일을 함께 하는 대상임을 나타내는 조사.
  dengan, bersama
  partikel yang menyatakan hal adalah objek yang digunakan bersama-sama untuk melakukan sesuatu

- 스키 (nomina) : 눈 위로 미끄러져 가도록 나무나 플라스틱으로 만든 좁고 긴 기구.
  ski, papan ski
  alat yang panjang dan tipis, yang terbuat dari kayu atau plastik untuk dapat meluncur di atas salju

- 타다 (verba) : 바닥이 미끄러운 곳에서 기구를 이용해 미끄러지다.
  berselancar
  menaik suatu alat kemudian meluncur di atas permukaan licin

- -러 : 가거나 오거나 하는 동작의 목적을 나타내는 연결 어미.
  untuk
  kata penutup sambung yang menyatakan tujuan dari tindakan pergi atau datang

- 가다 (verba) : 어떤 목적을 가지고 일정한 곳으로 움직이다.
  pergi
  memiliki tujuan kemudian bergerak ke tempat tertentu

- -ㄹ 것 : 명사가 아닌 것을 문장에서 명사처럼 쓰이게 하거나 '이다' 앞에 쓰일 수 있게 할 때 쓰는 표현.
  minta, mohon, yang
  ungkapan yang dapat membuat suatu kelas kata bisa digunakan sebagai kata benda dalam kalimat dan berfungsi sebagai subjek atau objek, atau dapat membuat suatu kelas kata bisa digunakan di depan '이다'

- 이다 : 주어가 지시하는 대상의 속성이나 부류를 지정하는 뜻을 나타내는 서술격 조사.
  adalah
  partikel kasus predikatif yang menyatakan maksud menentukan karakter atau jenis dari objek yang diindikasikan subjek

- -에요 : (두루높임으로) 어떤 사실을 서술하거나 질문함을 나타내는 종결 어미.
  apakah, adalah
  (dalam bentuk hormat) kata penutup final yang mengungkapkan suatu kenyataan atau menyatakan pertanyaan, perintah, atau ajakan <penjabaran>

그래?

자칫하+면 다치+[ㄹ 수 있]+으니까 조심하+여라.
　　　　　다칠 수 있으니까　　　조심해라

• 그래 (interjeksi) : 상대편의 말에 대한 감탄이나 가벼운 놀라움을 나타낼 때 쓰는 말.
  oh ya (?), begitukah
  kata yang digunakan untuk memperlihatkan ekspresi atau sedikit keterkejutan terhadap perkataan lawan bicara

• 자칫하다 (verba) : 어쩌다가 조금 어긋나거나 잘못되다.
  tidak sengaja (berbuat salah)
  tidak sengaja berbuat salah

• -면 : 뒤에 오는 말에 대한 근거나 조건이 됨을 나타내는 연결 어미.
  kalau, seandainya, apabila
  akhiran penghubung untuk menyatakan menjadi landasan atau syarat terhadap kalimat induk

• 다치다 (verba) : 부딪치거나 맞거나 하여 몸이나 몸의 일부에 상처가 생기다. 또는 상처가 생기게 하다.
  terluka
  tertabrak atau terpukul sehingga tubuh atau bagian tubuh terdapat luka, atau membuat sehingga terluka

• -ㄹ 수 있다 : 어떤 행동이나 상태가 가능함을 나타내는 표현.
  bisa, mungkin
  ungkapan yang memunculkan arti bahwa suatu tingkah laku atau keadaan mungkin untuk terjadi

• -으니까 : 뒤에 오는 말에 대하여 앞에 오는 말이 원인이나 근거, 전제가 됨을 강조하여 나타내는 연결 어미.
  karena, sebab, ketika
  akhiran penghubung untuk menegaskan bahwa kalimat di depan menjadi alasan, dasar, atau premis dari kalimat di belakang

• 조심하다 (verba) : 좋지 않은 일을 겪지 않도록 말이나 행동 등에 주의를 하다.
  berhati-hati
  memberikan perhatian pada perkataan atau tindakan dsb agar tidak mengalami hal buruk

• -여라 : (아주낮춤으로) 명령을 나타내는 종결 어미.
  alangkah
  (dalam bentuk sangat rendah) kata penutup final yang menyatakan perintah

< 대화(pembicaraan) > - 46

우산이 없는데 어떻게 하지?
우사니 엄는데 어떠케 하지?
usani eomneunde eotteoke haji?

그냥 비를 맞는 수밖에 없지, 뭐. 뛰어.
그냥 비를 만는 수바께 업찌, 뭐. 뛰어.
geunyang bireul manneun subakke eopji, mwo. ttwieo.

< 설명(penjelasan) / 번역(penerjemahan) >

우산+이 없+는데 어떻게 하+지?

- **우산 (nomina)** : 긴 막대 위에 지붕 같은 막을 펼쳐서 비가 올 때 손에 들고 머리 위를 가리는 도구.
  payung
  alat berupa tangkai panjang yang bagian atasnya tertutup atap dari kain yang digenggam untuk melindungi kepala saat hujan turun

- **이** : 어떤 상태나 상황의 대상이나 동작의 주체를 나타내는 조사.
  Tiada Penjelasan Arti
  partikel yang menyatakan objek dari suatu keadaan atau kondisi atau pelaku dari suatu tindakan

- **없다 (adjektiva)** : 어떤 물건을 가지고 있지 않거나 자격이나 능력 등을 갖추지 않은 상태이다.
  tidak ada
  keadaan tidak memiliki suatu benda atau tidak mempunyai kelayakan atau kemampuan dsb

- **-는데** : 뒤의 말을 하기 위하여 그 대상과 관련이 있는 상황을 미리 말함을 나타내는 연결 어미.
  sebenarnya, nyatanya
  akhiran kalimat penyambung yang menyatakan mengatakan terlebih dahulu keadaan yang berhubungan sebelum mengatakan kalimat yang berhubungan

- **어떻게 (adverbia)** : 어떤 방법으로. 또는 어떤 방식으로.
  bagaimana
  dengan suatu cara, atau dengan suatu metode

• 하다 (verba) : 어떤 방식으로 행위를 이루다.
Tiada Penjelasan Arti
mewujudkan tindakan dengan suatu cara

• -지 : (두루낮춤으로) 말하는 사람이 듣는 사람에게 친근함을 나타내며 물을 때 쓰는 종결 어미.
sih?
(dalam bentuk rendah) kata penutup final yang digunakan saat pembicara bertanya sambil menunjukkan kedekatan kepada pendengar

그냥 비+를 맞+[는 수밖에 없]+지, 뭐.

뛰+어.

• **그냥 (adverbia)** : 그런 모양으로 그대로 계속하여.
terus
terus melakukan sesuatu dalam keadaan seperti itu

• **비 (nomina)** : 높은 곳에서 구름을 이루고 있던 수증기가 식어서 뭉쳐 떨어지는 물방울.
hujan
titik air yang membentuk awan di tempat yang tinggi, mendingin, menggumpal, dan akhirnya jatuh ke bumi

• 를 : 동작이 직접적으로 영향을 미치는 대상을 나타내는 조사.
Tiada Penjelasan Arti
partikel yang menyatakan objek dari suatu gerakan yang secara langsung memberikan pengaruh

• **맞다 (verba)** : 내리는 눈이나 비 등이 닿는 것을 그대로 받다.
terkena, kena
membiarkan salju atau hujan dsb yang turun mengenai sesuatu

• -는 수밖에 없다 : 그것 말고는 다른 방법이나 가능성이 없음을 나타내는 표현.
hanya bisa~ , tiada pilihan lain kecuali~
ungkapan yang menunjukkan hal cara atau kemungkinan lain selain itu tidak ada lagi

• -지 : (두루낮춤으로) 말하는 사람이 자신에 대한 이야기나 자신의 생각을 친근하게 말할 때 쓰는 종결 어미.
kan?, bukan?
(dalam bentuk rendah) kata penutup final yang digunakan saat pembicara berbicara tentang dirinya atau saat mengatakan pikirannya secara akrab

• **뭐 (interjeksi)** : 더 이상 여러 말 할 것 없다는 뜻으로 어떤 사실을 체념하여 받아들이며 하는 말.
 ya
 kata yang diucapkan saat menerima suatu kenyataan atau ide, dan tidak bisa berkata apa-apa lagi tentang hal itu

• **뛰다 (verba)** : 발을 재빠르게 움직여 빨리 나아가다.
 berlari, melompat
 menggerakkan kaki dengan sangat cepat kemudian keluar dengan cepat

• **-어** : (두루낮춤으로) 어떤 사실을 서술하거나 물음, 명령, 권유를 나타내는 종결 어미.
 -kah, -lah
 (dalam bentuk rendah) akhiran penutup untuk menyatakan suatu kenyataan atau menandai pertanyaan, perintah, dan ajakan <perintah>

< 대화(pembicaraan) > - 47

지우는 성격이 참 좋은 것 같아요.
지우는 성껴기 참 조은 걷 가타요.
jiuneun seonggyeogi cham joeun geot gatayo.

맞아요. 걔는 아무리 일이 바빠도 인상 한 번 찌푸리는 적이 없어요.
마자요. 걔는 아무리 이리 바빠도 인상 한 번 찌푸리는 저기 업써요.
majayo. gyaeneun amuri iri bappado insang han beon jjipurineun jeogi eopseoyo.

< 설명(penjelasan) / 번역(penerjemahan) >

지우+는 성격+이 참 좋+[은 것 같]+아요.

• **지우 (nomina)** : nama

• **는** : 문장 속에서 어떤 대상이 화제임을 나타내는 조사.
  Tiada Penjelasan Arti
  partikel yang menyatakan suatu subjek dalam kalimat menjadi bahan pembicaraan

• **성격 (nomina)** : 개인이 가지고 있는 고유한 성질이나 품성.
  sifat, karakter, watak
  karakter atau kepribadian asli yang dimiliki

• **이** : 어떤 상태나 상황의 대상이나 동작의 주체를 나타내는 조사.
  Tiada Penjelasan Arti
  partikel yang menyatakan objek dari suatu keadaan atau kondisi atau pelaku dari suatu tindakan

• **참 (adverbia)** : 사실이나 이치에 조금도 어긋남이 없이 정말로.
  sungguh, benar-benar
  dengan sungguh-sungguh tanpa terdapat kesimpangan sedikit pun dengan fakta atau alasan

• **좋다 (adjektiva)** : 성격 등이 원만하고 착하다.
  baik
  sifat dsb bersahabat dan baik hati

- -은 것 같다 : 추측을 나타내는 표현.
  sepertinya, kelihatannya, nampaknya
  ungkapan yang menyatakan dugaan atau terkaan

- -아요 : (두루높임으로) 어떤 사실을 서술하거나 질문, 명령, 권유함을 나타내는 종결 어미.
  cobalah, sebenarnya, apa
  (dalam bentuk hormat) kata penutup final yang mengungkapkan suatu kenyataan atau menyatakan pertanyaan, perintah, atau ajakan <penjabaran>

맞+아요.

걔+는 아무리 일+이 바쁘(바빠)+아도 인상 한 번 찌푸리+[는 적이 없]+어요.
바빠도

- 맞다 (verba) : 그렇거나 옳다.
  benar, betul
  benar

- -아요 : (두루높임으로) 어떤 사실을 서술하거나 질문, 명령, 권유함을 나타내는 종결 어미.
  cobalah, sebenarnya, apa
  (dalam bentuk hormat) kata penutup final yang mengungkapkan suatu kenyataan atau menyatakan pertanyaan, perintah, atau ajakan <penjabaran>

- 걔 (singkatan) : '그 아이'가 줄어든 말.
  anak itu
  bentuk singkat dari '그(itu) 아이(orang ketiga)'

- 는 : 문장 속에서 어떤 대상이 화제임을 나타내는 조사.
  Tiada Penjelasan Arti
  partikel yang menyatakan suatu subjek dalam kalimat menjadi bahan pembicaraan

- 아무리 (adverbia) : 정도가 매우 심하게.
  seberapapun ~nya, betapapun ~nya
  dengan tingkat yang sangat tinggi atau serius

- 일 (nomina) : 무엇을 이루려고 몸이나 정신을 사용하는 활동. 또는 그 활동의 대상.
  pekerjaan
  kegiatan yang menggunakan tubuh atau mental untuk mewujudkan sesuatu, atau objek kegiatan yang demikian

• 이 : 어떤 상태나 상황의 대상이나 동작의 주체를 나타내는 조사.
  Tiada Penjelasan Arti
  partikel yang menyatakan objek dari suatu keadaan atau kondisi atau pelaku dari suatu tindakan

• 바쁘다 (adjektiva) : 할 일이 많거나 시간이 없어서 다른 것을 할 여유가 없다.
  sibuk
  tidak ada keluangan untuk melakukan hal lain karena banyak hal yang harus dikerjakan, atau tidak ada waktu

• -아도 : 앞에 오는 말을 가정하거나 인정하지만 뒤에 오는 말에는 관계가 없거나 영향을 끼치지 않음을 나타내는 연결 어미.
  walaupun, meskipun, biarpun, kendatipun
  akhiran penghubung untuk menyatakan bahwa tidak berhubungan atau tidak berpengaruh pada isi kalimat induk walaupun mengandaikan atau mengakui isi anak kalimat

• 인상 (nomina) : 사람 얼굴의 생김새.
  raut, ekspresi, aura, kesan, tampang, kesan
  raut/kesan yang tampak di wajah seseorang

• 한 (pewatas) : 하나의.
  satu
  satu

• 번 (nomina) : 일의 횟수를 세는 단위.
  kali
  kata untuk menunjukkan banyaknya jumlah berulangnya suatu hal

• 찌푸리다 (verba) : 얼굴의 근육이나 눈살 등을 몹시 찡그리다.
  mengerutkan, cemberut
  sangat mengerutkan otot wajah atau sekitar mata dsb

• -는 적이 없다 : 앞의 말이 나타내는 동작이 진행되거나 그 상태가 나타나는 때가 없음을 나타내는 표현.
  tidak pernah sama sekali
  ungkapan untuk menyatakan tidak ada waktunya yang tindakan atau keadaan yang disebutkan dalam perkataan depan berlangsung atau muncul

• -어요 : (두루높임으로) 어떤 사실을 서술하거나 질문, 명령, 권유함을 나타내는 종결 어미.
  apakah, apa, ~saja, silakan
  (dalam bentuk hormat) kata penutup final yang mengungkapkan suatu kenyataan atau menyatakan pertanyaan, perintah, atau ajakan <penjabaran>

< 대화(pembicaraan) > - 48

명절에 한복 입어 본 적 있어요?
명저레 한복 이버 본 적 이써요?
myeongjeore hanbok ibeo bon jeok isseoyo?

그럼요. 어렸을 때 부모님하고 고향에 내려가면서 입었었죠.
그러묘. 어려쓸 때 부모님하고 고향에 내려가면서 이버써쬬.
geureomyo. eoryeosseul ttae bumonimhago gohyange naeryeogamyeonseo ibeosseotjyo.

< 설명(penjelasan) / 번역(penerjemahan) >

명절+에 한복 입+[어 보]+[ㄴ 적 있]+어요?
입어 본 적 있어요

- **명절 (nomina)** : 설이나 추석 등 해마다 일정하게 돌아와 전통적으로 즐기거나 기념하는 날.
  hari raya
  hari yang dinikmati dan diperingati secara tradisional saat memasuki tahun baru atau waktu panen dsb setiap tahunnya secara teratur

- **에** : 앞말이 시간이나 때임을 나타내는 조사.
  pada
  partikel yang menyatakan kalimat di depan adalah waktu atau saat

- **한복 (nomina)** : 한국의 전통 의복.
  hanbok
  baju tradisional yang dikenakan orang Korea

- **입다 (verba)** : 옷을 몸에 걸치거나 두르다.
  memakai, mengenakan
  memakai pakaian ke badan

- **-어 보다** : 앞의 말이 나타내는 행동을 이전에 경험했음을 나타내는 표현.
  pernah
  ungkapan yang menyatakan pernah mengalami tindakan dalam kalimat yang disebutkan di depan

• -ㄴ 적 있다 : 앞의 말이 나타내는 동작이 일어나거나 그 상태가 나타난 때가 있음을 나타내는 표현.

pernah

ungkapan yang menyatakan ada kalanya tindakan tersebut berlangsung atau keadaan tersebut muncul

• -어요 : (두루높임으로) 어떤 사실을 서술하거나 질문, 명령, 권유함을 나타내는 종결 어미.

apakah, apa, ~saja, silakan

(dalam bentuk hormat) kata penutup final yang mengungkapkan suatu kenyataan atau menyatakan pertanyaan, perintah, atau ajakan <pertanyaan>

그럼+요.

어리+었+[을 때] 부모님+하고 고향+에 내려가+면서 입+었었+죠.
  어렸을 때

• **그럼 (interjeksi)** : 말할 것도 없이 당연하다는 뜻으로 대답할 때 쓰는 말.
  tentu saja, ya dong
  kata yang digunakan untuk menjawab arti "tentu saja" tanpa ada keraguan

• **요** : 높임의 대상인 상대방에게 존대의 뜻을 나타내는 조사.
  Tiada Penjelasan Arti
  partikel yang menyatakan arti sopan atau hormat kepada lawan bicara yang ditinggikan

• **어리다 (adjektiva)** : 나이가 적다.
  muda
  berusia muda

• **-었-** : 사건이 과거에 일어났음을 나타내는 어미.
  sudah, pasti, yakin
  akhiran kalimat yang menyatakan peristiwa terjadi di masa lampau

• **-을 때** : 어떤 행동이나 상황이 일어나는 동안이나 그 시기 또는 그러한 일이 일어난 경우를 나타내는 표현.
  ketika, saat
  ungkapan yang menyatakan selama atau saat terjadinya suatu tindakan atau keadaan, atau saat terjadinya hal demikian

• **부모님 (nomina)** : (높이는 말로) 부모.
  orang tua
  (dalam sebutan hormat) orang tua

• 하고 : 어떤 일을 함께 하는 대상임을 나타내는 조사.

dengan, dan

partikel yang menyatakan objek yang ada bersama dalam melakukan suatu hal

• **고향 (nomina)** : 태어나서 자란 곳.

kampung halaman

tempat lahir dan tumbuh

• 에 : 앞말이 목적지이거나 어떤 행위의 진행 방향임을 나타내는 조사.

ke

partikel yang menyatakan kalimat di depan adalah tempat tujuan atau arah jalannya tindakan

• **내려가다 (verba)** : 도심이나 중심지에서 지방으로 가다.

pergi, pergi keluar

pergi dari pusat kota atau daerah pusat ke daerah

• **-면서** : 두 가지 이상의 동작이나 상태가 함께 일어남을 나타내는 연결 어미.

sambil, seraya

kata penutup sambung yang digunakan saat dua atau lebih tindakan atau keadaan muncul bersamaan

• **입다 (verba)** : 옷을 몸에 걸치거나 두르다.

memakai, mengenakan

memakai pakaian ke badan

• **-었었-** : 현재와 비교하여 다르거나 현재로 이어지지 않는 과거의 사건을 나타내는 어미.

sudah, telah

partikel yang menyatakan peristiwa masa lalu yang berbeda atau terhenti jika dibandingkan dengan masa kini

• **-죠** : (두루높임으로) 말하는 사람이 자신에 대한 이야기나 자신의 생각을 친근하게 말할 때 쓰는 종결 어미.

kan?, bukan?

(dalam bentuk hormat) kata penutup final yang digunakan saat pembicara berbicara tentang dirinya atau saat mengatakan pikirannya secara akrab

< 대화(pembicaraan) > - 49

왜 이렇게 늦었어? 한참 기다렸잖아.
왜 이러케 느저써? 한참 기다렫짜나.
wae ireoke neujeosseo? hancham gidaryeotjana.

미안해, 오후에도 이렇게 차가 막히는 줄 몰랐어.
미안해, 오후에도 이러케 차가 마키는 줄 몰라써.
mianhae, ohuedo ireoke chaga makineun jul mollasseo.

< 설명(penjelasan) / 번역(penerjemahan) >

왜 이렇+게 늦+었+어?

한참 기다리+었+잖아.
　　　　기다렸잖아

• **왜 (adverbia)** : 무슨 이유로. 또는 어째서.
　kenapa, mengapa
　untuk alasan apa, atau bagaimana bisa

• **이렇다 (adjektiva)** : 상태, 모양, 성질 등이 이와 같다.
　demikian, begitu, begini
　keadaan, bentuk, karakter, dsb sama dengan ini

• **-게** : 앞의 말이 뒤에서 가리키는 일의 목적이나 결과, 방식, 정도 등이 됨을 나타내는 연결 어미.
　dengan
　kata penutup sambung yang menyatakan isi kalimat di depan dibutuhkan sementara kalimat di belakang terus dilanjutkan(formal, kedudukan penerima sangat rendah)

• **늦다 (verba)** : 정해진 때보다 지나다.
　lambat, terlambat
　melampaui waktu yang telah ditentukan

• **-었-** : 어떤 사건이 과거에 완료되었거나 그 사건의 결과가 현재까지 지속되는 상황을 나타내는 어미.
　sudah, pasti, yakin
　akhiran kalimat yang menyatakan sebuah peristiwa sudah selesai di masa lampau atau menyatakan keadaan di mana hasil peristiwa tersebut terus berlangsung hingga sekarang

- -어 : (두루낮춤으로) 어떤 사실을 서술하거나 물음, 명령, 권유를 나타내는 종결 어미.
  -kah, -lah
  (dalam bentuk rendah) akhiran penutup untuk menyatakan suatu kenyataan atau menandai pertanyaan, perintah, dan ajakan <pertanyaan>

- 한참 (nomina) : 시간이 꽤 지나는 동안.
  sekian lama
  selama waktu yang telah berlalu

- 기다리다 (verba) : 사람, 때가 오거나 어떤 일이 이루어질 때까지 시간을 보내다.
  tunggu, menunggu
  melewatkan waktu sampai seseorang atau sesuatu datang atau terwujud

- -었- : 어떤 사건이 과거에 완료되었거나 그 사건의 결과가 현재까지 지속되는 상황을 나타내는 어미.
  sudah, pasti, yakin
  akhiran kalimat yang menyatakan sebuah peristiwa sudah selesai di masa lampau atau menyatakan keadaan di mana hasil peristiwa tersebut terus berlangsung hingga sekarang

- -잖아 : (두루낮춤으로) 어떤 상황에 대해 말하는 사람이 상대방에게 확인하거나 정정해 주듯이 말함을 나타내는 표현.
  ~kan?
  (dalam bentuk rendah) ungkapan yang menyatakan orang yang berbicara mengenai suatu keadaan memastikan atau mengatakan dengan benar kepada orang lain

미안하+여.
 미안해

오후+에+도 이렇+게 차+가 막히+[는 줄] 모르(몰르)+았+어.
                                   몰랐어

- 미안하다 (adjektiva) : 남에게 잘못을 하여 마음이 편치 못하고 부끄럽다.
  tidak enak, merasa bersalah
  melakukan kesalahan terhadap orang lain sehingga hati tidak bisa tenang dan malu

- -여 : (두루낮춤으로) 어떤 사실을 서술하거나 물음, 명령, 권유를 나타내는 종결 어미.
  -kah, -lah
  (dalam bentuk rendah) akhiran penutup untuk menyatakan suatu kenyataan atau menandai pertanyaan, perintah, dan ajakan <penjabaran>

• **오후 (nomina)** : 정오부터 해가 질 때까지의 동안.
  siang hari, sore hari
  masa sejak pukul 12 siang hingga matahari terbenam

• **에** : 앞말이 시간이나 때임을 나타내는 조사.
  pada
  partikel yang menyatakan kalimat di depan adalah waktu atau saat

• **도** : 일반적이지 않은 경우나 의외의 경우를 강조함을 나타내는 조사.
  bahkan, pun
  partikel yang menyatakan penekanan kondisi yang tidak umum atau di luar dugaan

• **이렇다 (adjektiva)** : 상태, 모양, 성질 등이 이와 같다.
  demikian, begitu, begini
  keadaan, bentuk, karakter, dsb sama dengan ini

• **-게** : 앞의 말이 뒤에서 가리키는 일의 목적이나 결과, 방식, 정도 등이 됨을 나타내는 연결 어미.
  dengan
  kata penutup sambung yang menyatakan isi kalimat di depan dibutuhkan sementara kalimat di belakang terus dilanjutkan(formal, kedudukan penerima sangat rendah)

• **차 (nomina)** : 바퀴가 달려 있어 사람이나 짐을 실어 나르는 기관.
  mobil
  mesin beroda yang mengangkut orang atau barang

• **가** : 어떤 상태나 상황에 놓인 대상이나 동작의 주체를 나타내는 조사.
  Tiada Penjelasan Arti
  partikel yang menyatakan subjek sebuah keadaan atau situasi atau pelaku utama sebuah tindakan

• **막히다 (verba)** : 길에 차가 많아 차가 제대로 가지 못하게 되다.
  macet, tersumbat
  banyak mobil di jalan sehingga mobil menjadi tidak bisa lewat dengan lancar

• **-는 줄** : 어떤 사실이나 상태에 대해 알고 있거나 모르고 있음을 나타내는 표현.
  bahwa
  ungkapan untuk menyatakan mengetahui atau tidak mengetahui suatu kenyataan atau keadaan

• **모르다 (verba)** : 사람이나 사물, 사실 등을 알지 못하거나 이해하지 못하다.
  tidak tahu
  tidak bisa mengetahui atau mengerti orang atau benda, fakta, dsb

• -았- : 어떤 사건이 과거에 완료되었거나 그 사건의 결과가 현재까지 지속되는 상황을 나타내는 어미.
  sudah, telah, pasti akan
  akhiran kalimat yang menyatakan sebuah peristiwa sudah selesai di masa lampau atau menyatakan keadaan di mana hasil peristiwa tersebut terus berlangsung hingga sekarang

• -어 : (두루낮춤으로) 어떤 사실을 서술하거나 물음, 명령, 권유를 나타내는 종결 어미.
  -kah, -lah
  (dalam bentuk rendah) akhiran penutup untuk menyatakan suatu kenyataan atau menandai pertanyaan, perintah, dan ajakan **\<penjabaran\>**

< 대화(pembicaraan) > - 50

지아 씨, 하던 일은 다 됐어요?
지아 씨, 하던 이른 다 돼써요?
jia ssi, hadeon ireun da dwaesseoyo?

네, 잠깐만요. 지금 마무리하는 중이에요.
네, 잠깐마뇨. 지금 마무리하는 중이에요.
ne, jamkkanmanyo. jigeum mamurihaneun jungieyo.

< 설명(penjelasan) / 번역(penerjemahan) >

지아 씨, 하+던 일+은 다 <u>되+었+어요</u>?
됐어요

· **지아 (nomina)** : nama

· **씨 (nomina)** : 그 사람을 높여 부르거나 이르는 말.
kata panggilan seperti ibu, bapak, mas, mbak, dsb
kata untuk memanggil orang yang memiliki nama atau orang yang memiliki marga

· **하다 (verba)** : 어떤 행동이나 동작, 활동 등을 행하다.
melakukan, mengerjakan, menjalankan
melaksanakan suatu tindakan atau aksi, kegiatan, dsb

· **-던** : 앞의 말이 관형어의 기능을 하게 만들고 사건이나 동작이 과거에 완료되지 않고 중단되었음을 나
타내는 어미.
yang
akhiran yang membuat kata di depannya berfungsi sebagai pewatas dan menyatakan suatu
peristiwa atau tindakan tidak diselesaikan tetapi dihentikan di masa lampau.

· **일 (nomina)** : 무엇을 이루려고 몸이나 정신을 사용하는 활동. 또는 그 활동의 대상.
pekerjaan
kegiatan yang menggunakan tubuh atau mental untuk mewujudkan sesuatu, atau objek
kegiatan yang demikian

· **은** : 문장 속에서 어떤 대상이 화제임을 나타내는 조사.
Tiada Penjelasan Arti
partikel yang menyatakan suatu objek menjadi topik di dalam kalimat

• 다 (adverbia) : 남거나 빠진 것이 없이 모두.
semua, semuanya, seluruhnya
semua tanpa ada yang tersisa atau terlewat

• 되다 (verba) : 어떤 사물이나 현상이 생겨나거나 만들어지다.
selesai, sudah jadi, beres
suatu benda atau fenomena muncul atau terbentuk

• -었- : 어떤 사건이 과거에 완료되었거나 그 사건의 결과가 현재까지 지속되는 상황을 나타내는 어미.
sudah, pasti, yakin
akhiran kalimat yang menyatakan sebuah peristiwa sudah selesai di masa lampau atau menyatakan keadaan di mana hasil peristiwa tersebut terus berlangsung hingga sekarang

• -어요 : (두루높임으로) 어떤 사실을 서술하거나 질문, 명령, 권유함을 나타내는 종결 어미.
apakah, apa, ~saja, silakan
(dalam bentuk hormat) kata penutup final yang mengungkapkan suatu kenyataan atau menyatakan pertanyaan, perintah, atau ajakan <pertanyaan>

네, 잠깐+만+요.

지금 마무리하+[는 중이]+에요.

• 네 (interjeksi) : 윗사람의 물음이나 명령 등에 긍정하여 대답할 때 쓰는 말.
ya
kata yang digunakan untuk memberikan jawaban positif, setuju terhadap pertanyaan, perintah orang yang lebih tua umurnya, atau lebih tinggi posisinya

• 잠깐 (nomina) : 아주 짧은 시간 동안.
sebentar
dalam waktu yang sangat pendek, selama waktu yang sangat pendek

• 만 : 무엇을 강조하는 뜻을 나타내는 조사.
Tiada Penjelasan Arti
partikel yang menyatakan arti menekankan sesuatu

• 요 : 높임의 대상인 상대방에게 존대의 뜻을 나타내는 조사.
Tiada Penjelasan Arti
partikel yang menyatakan arti sopan atau hormat kepada lawan bicara yang ditinggikan

• 지금 (adverbia) : 말을 하고 있는 바로 이때에. 또는 그 즉시에.
sekarang
saat sedang berbicara, atau pada saat itu

- **마무리하다 (verba)** : 일을 끝내다.
  menyelesaikan
  menyelesaikan pekerjaan dsb

- **-는 중이다** : 어떤 일이 진행되고 있음을 나타내는 표현.
  sedang, lagi
  ungkapan yang menyatakan bahwa sebuah peristiwa sedang berlangsung

- **-에요** : (두루높임으로) 어떤 사실을 서술하거나 질문함을 나타내는 종결 어미.
  apakah, adalah
  (dalam bentuk hormat) kata penutup final yang mengungkapkan suatu kenyataan atau menyatakan pertanyaan, perintah, atau ajakan <penjabaran>

< 대화(pembicaraan) > - 51

추워? 내 옷 벗어 줄까?
추워? 내 옫 버서 줄까?
chuwo? nae ot beoseo julkka?

괜찮아. 너도 추위를 많이 타는데 괜히 멋있는 척하지 않아도 돼.
괜차나. 너도 추위를 마니 타는데 괜히 머신는 처카지 아나도 돼.
gwaenchana. neodo chuwireul mani taneunde gwaenhi meosinneun cheokaji anado dwae.

< 설명(penjelasan) / 번역(penerjemahan) >

<u>춥(추우)+어</u>?
　　추워

<u>나+의</u> 옷 <u>벗+[어 주]+ㄹ까</u>?
　내　　　　벗어 줄까

- **춥다 (adjektiva)** : 몸으로 느끼기에 기온이 낮다.
  dingin
  suhu yang dirasakan badan rendah

- **-어** : (두루낮춤으로) 어떤 사실을 서술하거나 물음, 명령, 권유를 나타내는 종결 어미.
  -kah, -lah
  (dalam bentuk rendah) akhiran penutup untuk menyatakan suatu kenyataan atau menandai pertanyaan, perintah, dan ajakan <pertanyaan>

- **나 (pronomina)** : 말하는 사람이 친구나 아랫사람에게 자기를 가리키는 말.
  aku
  kata yang digunakan orang yang berbicara untuk menunjuk dirinya sendiri kepada teman atau orang yang berada di bawahnya

- **의** : 앞의 말이 뒤의 말에 대하여 소유, 소속, 소재, 관계, 기원, 주체의 관계를 가짐을 나타내는 조사.
  dari, milik
  partikel yang menyatakan perkataan di depan memiliki hubungan kepemilikian, bagian tempat diri bekerja, bahan, hubungan, asal, topik dengan perkataan di belakang

• 옷 (nomina) : 사람의 몸을 가리고 더위나 추위 등으로부터 보호하며 멋을 내기 위하여 입는 것.
baju, pakaian
sesuatu yang menutupi tubuh, melindungi dari panas dan dingin, dan mempercantik diri

• 벗다 (verba) : 사람이 몸에 지닌 물건이나 옷 등을 몸에서 떼어 내다.
melepaskan
orang melepaskan benda atau baju dsb yang menyangkut di badan

• -어 주다 : 남을 위해 앞의 말이 나타내는 행동을 함을 나타내는 표현.
membantu, menolong
ungkapan yang menyatakan melakukan tindakan yang disebutkan dalam kalimat di depan untuk orang lain

• -ㄹ까 : (두루낮춤으로) 듣는 사람의 의사를 물을 때 쓰는 종결 어미.
maukah
(dalam bentuk rendah) akhiran penutup untuk menanyakan pendapat pendengar

괜찮+아.

너+도 추위+를 많이 타+는데 괜히 멋있+[는 척하]+[지 않]+[아도 되]+어.
멋있는 척하지 않아도 돼

• 괜찮다 (adjektiva) : 별 문제가 없다.
baik, tidak masalah, tidak apa-apa
tidak terlalu ada masalah

• -아 : (두루낮춤으로) 어떤 사실을 서술하거나 물음, 명령, 권유를 나타내는 종결 어미.
-kah, -lah
(dalam bentuk rendah) akhiran penutup untuk menyatakan suatu kenyataan atau menandai pertanyaan, perintah, dan ajakan <penjabaran>

• 너 (pronomina) : 듣는 사람이 친구나 아랫사람일 때, 그 사람을 가리키는 말.
kamu
kata untuk menunjuk lawan bicara yang merupakan teman atau orang yang lebih muda

• 도 : 이미 있는 어떤 것에 다른 것을 더하거나 포함함을 나타내는 조사.
juga
partikel yang menyatakan menambahkan atau mengikutsertakan sesuatu yang lain pada sesuatu yang sudah ada

- **추위 (nomina)** : 주로 겨울철의 추운 기운이나 추운 날씨.
  dingin, kedinginan
  energi atau cuaca dingin biasanya di musim dingin

- **를** : 동작이 직접적으로 영향을 미치는 대상을 나타내는 조사.
  Tiada Penjelasan Arti
  partikel yang menyatakan objek dari suatu gerakan yang secara langsung memberikan pengaruh

- **많이 (adverbia)** : 수나 양, 정도 등이 일정한 기준보다 넘게.
  dengan banyak
  dengan angka atau jumlah, kadar, dsb melebihi standar yang ditentukan

- **타다 (verba)** : 날씨나 계절의 영향을 쉽게 받다.
  terpengaruh, merasa
  mudah mendapat pengaruh cuaca atau musim

- **-는데** : 뒤의 말을 하기 위하여 그 대상과 관련이 있는 상황을 미리 말함을 나타내는 연결 어미.
  sebenarnya, nyatanya
  akhiran kalimat penyambung yang menyatakan mengatakan terlebih dahulu keadaan yang berhubungan sebelum mengatakan kalimat yang berhubungan

- **괜히 (adverbia)** : 특별한 이유나 실속이 없게.
  sia-sia, percuma
  tanpa alasan khusus atau penting

- **멋있다 (adjektiva)** : 매우 좋거나 훌륭하다.
  menakjubkan, keren, megah, luar biasa, menarik
  sangat baik, sangat bagus

- **-는 척하다** : 실제로 그렇지 않은데도 어떤 행동이나 상태를 거짓으로 꾸밈을 나타내는 표현.
  berpura-pura
  ungkapan yang menyatakan berpura-pura atau membuat-buat suatu tindakan atau keadaan walaupun sebenarnya tidak demikian

- **-지 않다** : 앞의 말이 나타내는 행위나 상태를 부정하는 뜻을 나타내는 표현.
  tidak
  ungkapan yang menyatakan arti menidakkan tindakan atau keadaan dalam kalimat yang disebutkan di depan

- **-아도 되다** : 어떤 행동에 대한 허락이나 허용을 나타낼 때 쓰는 표현.
  boleh, tidak apa-apa
  ungkapan yang digunakan ketika menyatakan mengizinkan atau membolehkan suatu tindakan

• -어 : (두루낮춤으로) 어떤 사실을 서술하거나 물음, 명령, 권유를 나타내는 종결 어미.

-kah, -lah

(dalam bentuk rendah) akhiran penutup untuk menyatakan suatu kenyataan atau menandai pertanyaan, perintah, dan ajakan <penjabaran>

< 대화(pembicaraan) > - 52

어제 친구들이 너 몰래 생일 파티를 준비해서 깜짝 놀랐다면서?
어제 친구드리 너 몰래 생일 파티를 준비해서 깜짝 놀랃따면서?
eoje chingudeuri neo mollae saengil patireul junbihaeseo kkamjjak nollatdamyeonseo?

사실은 미리 눈치를 챘었는데 그래도 놀라는 체했지.
사시른 미리 눈치를 채썬는데 그래도 놀라는 체핻찌.
sasireun miri nunchireul chaesseonneunde geuraedo nollaneun chehaetji.

< 설명(penjelasan) / 번역(penerjemahan) >

어제 친구+들+이 너 몰래 생일 파티+를 <u>준비하+여서</u> 깜짝 <u>놀라+았+다면서</u>?
준비해서   놀랐다면서

- **어제 (adverbia)** : 오늘의 하루 전날에.
  kemarin
  sehari sebelum hari ini

- **친구 (nomina)** : 사이가 가까워 서로 친하게 지내는 사람.
  teman, kawan, sahabat
  orang dekat dan akrab

- **들** : '복수'의 뜻을 더하는 접미사.
  Tiada Penjelasan Arti
  akhiran yang menambahkan arti "jamak"

- **이** : 어떤 상태나 상황의 대상이나 동작의 주체를 나타내는 조사.
  Tiada Penjelasan Arti
  partikel yang menyatakan objek dari suatu keadaan atau kondisi atau pelaku dari suatu tindakan

- **너 (pronomina)** : 듣는 사람이 친구나 아랫사람일 때, 그 사람을 가리키는 말.
  kamu
  kata untuk menunjuk lawan bicara yang merupakan teman atau orang yang lebih muda

- **몰래 (adverbia)** : 남이 알지 못하게.
  diam-diam, tanpa sepengetahuan
  dengan orang lain tidak mengetahui

- **생일** (nomina) : 사람이 세상에 태어난 날.
hari lahir, tanggal lahir
hari dari orang lahir ke dunia

- **파티** (nomina) : 친목을 도모하거나 무엇을 기념하기 위한 잔치나 모임.
pesta
acara pertemuan untuk mempererat jalinan pertemanan atau merayakan sesuatu

- **를** : 동작이 직접적으로 영향을 미치는 대상을 나타내는 조사.
Tiada Penjelasan Arti
partikel yang menyatakan objek dari suatu gerakan yang secara langsung memberikan pengaruh

- **준비하다** (verba) : 미리 마련하여 갖추다.
menyiapkan, mempersiapkan
mempersiapkan lebih awal dan memiliki

- **-여서** : 이유나 근거를 나타내는 연결 어미.
karena, lalu, kemudian
kata penutup sambung yang menyatakan alasan atau landasan

- **깜짝** (adverbia) : 갑자기 놀라는 모양.
Tiada Penjelasan Arti
bentuk tiba-tiba terkejut

- **놀라다** (verba) : 뜻밖의 일을 당하거나 무서워서 순간적으로 긴장하거나 가슴이 뛰다.
terkejut, kaget, terperanjat
sejenak tegang atau jantung berdegup karena takut atau menghadapi hal yang di luar dugaan

- **-았-** : 사건이 과거에 일어났음을 나타내는 어미.
sudah, telah, pasti akan
akhiran kalimat yang menyatakan peristiwa terjadi di masa lampau

- **-다면서** : (두루낮춤으로) 말하는 사람이 들어서 아는 사실을 확인하여 물음을 나타내는 종결 어미.
kabarnya
(dalam bentuk rendah) kata penutup final yang digunakan saat memastikan dan mempertanyakan kenyataan yang diketahui oleh karena mendengar

사실+은 미리 눈치+를 채+었었+는데 그러+어도 놀라+[는 체하]+였+지.
챘었는데 그래도 놀라는 체했지

• **사실 (nomina)** : 겉으로 드러나지 않은 일을 솔직하게 말할 때 쓰는 말.
sebenarnya
kata yang digunakan ketika berbicara dengan jujur akan hal yang tidak terlihat dari luar

• **은** : 문장 속에서 어떤 대상이 화제임을 나타내는 조사.
Tiada Penjelasan Arti
partikel yang menyatakan suatu objek menjadi topik di dalam kalimat

• **미리 (adverbia)** : 어떤 일이 있기 전에 먼저.
lebih dahulu, sebelumnya
sebelum sesuatu, peristiwa terjadi

• **눈치 (nomina)** : 상대가 말하지 않아도 그 사람의 마음이나 일의 상황을 이해하고 아는 능력.
kecerdikan, kecerdasan, kesadaran
kemampuan yang mengerti dan menangkap perasaan lawan bicara atau suatu situasi walaupun dia tidak mengatakan apapun

• **를** : 동작이 직접적으로 영향을 미치는 대상을 나타내는 조사.
Tiada Penjelasan Arti
partikel yang menyatakan objek dari suatu gerakan yang secara langsung memberikan pengaruh

• **채다 (verba)** : 사정이나 형편을 재빨리 미루어 헤아리거나 깨닫다.
membaca, menyadari
mengajukan dan memikirkan atau menyadari kondisi atau keadaan dengan cepat

• **-었었-** : 현재와 비교하여 다르거나 현재로 이어지지 않는 과거의 사건을 나타내는 어미.
sudah, telah
partikel yang menyatakan peristiwa masa lalu yang berbeda atau terhenti jika dibandingkan dengan masa kini

• **-는데** : 뒤의 말을 하기 위하여 그 대상과 관련이 있는 상황을 미리 말함을 나타내는 연결 어미.
sebenarnya, nyatanya
akhiran kalimat penyambung yang menyatakan mengatakan terlebih dahulu keadaan yang berhubungan sebelum mengatakan kalimat yang berhubungan

• **그러다 (verba)** : 앞에서 일어난 일이나 말한 것과 같이 그렇게 하다.
dengan demikian
melakukan seperti itu

• **-어도** : 앞에 오는 말을 가정하거나 인정하지만 뒤에 오는 말에는 관계가 없거나 영향을 끼치지 않음을 나타내는 연결 어미.
walaupun, meskipun, biarpun, kendatipun
akhiran penghubung untuk menyatakan bahwa tidak berhubungan atau tidak berpengaruh pada isi kalimat induk walaupun mengandaikan atau mengakui isi anak kalimat

• **놀라다 (verba)** : 뜻밖의 일을 당하거나 무서워서 순간적으로 긴장하거나 가슴이 뛰다.
terkejut, kaget, terperanjat

sejenak tegang atau jantung berdegup karena takut atau menghadapi hal yang di luar dugaan

• **-는 체하다** : 실제로 그렇지 않은데도 어떤 행동이나 상태를 거짓으로 꾸밈을 나타내는 표현.
berpura-pura

ungkapan yang menyatakan berpura-pura atau membuat-buat suatu tindakan atau keadaan walaupun sebenarnya tidak demikian

• **-였-** : 사건이 과거에 일어났음을 나타내는 어미.
sudah, telah, pernah

akhiran kalimat yang menyatakan peristiwa terjadi di masa lampau

• **-지** : (두루낮춤으로) 말하는 사람이 자신에 대한 이야기나 자신의 생각을 친근하게 말할 때 쓰는 종결 어미.
kan?, bukan?

(dalam bentuk rendah) kata penutup final yang digunakan saat pembicara berbicara tentang dirinya atau saat mengatakan pikirannya secara akrab

< 대화(pembicaraan) > - 53

영화를 보는 것이 취미라고 하셨는데 영화를 자주 보세요?
영화를 보는 거시 취미라고 하션는데 영화를 자주 보세요?
yeonghwareul boneun geosi chwimirago hasyeonneunde yeonghwareul jaju boseyo?

일주일에 한 편 이상 보니까 자주 보는 편이죠.
일쭈이레 한 편 이상 보니까 자주 보는 펴니죠.
iljuire han pyeon isang bonikka jaju boneun pyeonijyo.

< 설명(penjelasan) / 번역(penerjemahan) >

영화+를 보+[는 것]+이 <u>취미+(이)+라고</u> <u>하+시+었+는데</u> 영화+를 자주 보+세요?
　　　　　　　　　　 취미라고　　　　　 하셨는데

- **영화 (nomina)** : 일정한 의미를 갖고 움직이는 대상을 촬영하여 영사기로 영사막에 비추어서 보게 하는 종합 예술.
  film
  seni komprehensif yang membawa satu pesan tertentu dengan merekam objek bergerak dengan menggunakan proyektor untuk diperlihatkan dengan menggunakan layar yang disinari

- **를** : 동작이 직접적으로 영향을 미치는 대상을 나타내는 조사.
  Tiada Penjelasan Arti
  partikel yang menyatakan objek dari suatu gerakan yang secara langsung memberikan pengaruh

- **보다 (verba)** : 눈으로 대상을 즐기거나 감상하다.
  menonton, menyaksikan
  menikmati atau menyaksikan sesuatu dengan mata

- **-는 것** : 명사가 아닌 것을 문장에서 명사처럼 쓰이게 하거나 '이다' 앞에 쓰일 수 있게 할 때 쓰는 표현.
  yang
  ungkapan yang dapat membuat suatu kelas kata bisa digunakan sebagai kata benda dalam kalimat dan berfungsi sebagai subjek atau objek, atau dapat membuat suatu kelas kata bisa digunakan di depan '이다'

- 이 : 어떤 상태나 상황의 대상이나 동작의 주체를 나타내는 조사.
  Tiada Penjelasan Arti
  partikel yang menyatakan objek dari suatu keadaan atau kondisi atau pelaku dari suatu tindakan

- 취미 (nomina) : 좋아하여 재미로 즐겨서 하는 일.
  hobi
  pekerjaan yang dilakukan karena senang dan untuk kesenangan

- 이다 : 주어가 지시하는 대상의 속성이나 부류를 지정하는 뜻을 나타내는 서술격 조사.
  adalah
  partikel kasus predikatif yang menyatakan maksud menentukan karakter atau jenis dari objek yang diindikasikan subjek

- -라고 : 다른 사람에게서 들은 내용을 간접적으로 전달하거나 주어의 생각, 의견 등을 나타내는 표현.
  dikatakan seperti, meminta, menyuruh
  ungkapan yang menunjukkan hal menyampaikan hal yang didengar secara langsung dari orang lain atau pikiran, pendapat, dsb dari subyek

- 하다 (verba) : 무엇에 대해 말하다.
  Tiada Penjelasan Arti
  berbicara tentang sesuatu

- -시- : 어떤 동작이나 상태의 주체를 높이는 뜻을 나타내는 어미.
  Tiada Penjelasan Arti
  akhiran kalimat yang menyatakan arti meninggikan subjek atau topik suatu tindakan atau keadaan

- -었- : 사건이 과거에 일어났음을 나타내는 어미.
  sudah, pasti, yakin
  akhiran kalimat yang menyatakan peristiwa terjadi di masa lampau

- -는데 : 뒤의 말을 하기 위하여 그 대상과 관련이 있는 상황을 미리 말함을 나타내는 연결 어미.
  sebenarnya, nyatanya
  akhiran kalimat penyambung yang menyatakan mengatakan terlebih dahulu keadaan yang berhubungan sebelum mengatakan kalimat yang berhubungan

- 영화 (nomina) : 일정한 의미를 갖고 움직이는 대상을 촬영하여 영사기로 영사막에 비추어서 보게 하는 종합 예술.
  film
  seni komprehensif yang membawa satu pesan tertentu dengan merekam objek bergerak dengan menggunakan proyektor untuk diperlihatkan dengan menggunakan layar yang disinari

- 를 : 동작이 직접적으로 영향을 미치는 대상을 나타내는 조사.
  Tiada Penjelasan Arti
  partikel yang menyatakan objek dari suatu gerakan yang secara langsung memberikan
  pengaruh

- 자주 (adverbia) : 같은 일이 되풀이되는 간격이 짧게.
  sering, berulang kali, seringkali
  dengan selang waktu dari pengulangan hal yang sama pendek

- 보다 (verba) : 눈으로 대상을 즐기거나 감상하다.
  menonton, menyaksikan
  menikmati atau menyaksikan sesuatu dengan mata

- -세요 : (두루높임으로) 설명, 의문, 명령, 요청의 뜻을 나타내는 종결 어미.
  apakah, silakan
  (dalam bentuk hormat) akhiran kalimat penutup yang menyatakan arti penjelasan,
  pertanyaan, perintah, permintaan, dsb <pertanyaan>

일주일+에 한 편 이상 보+니까 자주 보+[는 편이]+죠.

- 일주일 (nomina) : 월요일부터 일요일까지 칠 일. 또는 한 주일.
  seminggu, satu minggu
  tujuh hari mulai dari hari senin sampai hari minggu, satu minggu

- 에 : 앞말이 기준이 되는 대상이나 단위임을 나타내는 조사.
  dalam, bagi, untuk
  partikel yang menyatakan kalimat di depan adalah objek, subjek, atau satuan yang menjadi
  patokan

- 한 (pewatas) : 하나의.
  satu
  satu

- 편 (nomina) : 책이나 문학 작품, 또는 영화나 연극 등을 세는 단위.
  volume, buah
  satuan untuk menghitung banyaknya buku atau karya sastra, atau film atau drama dsb

- 이상 (nomina) : 수량이나 정도가 일정한 기준을 포함하여 그보다 많거나 나은 것.
  lebih dari, di atas
  hal kuantitas atau ukuran yang banyak atau yang lebih baik daripada yang termasuk dalam
  standar tertentu

- **보다 (verba)** : 눈으로 대상을 즐기거나 감상하다.
menonton, menyaksikan
menikmati atau menyaksikan sesuatu dengan mata

- **-니까** : 뒤에 오는 말에 대하여 앞에 오는 말이 원인이나 근거, 전제가 됨을 강조하여 나타내는 연결 어미.
karena, sebab, ketika
akhiran penghubung untuk menegaskan bahwa kalimat di depan menjadi alasan, dasar, atau premis dari kalimat di belakang

- **자주 (adverbia)** : 같은 일이 되풀이되는 간격이 짧게.
sering, berulang kali, seringkali
dengan selang waktu dari pengulangan hal yang sama pendek

- **보다 (verba)** : 눈으로 대상을 즐기거나 감상하다.
menonton, menyaksikan
menikmati atau menyaksikan sesuatu dengan mata

- **-는 편이다** : 어떤 사실을 단정적으로 말하기보다는 대체로 어떤 쪽에 가깝다거나 속한다고 말할 때 쓰는 표현.
termasuk, bisa dikatakan, lumayan
ungkapan yang digunakan untuk mengucapkan suatu kenyataan tidak dengan cara konklusif, tetapi dengan mengatakan lebih dekat atau termasuk ke satu pihak

- **-죠** : (두루높임으로) 말하는 사람이 자신에 대한 이야기나 자신의 생각을 친근하게 말할 때 쓰는 종결 어미.
kan?, bukan?
(dalam bentuk hormat) kata penutup final yang digunakan saat pembicara berbicara tentang dirinya atau saat mengatakan pikirannya secara akrab

< 대화(pembicaraan) > - 54

지아 씨, 이번 대회 우승을 축하합니다.
지아 씨, 이번 대회 우승을 추카함니다.
jia ssi, ibeon daehoe useungeul chukahamnida.

고맙습니다. 제가 음악을 계속하는 한 이 우승의 감격은 잊지 못할 것입니다.
고맙씀니다. 제가 으마글 계소카는 한 이 우승의(우승에) 감겨근 잊찌 모탈 꺼심니다.
gomapseumnida. jega eumageul gyesokaneun han i useungui(useunge) gamgyeogeun itji motal geosimnida.

< 설명(penjelasan) / 번역(penerjemahan) >

지아 씨, 이번 대회 우승+을 축하하+ㅂ니다.
축하합니다

- **지아 (nomina)** : nama

- **씨 (nomina)** : 그 사람을 높여 부르거나 이르는 말.
  kata panggilan seperti ibu, bapak, mas, mbak, dsb
  kata untuk memanggil orang yang memiliki nama atau orang yang memiliki marga

- **이번 (nomina)** : 곧 돌아올 차례. 또는 막 지나간 차례.
  kali ini
  urutan yang akan datang, atau urutan yang baru saja lewat

- **대회 (nomina)** : 여러 사람이 실력이나 기술을 겨루는 행사.
  perlombaan, kompetisi, pertandingan
  acara yang melombakan kemampuan atau teknik beberapa orang

- **우승 (nomina)** : 경기나 시합에서 상대를 모두 이겨 일 위를 차지함.
  kejuaraan, kemenangan
  hal menduduki posisi teratas yang mengalahkan semua lawan dalam pertandingan atau perlombaan

- **을** : 동작이 직접적으로 영향을 미치는 대상을 나타내는 조사.
  Tiada Penjelasan Arti
  partikel yang menyatakan objek dari suatu gerakan yang secara langsung memberikan pengaruh

• **축하하다 (verba)** : 남의 좋은 일에 대하여 기쁜 마음으로 인사하다.
memberi ucapan selamat
memberi salam dengan hati yang gembira untuk hal baik yang diterima orang lain

• **-ㅂ니다** : (아주높임으로) 현재의 동작이나 상태, 사실을 정중하게 설명함을 나타내는 종결 어미.
adalah
(dalam bentuk sangat hormat) kata penutup final yang menyatakan menjelaskan tindakan, keadaan, atau kenyataan di masa kini dengan sopan

고맙+습니다.

제+가 음악+을 계속하+[는 한]

이 우승+의 감격+은 잊+[지 못하]+[ㄹ 것]+이+ㅂ니다.
잊지 못할 것입니다

• **고맙다 (adjektiva)** : 남이 자신을 위해 무엇을 해주어서 마음이 흐뭇하고 보답하고 싶다.
terima kasih
perasaan senang dan ingin membalas budi kepada orang lain yang telah melakukan kebaikan untuk kita

• **-습니다** : (아주높임으로) 현재의 동작이나 상태, 사실을 정중하게 설명함을 나타내는 종결 어미.
Tiada Penjelasan Arti
(dalam bentuk sangat hormat) kata penutup final yang menyatakan menjelaskan tindakan, keadaan, atau kenyataan di masa kini dengan sopan

• **제 (pronomina)** : 말하는 사람이 자신을 낮추어 가리키는 말인 '저'에 조사 '가'가 붙을 때의 형태.
saya
bentuk ketika melekatkan partikel '가' ke '저' yang berarti 'saya' dalam bentuk sopan

• **가** : 어떤 상태나 상황에 놓인 대상이나 동작의 주체를 나타내는 조사.
Tiada Penjelasan Arti
partikel yang menyatakan subjek sebuah keadaan atau situasi atau pelaku utama sebuah tindakan

• **음악 (nomina)** : 목소리나 악기로 박자와 가락이 있게 소리 내어 생각이나 감정을 표현하는 예술.
lagu
seni yang menyampaikan pikiran atau perasaan dengan menghasilkan bunyi yang berirama dan bermelodi dengan suara atau alat musik

- 을 : 동작이 직접적으로 영향을 미치는 대상을 나타내는 조사.
  Tiada Penjelasan Arti
  partikel yang menyatakan objek dari suatu gerakan yang secara langsung memberikan pengaruh

- **계속하다 (verba)** : 끊지 않고 이어 나가다.
  berlanjut
  tidak selesai dan terus-menerus

- -는 한 : 앞에 오는 말이 뒤의 행위나 상태에 대해 전제나 조건이 됨을 나타내는 표현.
  hanya jika, hanya kalau
  ungkapan yang menyatakan premis atau syarat tentang tindakan atau keadaan di belakang

- **이 (pewatas)** : 말하는 사람에게 가까이 있거나 말하는 사람이 생각하고 있는 대상을 가리킬 때 쓰는 말.
  Tiada Penjelasan Arti
  partikel yang menyatakan objek dari suatu keadaan atau kondisi atau pelaku dari suatu tindakan

- **우승 (nomina)** : 경기나 시합에서 상대를 모두 이겨 일 위를 차지함.
  kejuaraan, kemenangan
  hal menduduki posisi teratas yang mengalahkan semua lawan dalam pertandingan atau perlombaan

- 의 : 앞의 말이 뒤의 말에 대하여 속성이나 수량을 한정하거나 같은 자격임을 나타내는 조사.
  dari
  perkataan yang menyatakan perkataan di depan membatasi karakter atau kuantitas atau kualifikasi yang sama dengan perkataan yang ada di belakang

- **감격 (nomina)** : 마음에 깊이 느끼어 매우 감동함. 또는 그 감동.
  sentuhan mendalam, emosi mendalam, perasaan kuat
  hal mengenai perasaan yang sangat tersentuh karena mengalami sesuatu yang begitu mendalam di dalam hati

- 은 : 강조의 뜻을 나타내는 조사.
  Tiada Penjelasan Arti
  partikel yang menyatakan maksud penekanan

- **잊다 (verba)** : 한번 알았던 것을 기억하지 못하거나 기억해 내지 못하다.
  lupa, tidak ingat
  tidak bisa mengingat sesuatu yang telah diketahui sekali

- -지 못하다 : 앞의 말이 나타내는 행동을 할 능력이 없거나 주어의 의지대로 되지 않음을 나타내는 표현.

tidak dapat, tidak bisa, tidak mampu

ungkapan yang menyatakan tidak mampu melakukan tindakan yang disebutkan dalam kalimat di depan atau tidak dapat terjadi seperti keinginan subjek

- -ㄹ 것 : 명사가 아닌 것을 문장에서 명사처럼 쓰이게 하거나 '이다' 앞에 쓰일 수 있게 할 때 쓰는 표현.

minta, mohon, yang

ungkapan yang dapat membuat suatu kelas kata bisa digunakan sebagai kata benda dalam kalimat dan berfungsi sebagai subjek atau objek, atau dapat membuat suatu kelas kata bisa digunakan di depan '이다'

- 이다 : 주어가 지시하는 대상의 속성이나 부류를 지정하는 뜻을 나타내는 서술격 조사.

adalah

partikel kasus predikatif yang menyatakan maksud menentukan karakter atau jenis dari objek yang diindikasikan subjek

- -ㅂ니다 : (아주높임으로) 현재의 동작이나 상태, 사실을 정중하게 설명함을 나타내는 종결 어미.

adalah

(dalam bentuk sangat hormat) kata penutup final yang menyatakan menjelaskan tindakan, keadaan, atau kenyataan di masa kini dengan sopan

< 대화(pembicaraan) > - 55

지아 씨, 영화 홍보는 어떻게 되고 있어요?
지아 씨, 영화 홍보는 어떠케 되고 이써요?
jia ssi, yeonghwa hongboneun eotteoke doego isseoyo?

길거리 홍보 활동을 벌이는 한편 관객을 초대해서 무료 시사회를 하기로 했어요.
길꺼리 홍보 활동을 버리는 한편 관개글 초대해서 무료 시사회를 하기로 해써요.
gilgeori hongbo hwaldongeul beorineun hanpyeon gwangaegeul chodaehaeseo muryo sisahoereul hagiro haesseoyo.

< 설명(penjelasan) / 번역(penerjemahan) >

지아 씨, 영화 홍보+는 어떻게 되+[고 있]+어요?

- **지아 (nomina)** : nama

- **씨 (nomina)** : 그 사람을 높여 부르거나 이르는 말.
  kata panggilan seperti ibu, bapak, mas, mbak, dsb
  kata untuk memanggil orang yang memiliki nama atau orang yang memiliki marga

- **영화 (nomina)** : 일정한 의미를 갖고 움직이는 대상을 촬영하여 영사기로 영사막에 비추어서 보게 하는 종합 예술.
  film
  seni komprehensif yang membawa satu pesan tertentu dengan merekam objek bergerak dengan menggunakan proyektor untuk diperlihatkan dengan menggunakan layar yang disinari

- **홍보 (nomina)** : 널리 알림. 또는 그 소식.
  promosi, propaganda, pengenalan
  hal memberitahukan secara luas, atau pemberitahuan tersebut

- **는** : 문장 속에서 어떤 대상이 화제임을 나타내는 조사.
  Tiada Penjelasan Arti
  partikel yang menyatakan suatu subjek dalam kalimat menjadi bahan pembicaraan

- **어떻게 (adverbia)** : 어떤 방법으로. 또는 어떤 방식으로.
  bagaimana
  dengan suatu cara, atau dengan suatu metode

· 되다 (verba) : 일이 잘 이루어지다.
berjalan, berlangsung, terjadi
pekerjaan terwujud dengan baik

· -고 있다 : 앞의 말이 나타내는 행동이 계속 진행됨을 나타내는 표현.
sedang
ungkapan yang menyatakan bahwa tindakan yang disebutkan dalam kalimat di depan terus berjalan

· -어요 : (두루높임으로) 어떤 사실을 서술하거나 질문, 명령, 권유함을 나타내는 종결 어미.
apakah, apa, ~saja, silakan
(dalam bentuk hormat) kata penutup final yang mengungkapkan suatu kenyataan atau menyatakan pertanyaan, perintah, atau ajakan <pertanyaan>

길거리 홍보 활동+을 벌이+[는 한편] 관객+을 초대하+여서
초대해서

무료 시사회+를 하+[기로 하]+였+어요.
하기로 했어요

· **길거리 (nomina)** : 사람이나 차가 다니는 길.
jalan, jalan raya, badan jalan
jalan yang dilalui oleh orang atau mobil

· **홍보 (nomina)** : 널리 알림. 또는 그 소식.
promosi, propaganda, pengenalan
hal memberitahukan secara luas, atau pemberitahuan tersebut

· **활동 (nomina)** : 어떤 일에서 좋은 결과를 거두기 위해 힘씀.
tindakan, aktivitas
hal menggunakan kekuatan untuk mewujudkan hasil yang baik dalam suatu hal

· 을 : 동작이 직접적으로 영향을 미치는 대상을 나타내는 조사.
Tiada Penjelasan Arti
partikel yang menyatakan objek dari suatu gerakan yang secara langsung memberikan pengaruh

· **벌이다 (verba)** : 일을 계획하여 시작하거나 펼치다.
membuka, memulai, menyelenggarakan, menjalankan
merencanakan serta memulai atau membuka pekerjaan

• –는 한편 : 앞의 말이 나타내는 일을 하는 동시에 다른 쪽에서 또 다른 일을 함을 나타내는 표현.
  sementara, sedangkan, di sisi lain
  ungkapan untuk menyatakan melakukan pekerjaan lain di sisi lain sekaligus melakukan pekerjaan dalam perkataan depan

• **관객 (nomina)** : 운동 경기, 영화, 연극, 음악회, 무용 공연 등을 구경하는 사람.
  penonton, permisa
  orang yang menyaksikan pertandingan olahraga, film, drama, konser musik, pertunjukkan tari, dsb

• 을 : 동작이 직접적으로 영향을 미치는 대상을 나타내는 조사.
  Tiada Penjelasan Arti
  partikel yang menyatakan objek dari suatu gerakan yang secara langsung memberikan pengaruh

• **초대하다 (verba)** : 다른 사람에게 어떤 자리, 모임, 행사 등에 와 달라고 요청하다.
  undang, mengundang, mengajak
  meminta orang lain untuk datang ke sebuah acara, pertemuan, perjamuan, dsb

• –여서 : 앞의 말과 뒤의 말이 순차적으로 일어남을 나타내는 연결 어미.
  karena, lalu, kemudian
  kata penutup sambung yang menyatakan kalimat di depan dan kalimat di belakang muncul secara berurutan

• **무료 (nomina)** : 요금이 없음.
  gratis, tanpa bayaran
  hal tidak ada ongkos

• **시사회 (nomina)** : 영화나 광고 등을 일반에게 보이기 전에 몇몇 사람들에게 먼저 보이고 평가를 받기 위한 모임.
  pratinjau, tinjauan awal, tinjauan pendahuluan, penilaian awal, pertunjukan awal, pertunjukan penilaian
  pertemuan atau perkumpulan yang diadakan untuk mempertunjukkkan film atau iklan dsb kepada beberapa orang dan mendapatkan penilaian darinya sebelum disiarkan ke publik

• 를 : 동작이 직접적으로 영향을 미치는 대상을 나타내는 조사.
  Tiada Penjelasan Arti
  partikel yang menyatakan objek dari suatu gerakan yang secara langsung memberikan pengaruh

• **하다 (verba)** : 어떤 행동이나 동작, 활동 등을 행하다.
  melakukan, mengerjakan, menjalankan
  melaksanakan suatu tindakan atau aksi, kegiatan, dsb

• -기로 하다 : 앞의 말이 나타내는 행동을 할 것을 결심하거나 약속함을 나타내는 표현.

berjanji

ungkapan untuk memutuskan atau berjanji akan melakukan tindakan di perkataan depan

• -였- : 어떤 사건이 과거에 완료되었거나 그 사건의 결과가 현재까지 지속되는 상황을 나타내는 어미.

sudah, telah, pernah

akhiran kalimat yang menyatakan sebuah peristiwa sudah selesai di masa lampau atau menyatakan keadaan di mana hasil peristiwa tersebut terus berlangsung hingga sekarang

• -어요 : (두루높임으로) 어떤 사실을 서술하거나 질문, 명령, 권유함을 나타내는 종결 어미.

apakah, apa, ~saja, silakan

(dalam bentuk hormat) kata penutup final yang mengungkapkan suatu kenyataan atau menyatakan pertanyaan, perintah, atau ajakan **<penjabaran>**

< 대화(pembicaraan) > - 56

왜 절뚝거리면서 걸어요?
왜 절뚝꺼리면서 거러요?
wae jeolttukgeorimyeonseo georeoyo?

예전에 교통사고로 다리를 다쳤는데 평소에 괜찮다가도 비만 오면 다시 아파요.
예저네 교통사고로 다리를 다천는데 평소에 괜찬다가도 비만 오면 다시 아파요.
yejeone gyotongsagoro darireul dacheonneunde pyeongsoe gwaenchantagado biman omyeon dasi apayo.

< 설명(penjelasan) / 번역(penerjemahan) >

왜 절뚝거리+면서 걷(걸)+어요?
걸어요

- **왜 (adverbia)** : 무슨 이유로. 또는 어째서.
  kenapa, mengapa
  untuk alasan apa, atau bagaimana bisa

- **절뚝거리다 (verba)** : 한쪽 다리가 짧거나 다쳐서 자꾸 중심을 잃고 절다.
  pincang, sempoyongan
  salah satu kaki pendek atau terluka sehingga kehilangan keseimbangan dan pincang

- **-면서** : 두 가지 이상의 동작이나 상태가 함께 일어남을 나타내는 연결 어미.
  sambil, seraya
  kata penutup sambung yang digunakan saat dua atau lebih tindakan atau keadaan muncul bersamaan

- **걷다 (verba)** : 바닥에서 발을 번갈아 떼어 옮기면서 움직여 위치를 옮기다.
  berjalan
  menggerakkan kaki dari lantai secara bergantian dan bergerak atau berpindah terus menerus

- **-어요** : (두루높임으로) 어떤 사실을 서술하거나 질문, 명령, 권유함을 나타내는 종결 어미.
  apakah, apa, ~saja, silakan
  (dalam bentuk hormat) kata penutup final yang mengungkapkan suatu kenyataan atau menyatakan pertanyaan, perintah, atau ajakan <pertanyaan>

예전+에 교통사고+로 다리+를 <u>다치+었+는데</u> 평소+에 괜찮+다가도
다쳤는데

비+만 오+면 다시 <u>아프(아ㅍ)+아요</u>.
아파요

- **예전 (nomina)** : 꽤 시간이 흐른 지난날.
  dahulu, dulu
  waktu yang telah cukup mengalir

- 에 : 앞말이 시간이나 때임을 나타내는 조사.
  pada
  partikel yang menyatakan kalimat di depan adalah waktu atau saat

- **교통사고 (nomina)** : 자동차나 기차 등이 다른 교통 기관과 부딪치거나 사람을 치는 사고.
  kecelakaan lalu-lintas
  kecelakaan yang terjadi ketika mobil atau kereta api dsb bersenggolan dengan alat transportasi lain atau orang tertabrak

- 로 : 어떤 일의 원인이나 이유를 나타내는 조사.
  karena, akibat
  partikel yang menyatakan sebab atau alasan suatu pekerjaan

- **다리 (nomina)** : 사람이나 동물의 몸통 아래에 붙어, 서고 걷고 뛰는 일을 하는 신체 부위.
  kaki
  bagian tubuh yang menempel di bagian bawah badan manusia atau binatang, untuk melakukan pekerjaan seperti berdiri, berjalan, berlari

- 를 : 동작이 직접적으로 영향을 미치는 대상을 나타내는 조사.
  Tiada Penjelasan Arti
  partikel yang menyatakan objek dari suatu gerakan yang secara langsung memberikan pengaruh

- **다치다 (verba)** : 부딪치거나 맞거나 하여 몸이나 몸의 일부에 상처가 생기다. 또는 상처가 생기게 하다.
  terluka
  tertabrak atau terpukul sehingga tubuh atau bagian tubuh terdapat luka, atau membuat sehingga terluka

- -었- : 사건이 과거에 일어났음을 나타내는 어미.
  sudah, pasti, yakin
  akhiran kalimat yang menyatakan peristiwa terjadi di masa lampau

• -는데 : 뒤의 말을 하기 위하여 그 대상과 관련이 있는 상황을 미리 말함을 나타내는 연결 어미.
  sebenarnya, nyatanya
  akhiran kalimat penyambung yang menyatakan mengatakan terlebih dahulu keadaan yang berhubungan sebelum mengatakan kalimat yang berhubungan

• **평소 (nomina)** : 특별한 일이 없는 보통 때.
  waktu biasa
  waktu biasa yang tidak ada hal khusus

• 에 : 앞말이 시간이나 때임을 나타내는 조사.
  pada
  partikel yang menyatakan kalimat di depan adalah waktu atau saat

• **괜찮다 (adjektiva)** : 별 문제가 없다.
  baik, tidak masalah, tidak apa-apa
  tidak terlalu ada masalah

• -다가도 : 앞의 말이 나타내는 행위나 상태가 다른 행위나 상태로 쉽게 바뀜을 나타내는 표현.
  namun, tetapi, melainkan
  ungkapan untuk menyatakan bahwa tindakan atau situasi dalam perkataan depan mudah berubah menjadi tindakan atau situasi lain

• **비 (nomina)** : 높은 곳에서 구름을 이루고 있던 수증기가 식어서 뭉쳐 떨어지는 물방울.
  hujan
  titik air yang membentuk awan di tempat yang tinggi, mendingin, menggumpal, dan akhirnya jatuh ke bumi

• 만 : 앞의 말이 어떤 것에 대한 조건임을 나타내는 조사.
  hanya
  partikel yang menyatakan bahwa kalimat di depan adalah syarat sesuatu

• **오다 (verba)** : 비, 눈 등이 내리거나 추위 등이 닥치다.
  turun, datang
  hujan, salju, dsb turun atau dingin dsb datang atau mendekat

• -면 : 뒤에 오는 말에 대한 근거나 조건이 됨을 나타내는 연결 어미.
  kalau, seandainya, apabila
  akhiran penghubung untuk menyatakan menjadi landasan atau syarat terhadap kalimat induk

• **다시 (adverbia)** : 같은 말이나 행동을 반복해서 또.
  lagi, kembali
  mengulang lagi kata atau tindakan yang sama

• **아프다 (adjektiva)** : 다치거나 병이 생겨 통증이나 괴로움을 느끼다.
  sakit, nyeri
  merasa sakit atau menderita karena terluka atau timbul penyakit

• **-아요** : (두루높임으로) 어떤 사실을 서술하거나 질문, 명령, 권유함을 나타내는 종결 어미.
  cobalah, sebenarnya, apa
  (dalam bentuk hormat) kata penutup final yang mengungkapkan suatu kenyataan atau menyatakan pertanyaan, perintah, atau ajakan <penjabaran>

< 대화(pembicaraan) > - 57

한국어를 잘하게 된 방법이 뭐니?
한구거를 잘하게 된 방버비 뭐니?
hangugeoreul jalhage doen bangbeobi mwoni?

한국 음악을 좋아해서 많이 듣다 보니까 한국어를 잘하게 됐어.
한국 으마글 조아해서 마니 듣따 보니까 한구거를 잘하게 돼써.
hanguk eumageul joahaeseo mani deutda bonikka hangugeoreul jalhage dwaesseo.

< 설명(penjelasan) / 번역(penerjemahan) >

한국어+를 잘하+[게 되]+ㄴ 방법+이 뭐+(이)+니?
　　　　　잘하게 된　　　　　　　뭐니

- **한국어 (nomina)** : 한국에서 사용하는 말.
  bahasa Korea
  bahasa yang digunakan orang Korea

- **를** : 동작이 직접적으로 영향을 미치는 대상을 나타내는 조사.
  Tiada Penjelasan Arti
  partikel yang menyatakan objek dari suatu gerakan yang secara langsung memberikan pengaruh

- **잘하다 (verba)** : 익숙하고 솜씨가 있게 하다.
  cakap, terampil, pandai, tangkas, ahli, mahir
  melakukan dengan terbiasa dan terampil

- **-게 되다** : 앞의 말이 나타내는 상태나 상황이 됨을 나타내는 표현.
  menjadi
  ungkapan yang menyatakan keadaan atau situasi yang disebutkan dalam kalimat di depan terwujud, atau menyatakan terwujud dalam keadaan demikian

- **-ㄴ** : 앞의 말이 관형어의 기능을 하게 만들고 사건이나 동작이 완료되어 그 상태가 유지되고 있음을 나타내는 어미.
  yang
  akhiran yang membuat kata di depannya berfungsi sebagai kata pewatas, dan menyatakan bahwa tindakan atau peristiwa sudah selesai dan menahan keadaan itu

- **방법 (nomina)** : 어떤 일을 해 나가기 위한 수단이나 방식.
  cara, jalan
  jalan atau cara untuk melakukan suatu pekerjaan

- **이** : 어떤 상태나 상황의 대상이나 동작의 주체를 나타내는 조사.
  Tiada Penjelasan Arti
  partikel yang menyatakan objek dari suatu keadaan atau kondisi atau pelaku dari suatu tindakan

- **뭐 (pronomina)** : 모르는 사실이나 사물을 가리키는 말.
  apa
  kata yang merujuk pada kenyataan atau benda yang tidak diketahui

- **이다** : 주어가 지시하는 대상의 속성이나 부류를 지정하는 뜻을 나타내는 서술격 조사.
  adalah
  partikel kasus predikatif yang menyatakan maksud menentukan karakter atau jenis dari objek yang diindikasikan subjek

- **-니** : (아주낮춤으로) 물음을 나타내는 종결 어미.
  -kah?
  (dalam bentuk sangat rendah) akhiran penutup yang menyatakan pertanyaan

한국 음악+을 좋아하+여서 많이 듣+[다(가) 보]+니까
　　　　좋아해서　　　　　　　　듣다 보니까

한국어+를 잘하+[게 되]+었+어.
　　　　잘하게 됐어

- **한국 (nomina)** : 아시아 대륙의 동쪽에 있는 나라. 한반도와 그 부속 섬들로 이루어져 있으며, 대한민국이라고도 부른다. 1950년에 일어난 육이오 전쟁 이후 휴전선을 사이에 두고 국토가 둘로 나뉘었다. 언어는 한국어이고, 수도는 서울이다.
  Korea Selatan
  negara yang terletak di selatan benua Asia. Terdiri dari semenanjung Korea dan pulau-pulau yang berdampingan dengannya, disebut juga sebagai Daehanminguk. Terbagi menjadi dua dengan perbatasan setelah Perang Korea yang terjadi pada tahun 1950. Bahasa nasional adalah Bahasa Korea, dan ibu kotanya Seoul.

- **음악 (nomina)** : 목소리나 악기로 박자와 가락이 있게 소리 내어 생각이나 감정을 표현하는 예술.
  lagu
  seni yang menyampaikan pikiran atau perasaan dengan menghasilkan bunyi yang berirama dan bermelodi dengan suara atau alat musik

• 을 : 동작이 직접적으로 영향을 미치는 대상을 나타내는 조사.
  Tiada Penjelasan Arti
  partikel yang menyatakan objek dari suatu gerakan yang secara langsung memberikan pengaruh

• 좋아하다 (verba) : 무엇에 대하여 좋은 느낌을 가지다.
  suka, menyukai
  memiliki perasaan baik terhadap sesuatu

• -여서 : 이유나 근거를 나타내는 연결 어미.
  karena, lalu, kemudian
  kata penutup sambung yang menyatakan alasan atau landasan

• 많이 (adverbia) : 수나 양, 정도 등이 일정한 기준보다 넘게.
  dengan banyak
  dengan angka atau jumlah, kadar, dsb melebihi standar yang ditentukan

• 듣다 (verba) : 귀로 소리를 알아차리다.
  mendengar
  mengetahui suara atau bunyi dengan telinga

• -다가 보다 : 앞에 오는 말이 나타내는 행동을 하는 과정에서 뒤에 오는 말이 나타내는 사실을 새로 깨닫게 됨을 나타내는 표현.
  kalau, jika, seandainya, apabila
  ungkapan untuk menyatakan mengetahui kenyataan di kalimat belakang dalam proses melakukan tindakan di perkataan depan

• -니까 : 뒤에 오는 말에 대하여 앞에 오는 말이 원인이나 근거, 전제가 됨을 강조하여 나타내는 연결 어미.
  karena, sebab, ketika
  akhiran penghubung untuk menegaskan bahwa kalimat di depan menjadi alasan, dasar, atau premis dari kalimat di belakang

• 한국어 (nomina) : 한국에서 사용하는 말.
  bahasa Korea
  bahasa yang digunakan orang Korea

• 를 : 동작이 직접적으로 영향을 미치는 대상을 나타내는 조사.
  Tiada Penjelasan Arti
  partikel yang menyatakan objek dari suatu gerakan yang secara langsung memberikan pengaruh

• 잘하다 (verba) : 익숙하고 솜씨가 있게 하다.
  cakap, terampil, pandai, tangkas, ahli, mahir
  melakukan dengan terbiasa dan terampil

• -게 되다 : 앞의 말이 나타내는 상태나 상황이 됨을 나타내는 표현.

menjadi

ungkapan yang menyatakan keadaan atau situasi yang disebutkan dalam kalimat di depan terwujud, atau menyatakan terwujud dalam keadaan demikian

• -었- : 어떤 사건이 과거에 완료되었거나 그 사건의 결과가 현재까지 지속되는 상황을 나타내는 어미.

sudah, pasti, yakin

akhiran kalimat yang menyatakan sebuah peristiwa sudah selesai di masa lampau atau menyatakan keadaan di mana hasil peristiwa tersebut terus berlangsung hingga sekarang

• -어 : (두루낮춤으로) 어떤 사실을 서술하거나 물음, 명령, 권유를 나타내는 종결 어미.

-kah, -lah

(dalam bentuk rendah) akhiran penutup untuk menyatakan suatu kenyataan atau menandai pertanyaan, perintah, dan ajakan <penjabaran>

< 대화(pembicaraan) > - 58

너 이 영화 봤어?
너 이 영화 봐써?
neo i yeonghwa bwasseo?

나는 못 보고 우리 형이 봤는데 내용이 엄청 슬프다고 그러더라.
나는 몯 보고 우리 형이 봔는데 내용이 엄청 슬프다고 그러더라.
naneun mot bogo uri hyeongi bwanneunde naeyongi eomcheong seulpeudago geureodeora.

< 설명(penjelasan) / 번역(penerjemahan) >

너 이 영화 보+았+어?
봤어

- 너 (pronomina) : 듣는 사람이 친구나 아랫사람일 때, 그 사람을 가리키는 말.
  kamu
  kata untuk menunjuk lawan bicara yang merupakan teman atau orang yang lebih muda

- 이 (pewatas) : 말하는 사람에게 가까이 있거나 말하는 사람이 생각하고 있는 대상을 가리킬 때 쓰는 말.
  ini, si ini
  kata yang digunakan saat menunjuk target yang berada di dekat atau yang dipikirkan si pembicara

- 영화 (nomina) : 일정한 의미를 갖고 움직이는 대상을 촬영하여 영사기로 영사막에 비추어서 보게 하는 종합 예술.
  film
  seni komprehensif yang membawa satu pesan tertentu dengan merekam objek bergerak dengan menggunakan proyektor untuk diperlihatkan dengan menggunakan layar yang disinari

- 보다 (verba) : 눈으로 대상을 즐기거나 감상하다.
  menonton, menyaksikan
  menikmati atau menyaksikan sesuatu dengan mata

• -았- : 어떤 사건이 과거에 완료되었거나 그 사건의 결과가 현재까지 지속되는 상황을 나타내는 어미.

sudah, telah, pasti akan

akhiran kalimat yang menyatakan sebuah peristiwa sudah selesai di masa lampau atau menyatakan keadaan di mana hasil peristiwa tersebut terus berlangsung hingga sekarang

• -어 : (두루낮춤으로) 어떤 사실을 서술하거나 물음, 명령, 권유를 나타내는 종결 어미.

-kah, -lah

(dalam bentuk rendah) akhiran penutup untuk menyatakan suatu kenyataan atau menandai pertanyaan, perintah, dan ajakan <pertanyaan>

나+는 못 보+고 우리 형+이 보+았+는데 내용+이 엄청 슬프+다고 그러+더라.
봤는데

• 나 (pronomina) : 말하는 사람이 친구나 아랫사람에게 자기를 가리키는 말.

aku

kata yang digunakan orang yang berbicara untuk menunjuk dirinya sendiri kepada teman atau orang yang berada di bawahnya

• 는 : 어떤 대상이 다른 것과 대조됨을 나타내는 조사.

Tiada Penjelasan Arti

partikel yang menyatakan suatu subjek diperbandingkan dengan sesuatu yang lain

• 못 (adverbia) : 동사가 나타내는 동작을 할 수 없게.

tidak bisa, tidak mampu

tidak bisa melakukan suatu tindakan yang muncul di kata kerja

• 보다 (verba) : 눈으로 대상을 즐기거나 감상하다.

menonton, menyaksikan

menikmati atau menyaksikan sesuatu dengan mata

• -고 : 두 가지 이상의 대등한 사실을 나열할 때 쓰는 연결 어미.

dan

akhiran penghubung yang digunakan untuk menyusun dua atau lebih kenyataan yang setara

• 우리 (pronomina) : 말하는 사람이 자기보다 높지 않은 사람에게 자기와 관련된 것을 친근하게 나타낼 때 쓰는 말.

kita, kami

kata akrab untuk menyebutkan beberapa orang yang dekat dengan pembicara saat berbicara dengan lawan bicara yang tidak lebih tinggi posisinya dari pembicara

• 형 (nomina) : 남자가 형제나 친척 형제들 중에서 자기보다 나이가 많은 남자를 이르거나 부르는 말.

kakak laki-laki

panggilan laki-laki untuk laki-laki yang lebih tua di antara sanak saudara

• 이 : 어떤 상태나 상황의 대상이나 동작의 주체를 나타내는 조사.
Tiada Penjelasan Arti
partikel yang menyatakan objek dari suatu keadaan atau kondisi atau pelaku dari suatu tindakan

• **보다 (verba)** : 눈으로 대상을 즐기거나 감상하다.
menonton, menyaksikan
menikmati atau menyaksikan sesuatu dengan mata

• -았- : 어떤 사건이 과거에 완료되었거나 그 사건의 결과가 현재까지 지속되는 상황을 나타내는 어미.
sudah, telah, pasti akan
akhiran kalimat yang menyatakan sebuah peristiwa sudah selesai di masa lampau atau menyatakan keadaan di mana hasil peristiwa tersebut terus berlangsung hingga sekarang

• -는데 : 뒤의 말을 하기 위하여 그 대상과 관련이 있는 상황을 미리 말함을 나타내는 연결 어미.
sebenarnya, nyatanya
akhiran kalimat penyambung yang menyatakan mengatakan terlebih dahulu keadaan yang berhubungan sebelum mengatakan kalimat yang berhubungan

• **내용 (nomina)** : 말, 글, 그림, 영화 등의 줄거리. 또는 그것들로 전하고자 하는 것.
isi, penjelasan, jalan cerita, konten
jalan cerita dari perkataan, tulisan, gambar, film dsb, atau sesuatu yang ingin disampaikan dengan hal tersebut

• 이 : 어떤 상태나 상황의 대상이나 동작의 주체를 나타내는 조사.
Tiada Penjelasan Arti
partikel yang menyatakan objek dari suatu keadaan atau kondisi atau pelaku dari suatu tindakan

• **엄청 (adverbia)** : 양이나 정도가 아주 지나치게.
sangat, luar biasa
kuantitas atau ukurannya sangat berlebihan

• **슬프다 (adjektiva)** : 눈물이 날 만큼 마음이 아프고 괴롭다.
sedih
hati sakit dan menderita sampai mengeluarkan air mata

• -다고 : 다른 사람에게서 들은 내용을 간접적으로 전달하거나 주어의 생각, 의견 등을 나타내는 표현.
katanya
ungkapan yang menyatakan menyampaikan keterangan atau penjelasan yang didengar dari orang lain atau menunjukkan pikiran, pendapat, dsb dari subjek

• **그러다 (verba)** : 그렇게 말하다.
berkata begitu
berbicara seperti itu

- -더라 : (아주낮춤으로) 말하는 이가 직접 경험하여 새롭게 알게 된 사실을 지금 전달함을 나타내는 종
결 어미.

sebenarnya, ternyata

(dalam bentuk sangat rendah) kata penutup final yang mengatakan penyampaian kenyataan sekarang setelah pembicara mengalami secara langsung dan baru mengetahuinya

< 대화(pembicaraan) > - 59

뭘 만들기에 이렇게 냄새가 좋아요?
뭘 만들기에 이러케 냄새가 조아요?
mwol mandeulgie ireoke naemsaega joayo?

지우가 입맛이 없다길래 이것저것 만드는 중이에요.
지우가 임마시 업따길래 이걷쩌걷 만드는 중이에요.
jiuga immasi eopdagillae igeotjeogeot mandeuneun jungieyo.

< 설명(penjelasan) / 번역(penerjemahan) >

뭐+를 만들+기에 이렇+게 냄새+가 좋+아요?
뭘

- **뭐 (pronomina)** : 모르는 사실이나 사물을 가리키는 말.
  apa
  kata yang merujuk pada kenyataan atau benda yang tidak diketahui

- **를** : 동작이 직접적으로 영향을 미치는 대상을 나타내는 조사.
  Tiada Penjelasan Arti
  partikel yang menyatakan objek dari suatu gerakan yang secara langsung memberikan pengaruh

- **만들다 (verba)** : 힘과 기술을 써서 없던 것을 생기게 하다.
  membuat
  membuat ada sesuatu yang tadinya tidak ada dengan menggunakan kekuatan dan keterampilan

- **-기에** : 뒤에 오는 말의 원인이나 근거를 나타내는 연결 어미.
  karena
  akhiran kalimat penyambung yang menyatakan penyebab atau dasar kalimat di belakang

- **이렇다 (adjektiva)** : 상태, 모양, 성질 등이 이와 같다.
  demikian, begitu, begini
  keadaan, bentuk, karakter, dsb sama dengan ini

• **-게** : 앞의 말이 뒤에서 가리키는 일의 목적이나 결과, 방식, 정도 등이 됨을 나타내는 연결 어미.
  dengan
  kata penutup sambung yang menyatakan isi kalimat di depan dibutuhkan sementara kalimat di belakang terus dilanjutkan(formal, kedudukan penerima sangat rendah)

• **냄새 (nomina)** : 코로 맡을 수 있는 기운.
  bau
  energi yang bisa dicium dengan hidung

• **가** : 어떤 상태나 상황에 놓인 대상이나 동작의 주체를 나타내는 조사.
  Tiada Penjelasan Arti
  partikel yang menyatakan subjek sebuah keadaan atau situasi atau pelaku utama sebuah tindakan

• **좋다 (adjektiva)** : 어떤 일이나 대상이 마음에 들고 만족스럽다.
  suka
  suatu peristiwa atau objek berkenan di hati dan memuaskan

• **-아요** : (두루높임으로) 어떤 사실을 서술하거나 질문, 명령, 권유함을 나타내는 종결 어미.
  cobalah, sebenarnya, apa
  (dalam bentuk hormat) kata penutup final yang mengungkapkan suatu kenyataan atau menyatakan pertanyaan, perintah, atau ajakan <pertanyaan>

지우+가 입맛+이 없+다길래 이것저것 만들(만드)+[는 중이]+에요.
만드는 중이에요

• **지우 (nomina)** : nama

• **가** : 어떤 상태나 상황에 놓인 대상이나 동작의 주체를 나타내는 조사.
  Tiada Penjelasan Arti
  partikel yang menyatakan subjek sebuah keadaan atau situasi atau pelaku utama sebuah tindakan

• **입맛 (nomina)** : 음식을 먹을 때 입에서 느끼는 맛. 또는 음식을 먹고 싶은 욕구.
  cita rasa, selera makan, nafsu makan
  rasa yang dicecap di mulut pada saat menikmati makanan, atau keinginan untuk menikmati makan

• **이** : 어떤 상태나 상황의 대상이나 동작의 주체를 나타내는 조사.
  Tiada Penjelasan Arti
  partikel yang menyatakan objek dari suatu keadaan atau kondisi atau pelaku dari suatu tindakan

· **없다 (adjektiva)** : 어떤 사실이나 현상이 현실로 존재하지 않는 상태이다.

  tidak ada

  keadaan suatu kenyataan atau fenomena sebenarnya tidak ada

· **-다길래** : 뒤 내용의 이유나 근거로 다른 사람에게 들은 사실을 말할 때 쓰는 표현.

  karena katanya

  ungkapan yang digunakan untuk mengatakan fakta yang didengar dari orang lain sebagai alasan atau bukti penjelasan di belakangnya

· **이것저것 (nomina)** : 분명하게 정해지지 않은 여러 가지 사물이나 일.

  ini dan itu, ini itu

  beberapa benda atau pekerjaan yang tidak ditentukan dengan jelas

· **만들다 (verba)** : 힘과 기술을 써서 없던 것을 생기게 하다.

  membuat

  membuat ada sesuatu yang tadinya tidak ada dengan menggunakan kekuatan dan keterampilan

· **-는 중이다** : 어떤 일이 진행되고 있음을 나타내는 표현.

  sedang, lagi

  ungkapan yang menyatakan bahwa sebuah peristiwa sedang berlangsung

· **-에요** : (두루높임으로) 어떤 사실을 서술하거나 질문함을 나타내는 종결 어미.

  apakah, adalah

  (dalam bentuk hormat) kata penutup final yang mengungkapkan suatu kenyataan atau menyatakan pertanyaan, perintah, atau ajakan <penjabaran>

< 대화(pembicaraan) > - 60

설명서를 아무리 봐도 무슨 말인지 잘 모르겠죠?
설명서를 아무리 봐도 무슨 마린지 잘 모르겓죠?
seolmyeongseoreul amuri bwado museun marinji jal moreugetjyo?

그래도 자꾸 읽다 보니 조금씩 이해가 되던걸요.
그래도 자꾸 익따 보니 조금씩 이해가 되던거료.
geuraedo jakku ikda boni jogeumssik ihaega doedeongeoryo.

< 설명(penjelasan) / 번역(penerjemahan) >

설명서+를 아무리 <u>보+아도</u> 무슨 <u>말+이+ㄴ지</u> 잘 모르+겠+죠?
　　　　　　　　봐도　　　　　　　말인지

- **설명서 (nomina)** : 일이나 사물의 내용, 이유, 사용법 등을 설명한 글.
  petunjuk
  tulisan yang menjelaskan isi, alasan, cara pemakaian, dsb dari suatu hal atau benda

- **를** : 동작이 직접적으로 영향을 미치는 대상을 나타내는 조사.
  Tiada Penjelasan Arti
  partikel yang menyatakan objek dari suatu gerakan yang secara langsung memberikan pengaruh

- **아무리 (adverbia)** : 비록 그렇다 하더라도.
  meskipun
  walaupun begitu

- **보다 (verba)** : 책이나 신문, 지도 등의 글자나 그림, 기호 등을 읽고 내용을 이해하다.
  membaca
  membaca tulisan atau gambar seperti buku atau koran, peta, dsb serta mengerti isinya

- **-아도** : 앞에 오는 말을 가정하거나 인정하지만 뒤에 오는 말에는 관계가 없거나 영향을 끼치지 않음을 나타내는 연결 어미.
  walaupun, meskipun, biarpun, kendatipun
  akhiran penghubung untuk menyatakan bahwa tidak berhubungan atau tidak berpengaruh pada isi kalimat induk walaupun mengandaikan atau mengakui isi anak kalimat

- 무슨 (pewatas) : 확실하지 않거나 잘 모르는 일, 대상, 물건 등을 물을 때 쓰는 말.
  apa
  kata yang digunakan untuk menanyakan sesuatu, objek, benda, dsb yang tidak jelas atau tidak diketahui dengan baik

- 말 (nomina) : 단어나 구나 문장.
  kata, kata-kata
  kosakata atau kalimat

- 이다 : 주어가 지시하는 대상의 속성이나 부류를 지정하는 뜻을 나타내는 서술격 조사.
  adalah
  partikel kasus predikatif yang menyatakan maksud menentukan karakter atau jenis dari objek yang diindikasikan subjek

- -ㄴ지 : 뒤에 오는 말의 내용에 대한 막연한 이유나 판단을 나타내는 연결 어미.
  barangkali karena
  akhiran kalimat penyambung yang menyatakan alasan atau penilaian yang samar tentang isi kalimat di belakang

- 잘 (adverbia) : 분명하고 정확하게.
  dengan baik/jelas/tepat
  dengan jelas dan tepat

- 모르다 (verba) : 사람이나 사물, 사실 등을 알지 못하거나 이해하지 못하다.
  tidak tahu
  tidak bisa mengetahui atau mengerti orang atau benda, fakta, dsb

- -겠- : 미래의 일이나 추측을 나타내는 어미.
  barangkali, mungkin
  akhiran untuk menyatakan dugaan atau peristiwa di masa depan

- -죠 : (두루높임으로) 말하는 사람이 듣는 사람에게 친근함을 나타내며 물을 때 쓰는 종결 어미.
  sih?
  (dalam bentuk hormat) kata penutup final yang digunakan saat pembicara bertanya sambil menunjukkan kedekatan kepada pendengar

그렇+어도 자꾸 읽+[다(가) 보]+니 조금씩 이해+가 되+던걸요.
그래도   읽다 보니

- 그렇다 (adjektiva) : 상태, 모양, 성질 등이 그와 같다.
  begitu, demikian
  keadaan, bentuk, karakter, dsb sama dengan isi kalimat di depan atau di belakang

• -어도 : 앞에 오는 말을 가정하거나 인정하지만 뒤에 오는 말에는 관계가 없거나 영향을 끼치지 않음을
　　　나타내는 연결 어미.
walaupun, meskipun, biarpun, kendatipun
akhiran penghubung untuk menyatakan bahwa tidak berhubungan atau tidak berpengaruh
pada isi kalimat induk walaupun mengandaikan atau mengakui isi anak kalimat

• **자꾸 (adverbia)** : 여러 번 계속하여.
sering, terus-menerus
terus-menerus beberapa kali

• **읽다 (verba)** : 글을 보고 뜻을 알다.
membaca
melihat tulisan dan mengetahui artinya

• -다가 보다 : 앞에 오는 말이 나타내는 행동을 하는 과정에서 뒤에 오는 말이 나타내는 사실을 새로 깨
　　　　닫게 됨을 나타내는 표현.
kalau, jika, seandainya, apabila
ungkapan untuk menyatakan mengetahui kenyataan di kalimat belakang dalam proses
melakukan tindakan di perkataan depan

• -니 : 뒤에 오는 말에 대하여 앞에 오는 말이 원인이나 근거, 전제가 됨을 나타내는 연결 어미.
karena, berhubung
akhiran kalimat penyambung yang menyatakan bahwa kalimat di depan menjadi alasan,
dasar, atau premis dari kalimat di belakang

• **조금씩 (adverbia)** : 적은 정도로 계속해서.
sedikit-sedikit, sedikit demi sedikit
terus dengan taraf yang sedikit

• **이해 (nomina)** : 무엇이 어떤 것인지를 앎. 또는 무엇이 어떤 것이라고 받아들임.
pengertian, pemakluman
hal mengetahui apakah itu sesuatu, atau menerima apakah sesuatu itu

• 가 : 어떤 상태나 상황에 놓인 대상이나 동작의 주체를 나타내는 조사.
Tiada Penjelasan Arti
partikel yang menyatakan subjek sebuah keadaan atau situasi atau pelaku utama sebuah
tindakan

• **되다 (verba)** : 어떠한 심리적인 상태에 있다.
menjadi, sudah
berada dalam suatu keadaan psikologis

• -던걸요 : (두루높임으로) 과거의 사실에 대한 자기 생각이나 주장을 설명하듯 말하거나 그 근거를 댈
　　　　　때 쓰는 표현.

ternyata, sebenarnya

(dalam bentuk hormat) ungkapan yang digunakan untuk mengatakan pikiran diri tentang
suatu fakta di masa lampau sambil menampakkan penolakan atau rasa disayangkan dengan
ringan pada perkataan lawan bicara

< 대화(pembicaraan) > - 61

저는 이번에 개봉한 영화가 재미있던데요.
저는 이버네 개봉한 영화가 재미읻떤데요.
jeoneun ibeone gaebonghan yeonghwaga jaemiitdeondeyo.

그래도 원작이 더 재미있지 않나요?
그래도 원자기 더 재미읻찌 안나요?
geuraedo wonjagi deo jaemiitji annayo?

< 설명(penjelasan) / 번역(penerjemahan) >

저+는 이번+에 <u>개봉하+ㄴ</u> 영화+가 재미있+던데요.
개봉한

• **저 (pronomina)** : 말하는 사람이 듣는 사람에게 자신을 낮추어 가리키는 말.
  saya
  kata yang digunakan oleh pembicara untuk menunjuk dirinya sendiri sambil merendahkan diri

• **는** : 문장 속에서 어떤 대상이 화제임을 나타내는 조사.
  Tiada Penjelasan Arti
  partikel yang menyatakan suatu subjek dalam kalimat menjadi bahan pembicaraan

• **이번 (nomina)** : 곧 돌아올 차례. 또는 막 지나간 차례.
  kali ini
  urutan yang akan datang, atau urutan yang baru saja lewat

• **에** : 앞말이 시간이나 때임을 나타내는 조사.
  pada
  partikel yang menyatakan kalimat di depan adalah waktu atau saat

• **개봉하다 (verba)** : 새 영화를 처음으로 상영하다.
  meluncurkan, menayangkan, memutar
  memutar film baru untuk pertama kali

— 200 —

• -ㄴ : 앞의 말이 관형어의 기능을 하게 만들고 사건이나 동작이 완료되어 그 상태가 유지되고 있음을 나타내는 어미.

yang

akhiran yang membuat kata di depannya berfungsi sebagai kata pewatas, dan menyatakan bahwa tindakan atau peristiwa sudah selesai dan menahan keadaan itu

• 영화 (nomina) : 일정한 의미를 갖고 움직이는 대상을 촬영하여 영사기로 영사막에 비추어서 보게 하는 종합 예술.

film

seni komprehensif yang membawa satu pesan tertentu dengan merekam objek bergerak dengan menggunakan proyektor untuk diperlihatkan dengan menggunakan layar yang disinari

• 가 : 어떤 상태나 상황에 놓인 대상이나 동작의 주체를 나타내는 조사.

Tiada Penjelasan Arti

partikel yang menyatakan subjek sebuah keadaan atau situasi atau pelaku utama sebuah tindakan

• 재미있다 (adjektiva) : 즐겁고 유쾌한 느낌이 있다.

menarik, menyenangkan, menghibur, ramai

ada perasaan menyenangkan dan membahagiakan

• -던데요 : (두루높임으로) 과거에 직접 경험한 사실을 전달하여 듣는 사람의 반응을 기대함을 나타내는 표현.

sepertinya, nyatanya

(dalam bentuk hormat) ungkapan yang menunjukkan hal menyampaikan fakta yang dialami langsung di masa lampau kemudian menantikan respon orang yang mendengar

그렇+어도 원작+이 더 재미있+[지 않]+나요?
그래도

• 그렇다 (adjektiva) : 상태, 모양, 성질 등이 그와 같다.

begitu, demikian

keadaan, bentuk, karakter, dsb sama dengan isi kalimat di depan atau di belakang

• -어도 : 앞에 오는 말을 가정하거나 인정하지만 뒤에 오는 말에는 관계가 없거나 영향을 끼치지 않음을 나타내는 연결 어미.

walaupun, meskipun, biarpun, kendatipun

akhiran penghubung untuk menyatakan bahwa tidak berhubungan atau tidak berpengaruh pada isi kalimat induk walaupun mengandaikan atau mengakui isi anak kalimat

· **원작 (nomina)** : 연극이나 영화의 대본으로 만들거나 다른 나라 말로 고치기 전의 원래 작품.
  karya asli, karya original, karya asal
  karya semula sebelum dibuat naskah teater atau filmnya atau sebelum diterjemahkan ke dalam bahasa lain

· **이** : 어떤 상태나 상황의 대상이나 동작의 주체를 나타내는 조사.
  Tiada Penjelasan Arti
  partikel yang menyatakan objek dari suatu keadaan atau kondisi atau pelaku dari suatu tindakan

· **더 (adverbia)** : 비교의 대상이나 어떤 기준보다 정도가 크게, 그 이상으로.
  lebih
  dengan ukuran yang lebih besar daripada objek bandingan atau suatu standar, lebih dari itu

· **재미있다 (adjektiva)** : 즐겁고 유쾌한 느낌이 있다.
  menarik, menyenangkan, menghibur, ramai
  ada perasaan menyenangkan dan membahagiakan

· **-지 않다** : 앞의 말이 나타내는 행위나 상태를 부정하는 뜻을 나타내는 표현.
  tidak
  ungkapan yang menyatakan arti menidakkan tindakan atau keadaan dalam kalimat yang disebutkan di depan

· **-나요** : (두루높임으로) 앞의 내용에 대해 상대방에게 물어볼 때 쓰는 표현.
  apakah, apa
  (dalam bentuk hormat) ungkapan yang digunakan saat bertanya kepada lawan bicara mengenai hal di depan

< 대화(pembicaraan) > - 62

이 집 강아지가 밤마다 너무 짖어서 저희가 잠을 잘 못 자요.
이 집 강아지가 밤마다 너무 지저서 저히가 자믈 잘 몯 자요.
i jip gangajiga bammada neomu jijeoseo jeohiga jameul jal mot jayo.

정말 죄송합니다. 못 짖도록 하는데도 그게 쉽지가 않네요.
정말 죄송함니다. 몯 짇또록 하는데도 그게 쉽찌가 안네요.
jeongmal joesonghamnida. mot jitdorok haneundedo geuge swipjiga anneyo.

< 설명(penjelasan) / 번역(penerjemahan) >

이 집 강아지+가 밤+마다 너무 짖+어서 저희+가 잠+을 잘 못 <u>자+(아)요</u>.
자요

- **이 (pewatas)** : 말하는 사람에게 가까이 있거나 말하는 사람이 생각하고 있는 대상을 가리킬 때 쓰는 말.
  ini, si ini
  kata yang digunakan saat menunjuk target yang berada di dekat atau yang dipikirkan si pembicara

- **집 (nomina)** : 사람이나 동물이 추위나 더위 등을 막고 그 속에 들어 살기 위해 지은 건물.
  rumah, tempat tinggal
  bangunan untuk orang atau hewan untuk menahan dingin atau panas dsb dan untuk ditinggali di dalamnya

- **강아지 (nomina)** : 개의 새끼.
  anak anjing
  anjing yang masih kecil

- **가** : 어떤 상태나 상황에 놓인 대상이나 동작의 주체를 나타내는 조사.
  Tiada Penjelasan Arti
  partikel yang menyatakan subjek sebuah keadaan atau situasi atau pelaku utama sebuah tindakan

- **밤 (nomina)** : 해가 진 후부터 다음 날 해가 뜨기 전까지의 어두운 동안.
  malam
  selama hari gelap setelah matahari terbenam hingga sebelum matahari terbit keesokan harinya

• 마다 : 하나하나 빠짐없이 모두의 뜻을 나타내는 조사.
   tiap, setiap
   partikel yang menyatakan arti semua atau satu per satu tanpa terkecuali

• 너무 (adverbia) : 일정한 정도나 한계를 훨씬 넘어선 상태로.
   terlalu, berlebihan
   tarafnya melebihi batas tertentu

• 짖다 (verba) : 개가 크게 소리를 내다.
   menggonggong
   anjing mengeluarkan bunyi keras

• -어서 : 이유나 근거를 나타내는 연결 어미.
   lalu, kemudian, karena, dengan
   kata penutup sambung yang menyatakan alasan atau landasan

• 저희 (pronomina) : 말하는 사람이 자기보다 높은 사람에게 자기를 포함한 여러 사람들을 가리키는 말.
   kami, saya
   kata yang digunakan orang yang berbicara untuk menunjuk beberapa orang termasuk diri sendiri kepada orang yang lebih tinggi jabatan atau umurnya dari dirinya sendiri

• 가 : 어떤 상태나 상황에 놓인 대상이나 동작의 주체를 나타내는 조사.
   Tiada Penjelasan Arti
   partikel yang menyatakan subjek sebuah keadaan atau situasi atau pelaku utama sebuah tindakan

• 잠 (nomina) : 눈을 감고 몸과 정신의 활동을 멈추고 한동안 쉬는 상태.
   tidur
   kondisi menutup mata dan berhenti dari aktivitas tubuh dan mental kemudian beristirahat untuk beberapa waktu

• 을 : 서술어의 명사형 목적어임을 나타내는 조사.
   Tiada Penjelasan Arti
   partikel yang menyatakan objek berkata benda dari suatu predikat

• 잘 (adverbia) : 충분히 만족스럽게.
   dengan puas/cukup
   dengan cukup dan puas

• 못 (adverbia) : 동사가 나타내는 동작을 할 수 없게.
   tidak bisa, tidak mampu
   tidak bisa melakukan suatu tindakan yang muncul di kata kerja

• **자다 (verba)** : 눈을 감고 몸과 정신의 활동을 멈추고 한동안 쉬는 상태가 되다.
tidur
menutup mata, menghentikan kegiatan fisik serta mental, dan berada dalam keadaan beristirahat untuk beberapa waktu

• **-아요** : (두루높임으로) 어떤 사실을 서술하거나 질문, 명령, 권유함을 나타내는 종결 어미.
cobalah, sebenarnya, apa
(dalam bentuk hormat) kata penutup final yang mengungkapkan suatu kenyataan atau menyatakan pertanyaan, perintah, atau ajakan <penjabaran>

정말 <u>죄송하</u>+ㅂ니다.
　　　　죄송합니다

못 짖+[도록 하]+는데도 <u>그것(그거)</u>+이 쉽+[지+가 않]+네요.
　　　　　　　　　　　　　그게

• **정말 (adverbia)** : 거짓이 없이 진짜로.
benar-benar, sungguh-sungguh
tidak ada kebohongan, yang sebenarnya

• **죄송하다 (adjektiva)** : 죄를 지은 것처럼 몹시 미안하다.
merasa bersalah
merasa sangat bersalah seperti melakukan kejahatan

• **-ㅂ니다** : (아주높임으로) 현재의 동작이나 상태, 사실을 정중하게 설명함을 나타내는 종결 어미.
adalah
(dalam bentuk sangat hormat) kata penutup final yang menyatakan menjelaskan tindakan, keadaan, atau kenyataan di masa kini dengan sopan

• **못 (adverbia)** : 동사가 나타내는 동작을 할 수 없게.
tidak bisa, tidak mampu
tidak bisa melakukan suatu tindakan yang muncul di kata kerja

• **짖다 (verba)** : 개가 크게 소리를 내다.
menggonggong
anjing mengeluarkan bunyi keras

• **-도록 하다** : 남에게 어떤 행동을 하도록 시키거나 물건이 어떤 작동을 하게 만듦을 나타내는 표현.
meminta, menyuruh, memerintah, membuat
ungkapan untuk membuat orang lain bertindak atau membuat agar suatu benda bergerak

- -는데도 : 앞에 오는 말이 나타내는 상황에 상관없이 뒤에 오는 말이 나타내는 상황이 일어남을 나타내는 표현.

walaupun, sekalipun, meskipun, biarpun

ungkapan yang menunjukkan munculnya kondisi di belakang tanpa ada kaitannya dengan kondisi di depannya

- 그것 (pronomina) : 앞에서 이미 이야기한 대상을 가리키는 말.

itu, tersebut

kata yang menunjukkan benda atau sesuatu yang telah disebutkan sebelumnya

- 이 : 어떤 상태나 상황의 대상이나 동작의 주체를 나타내는 조사.

Tiada Penjelasan Arti

partikel yang menyatakan objek dari suatu keadaan atau kondisi atau pelaku dari suatu tindakan

- 쉽다 (adjektiva) : 하기에 힘들거나 어렵지 않다.

mudah, gampang

tidak sulit atau susah saat melakukannya

- -지 않다 : 앞의 말이 나타내는 행위나 상태를 부정하는 뜻을 나타내는 표현.

tidak

ungkapan yang menyatakan arti menidakkan tindakan atau keadaan dalam kalimat yang disebutkan di depan

- 가 : 앞의 말을 강조하는 뜻을 나타내는 조사.

Tiada Penjelasan Arti

partikel yang menyatakan arti penekanan kata di depannya

- -네요 : (두루높임으로) 말하는 사람이 직접 경험하여 새롭게 알게 된 사실에 대해 감탄함을 나타낼 때 쓰는 표현.

wah, ternyata

(dalam bentuk hormat) ungkapan yang digunakan saat menunjukkan orang yang berbicara berpengalaman langsung lalu terkejut atau terkagum dengan kenyataan yang baru diketahui itu

< 대화(pembicaraan) > - 63

메일 보냈습니다. 확인 좀 부탁 드립니다.
메일 보냏씀니다. 화긴 좀 부탁 드림니다.
meil bonaetseumnida. hwagin jom butak deurimnida.

네. 보내 주신 자료를 검토하고 다시 연락 드리도록 하겠습니다.
네. 보내 주신 자료를 검토하고 다시 열락 드리도록 하겐씀니다.
ne. bonae jusin jaryoreul geomtohago dasi yeollak deuridorok hagetseumnida.

< 설명(penjelasan) / 번역(penerjemahan) >

메일 <u>보내+었+습니다</u>.
　　　보냈습니다

확인 좀 부탁 <u>드리+ㅂ니다</u>.
　　　　　드립니다

- 메일 (nomina) : 인터넷이나 통신망으로 주고받는 편지.
  E-mail
  surat elektronik melalui internet atau jaringan telekomunikasi

- 보내다 (verba) : 내용이 전달되게 하다.
  mengirim, mengirimkan
  membuat isi tersampaikan

- -었- : 어떤 사건이 과거에 완료되었거나 그 사건의 결과가 현재까지 지속되는 상황을 나타내는 어미.
  sudah, pasti, yakin
  akhiran kalimat yang menyatakan sebuah peristiwa sudah selesai di masa lampau atau menyatakan keadaan di mana hasil peristiwa tersebut terus berlangsung hingga sekarang

- -습니다 : (아주높임으로) 현재의 동작이나 상태, 사실을 정중하게 설명함을 나타내는 종결 어미.
  Tiada Penjelasan Arti
  (dalam bentuk sangat hormat) kata penutup final yang menyatakan menjelaskan tindakan, keadaan, atau kenyataan di masa kini dengan sopan

· **확인 (nomina)** : 틀림없이 그러한지를 알아보거나 인정함.
identifikasi, konfirmasi, verifikasi
hal mengetahui atau mengakui kejelasan sesuatu

· **좀 (adverbia)** : 주로 부탁이나 동의를 구할 때 부드러운 느낌을 주기 위해 넣는 말.
Tiada Penjelasan Arti
kata yang biasanya dibubuhkan untuk memberikan kesan halus saat memohon atau meminta persetujuan

· **부탁 (nomina)** : 어떤 일을 해 달라고 하거나 맡김.
permohonan, permintaan
hal meminta atau mempercayakan untuk melakukan sesuatu

· **드리다 (verba)** : 윗사람에게 어떤 말을 하거나 인사를 하다.
memberi, menyampaikan
berbicara sesuatu atau memberi salam kepada orang yang lebih tua/tinggi

· **-ㅂ니다** : (아주높임으로) 현재의 동작이나 상태, 사실을 정중하게 설명함을 나타내는 종결 어미.
adalah
(dalam bentuk sangat hormat) kata penutup final yang menyatakan menjelaskan tindakan, keadaan, atau kenyataan di masa kini dengan sopan

네.

보내+[(어) 주]+시+ㄴ 자료+를 검토하+고 다시 연락 드리+[도록 하]+겠+습니다.
보내 주신

· **네 (interjeksi)** : 윗사람의 물음이나 명령 등에 긍정하여 대답할 때 쓰는 말.
ya
kata yang digunakan untuk memberikan jawaban positif, setuju terhadap pertanyaan, perintah orang yang lebih tua umurnya, atau lebih tinggi posisinya

· **보내다 (verba)** : 내용이 전달되게 하다.
mengirim, mengirimkan
membuat isi tersampaikan

· **-어 주다** : 남을 위해 앞의 말이 나타내는 행동을 함을 나타내는 표현.
membantu, menolong
ungkapan yang menyatakan melakukan tindakan yang disebutkan dalam kalimat di depan untuk orang lain

• -시- : 어떤 동작이나 상태의 주체를 높이는 뜻을 나타내는 어미.
  Tiada Penjelasan Arti
  akhiran kalimat yang menyatakan arti meninggikan subjek atau topik suatu tindakan atau keadaan

• -ㄴ : 앞의 말이 관형어의 기능을 하게 만들고 사건이나 동작이 완료되어 그 상태가 유지되고 있음을 나타내는 어미.
  yang
  akhiran yang membuat kata di depannya berfungsi sebagai kata pewatas, dan menyatakan bahwa tindakan atau peristiwa sudah selesai dan menahan keadaan itu

• **자료 (nomina)** : 연구나 조사를 하는 데 기본이 되는 재료.
  data, bahan
  bahan yang menjadi dasar dalam penelitian atau pemeriksaan

• 를 : 동작이 직접적으로 영향을 미치는 대상을 나타내는 조사.
  Tiada Penjelasan Arti
  partikel yang menyatakan objek dari suatu gerakan yang secara langsung memberikan pengaruh

• **검토하다 (verba)** : 어떤 사실이나 내용을 자세히 따져서 조사하고 분석하다.
  memeriksa, meninjau, mengevaluasi, menganalisa
  memeriksa dan menganalisis dengan teliti fakta atau isinya

• -고 : 앞의 말과 뒤의 말이 차례대로 일어남을 나타내는 연결 어미.
  lalu
  akhiran penghubung yang menyatakan bahwa kalimat di depan dan di belakang muncul secara berturut-turut

• **다시 (adverbia)** : 다음에 또.
  lagi
  berikutnya lagi

• **연락 (nomina)** : 어떤 사실을 전하여 알림.
  kontak, hubungan
  hal menghubungi atau menyampaikan kabar kepada orang lain

• **드리다 (verba)** : 윗사람에게 어떤 말을 하거나 인사를 하다.
  memberi, menyampaikan
  berbicara sesuatu atau memberi salam kepada orang yang lebih tua/tinggi

• -도록 하다 : 말하는 사람이 어떤 행위를 할 것이라는 의지나 다짐을 나타내는 표현.
  bertekad, berjanji, ingin
  ungkapan yang menunjukkan orang yang berbicara berniat atau bertekad untuk melakukan suatu tindakan

- -겠- : 완곡하게 말하는 태도를 나타내는 어미.
  bolehkah, minta

  akhiran untuk menandai pembicaraan secara halus

- -습니다 : (아주높임으로) 현재의 동작이나 상태, 사실을 정중하게 설명함을 나타내는 종결 어미.
  Tiada Penjelasan Arti

  (dalam bentuk sangat hormat) kata penutup final yang menyatakan menjelaskan tindakan, keadaan, atau kenyataan di masa kini dengan sopan

< 대화(pembicaraan) > - 64

이제 아홉 신데 벌써 자려고?
이제 아홉 신데 벌써 자려고?
ije ahop sinde beolsseo jaryeogo?

시험 기간에 도서관 자리 잡기가 어려워서 내일 일찍 일어나려고요.
시험 기가네 도서관 자리 잡끼가 어려워서 내일 일찍 이러나려고요.
siheom gigane doseogwan jari japgiga eoryeowoseo naeil iljjik ireonaryeogoyo.

< 설명(penjelasan) / 번역(penerjemahan) >

이제 아홉 시+(이)+ㄴ데 벌써 자+려고?
신데

- **이제 (adverbia)** : 말하고 있는 바로 이때에.
  sekarang, baru saat ini
  tepat saat yang dibicarakan

- **아홉 (pewatas)** : 여덟에 하나를 더한 수의.
  sembilan
  angka delapan ditambah satu

- **시 (nomina)** : 하루를 스물넷으로 나누었을 때 그 하나를 나타내는 시간의 단위.
  jam, pukul
  satuan yang memperlihatkan waktu

- **이다** : 주어가 지시하는 대상의 속성이나 부류를 지정하는 뜻을 나타내는 서술격 조사.
  adalah
  partikel kasus predikatif yang menyatakan maksud menentukan karakter atau jenis dari objek yang diindikasikan subjek

- **-ㄴ데** : 뒤의 말을 하기 위하여 그 대상과 관련이 있는 상황을 미리 말함을 나타내는 연결 어미.
  tetapi, karena
  akhiran penghubung untuk mengatakan terlebih dahulu keadaan yang berhubungan sebelum mengatakan kalimat yang berhubungan

- **벌써 (adverbia)** : 생각보다 빠르게.
  sudah
  secara lebih cepat dari perkiraan

- **자다 (verba)** : 눈을 감고 몸과 정신의 활동을 멈추고 한동안 쉬는 상태가 되다.
  tidur
  menutup mata, menghentikan kegiatan fisik serta mental, dan berada dalam keadaan beristirahat untuk beberapa waktu

- **-려고** : (두루낮춤으로) 어떤 주어진 상황에 대하여 의심이나 반문을 나타내는 종결 어미.
  -kah
  (dalam bentuk rendah) akhiran penutup untuk menyatakan kecurigaan atau pertanyaan balik tentang situasi yang ada

시험 기간+에 도서관 자리 잡+기+가 <u>어렵(어려우)+어서</u>
어려워서

내일 일찍 일어나+려고요.

- **시험 (nomina)** : 문제, 질문, 실제의 행동 등의 일정한 절차에 따라 지식이나 능력을 검사하고 평가하는 일.
  ujian
  pekerjaan mengukur dan menilai pengetahuan atau kemampuan sesuai dengan prosedur yang ditetapkan, baik soalnya, pertanyaannya, maupun dari sikap

- **기간 (nomina)** : 어느 일정한 때부터 다른 일정한 때까지의 동안.
  periode
  jarak dari satu waktu ke waktu lain tertentu

- **에** : 앞말이 시간이나 때임을 나타내는 조사.
  pada
  partikel yang menyatakan kalimat di depan adalah waktu atau saat

- **도서관 (nomina)** : 책과 자료 등을 많이 모아 두고 사람들이 빌려 읽거나 공부를 할 수 있게 마련한 시설.
  perpustakaan
  fasilitas yang disediakan untuk mengumpulkan buku, data, dsb agar orang-orang dapat meminjam serta membaca atau belajar

- **자리 (nomina)** : 사람이 앉을 수 있도록 만들어 놓은 곳.
  tempat duduk
  tempat yang dibuat agar orang dapat duduk

• **잡다 (verba)** : 자리, 방향, 시기 등을 정하다.
  Tiada Penjelasan Arti
  menentukan tempat duduk, arah, waktu, dan lain-lain

• **-기** : 앞의 말이 명사의 기능을 하게 하는 어미.
  Tiada Penjelasan Arti
  akhiran yang membuat kata di depannya berfungsi sebagai kata benda

• **가** : 어떤 상태나 상황에 놓인 대상이나 동작의 주체를 나타내는 조사.
  Tiada Penjelasan Arti
  partikel yang menyatakan subjek sebuah keadaan atau situasi atau pelaku utama sebuah tindakan

• **어렵다 (adjektiva)** : 하기가 복잡하거나 힘이 들다.
  sulit, rumit
  rumit atau memakan tenaga dalam melakukannya

• **-어서** : 이유나 근거를 나타내는 연결 어미.
  lalu, kemudian, karena, dengan
  kata penutup sambung yang menyatakan alasan atau landasan

• **내일 (adverbia)** : 오늘의 다음 날에.
  besok
  pada hari berikutnya setelah hari ini

• **일찍 (adverbia)** : 정해진 시간보다 빠르게.
  dini, cepat
  lebih cepat dari yang diperkirakan atau ditentukan

• **일어나다 (verba)** : 잠에서 깨어나다.
  bangun tidur, bangun, terjaga
  bangun dari tidur

• **-려고요** : (두루높임으로) 어떤 행동을 할 의도나 욕망을 가지고 있음을 나타내는 표현.
  mau, ingin, bermaksud
  (dalam bentuk hormat) ungkapan yang menunjukkan hal memiliki maksud atau nafsu untuk melakukan suatu tindakan

< 대화(pembicaraan) > - 65

나 지금 마트에 가려고 하는데 혹시 필요한 거 있니?
나 지금 마트에 가려고 하는데 혹씨 피료한 거 인니?
na jigeum mateue garyeogo haneunde hoksi piryohan geo inni?

그럼 오는 길에 휴지 좀 사다 줄래?
그럼 오는 기레 휴지 좀 사다 줄래?
geureom oneun gire hyuji jom sada jullae?

< 설명(penjelasan) / 번역(penerjemahan) >

나 지금 마트+에 가+[려고 하]+는데 혹시 필요하+[ㄴ 것(거)] 있+니?
필요한 거

• 나 (pronomina) : 말하는 사람이 친구나 아랫사람에게 자기를 가리키는 말.
  aku
  kata yang digunakan orang yang berbicara untuk menunjuk dirinya sendiri kepada teman atau orang yang berada di bawahnya

• 지금 (adverbia) : 말을 하고 있는 바로 이때에. 또는 그 즉시에.
  sekarang
  saat sedang berbicara, atau pada saat itu

• 마트 (nomina) : 각종 생활용품을 판매하는 대형 매장.
  pasar, mart
  toko besar yang menjual berbagai keperluan rumah tangga

• 에 : 앞말이 목적지이거나 어떤 행위의 진행 방향임을 나타내는 조사.
  ke
  partikel yang menyatakan kalimat di depan adalah tempat tujuan atau arah jalannya tindakan

• 가다 (verba) : 한 곳에서 다른 곳으로 장소를 이동하다.
  pergi
  bergerak dari satu tempat ke tempat lain

- -려고 하다 : 앞의 말이 나타내는 행동을 할 의도나 의향이 있음을 나타내는 표현.
  bermaksud, akan, mau, hendak
  ungkapan yang menyatakan bermaksud atau berhasrat melakukan tindakan dalam kalimat yang disebutkan di depan

- -는데 : 뒤의 말을 하기 위하여 그 대상과 관련이 있는 상황을 미리 말함을 나타내는 연결 어미.
  sebenarnya, nyatanya
  akhiran kalimat penyambung yang menyatakan mengatakan terlebih dahulu keadaan yang berhubungan sebelum mengatakan kalimat yang berhubungan

- 혹시 (adverbia) : 그러리라 생각하지만 분명하지 않아 말하기를 망설일 때 쓰는 말.
  apakah mungkin
  kata yang digunakan ketika ragu-ragu untuk berbicara karena tidak pasti meskipun berpikir demikian

- 필요하다 (adjektiva) : 꼭 있어야 하다.
  perlu, butuh, memerlukan, membutuhkan
  harus ada

- -ㄴ 것 : 명사가 아닌 것을 문장에서 명사처럼 쓰이게 하거나 '이다' 앞에 쓰일 수 있게 할 때 쓰는 표현.
  yang
  ungkapan yang dapat membuat suatu kelas kata bisa digunakan sebagai kata benda dalam kalimat dan berfungsi sebagai subjek atau objek, atau dapat membuat suatu kelas kata bisa digunakan di depan '이다'

- 있다 (adjektiva) : 사람, 동물, 물체 등이 존재하는 상태이다.
  ada
  orang, hewan, benda, dsb dalam keadaan ada

- -니 : (아주낮춤으로) 물음을 나타내는 종결 어미.
  -kah?
  (dalam bentuk sangat rendah) akhiran penutup yang menyatakan pertanyaan

그럼 오+[는 길에] 휴지 좀 사+(아)다 주+ㄹ래?
사다 　　　 줄래

- 그럼 (adverbia) : 앞의 내용을 받아들이거나 그 내용을 바탕으로 하여 새로운 주장을 할 때 쓰는 말.
  jadi, maka, kalau demikian
  kata yang digunakan saat menerima isi ucapan yang ada di depan atau membuat pernyataan baru berdasar latar belakang tersebut

• 오다 (verba) : 무엇이 다른 곳에서 이곳으로 움직이다.

datang,kemari, ke sini

sesuatu bergerak dari tempat lain ke sini

• -는 길에 : 어떤 일을 하는 도중이나 기회임을 나타내는 표현.

di jalan, di saat, dalam perjalanan, sekaligus, sekalian

ungkapan yang menunjukkan sedang melakukan sesuatu atau dalam kesempatan

• 휴지 (nomina) : 더러운 것을 닦는 데 쓰는 얇은 종이.

kertas tisu

kertas tipis yang digunakan untuk mengelap sesuatu yang kotor

• 좀 (adverbia) : 주로 부탁이나 동의를 구할 때 부드러운 느낌을 주기 위해 넣는 말.

Tiada Penjelasan Arti

kata yang biasanya dibubuhkan untuk memberikan kesan halus saat memohon atau meminta persetujuan

• 사다 (verba) : 돈을 주고 어떤 물건이나 권리 등을 자기 것으로 만들다.

membeli

menjadikan sesuatu atau hak dsb milik dengan memberikan sejumlah uang

• -아다 : 어떤 행동을 한 뒤 그 행동의 결과를 가지고 뒤의 말이 나타내는 행동을 이어 함을 나타내는 연결 어미.

setelah, sesudah, selepas, kemudian

akhiran penghubung untuk melanjutkan kegiatan di kalimat induk sesuai dengan hasil suatu tindakan di anak kalimat.

• 주다 (verba) : 물건 등을 남에게 건네어 가지거나 쓰게 하다.

kasih, memberi

mengeluarkan barang dsb untuk orang lain kemudian membuat menjadi memiliki atau menggunakannya

• -ㄹ래 : (두루낮춤으로) 앞으로 어떤 일을 하려고 하는 자신의 의사를 나타내거나 그 일에 대하여 듣는 사람의 의사를 물어봄을 나타내는 종결 어미.

mau, ingin, akan

(dalam bentuk rendah) kata penutup final yang menyatakan maksud diri sendiri untuk melakukan suatu pekerjaan ke masa depan atau menanyakan maksud pendengar tentang pekerjaan tersebut

< 대화(pembicaraan) > - 66

오늘 회의 몇 시부터 시작하지?
오늘 회이 멷 시부터 시자카지?
oneul hoei myeot sibuteo sijakaji?

지금 시작하려고 하니까 빨리 준비하고 와.
지금 시자카려고 하니까 빨리 준비하고 와.
jigeum sijakaryeogo hanikka ppalli junbihago wa.

< 설명(penjelasan) / 번역(penerjemahan) >

오늘 회의 몇 시+부터 시작하+지?

- **오늘 (nomina)** : 지금 지나가고 있는 이날.
  hari ini
  hari ini yang sekarang sedang dilalui sekarang

- **회의 (nomina)** : 여럿이 모여 의논함. 또는 그런 모임.
  rapat
  hal beberapa orang berkumpul lalu berdiskusi, atau perkumpulan yang demikian

- **몇 (pewatas)** : 잘 모르는 수를 물을 때 쓰는 말.
  berapa
  kata yang digunakan untuk menanyakan angka yang tidak diketahui dengan jelas

- **시 (nomina)** : 하루를 스물넷으로 나누었을 때 그 하나를 나타내는 시간의 단위.
  jam, pukul
  satuan yang memperlihatkan waktu

- **부터** : 어떤 일의 시작이나 처음을 나타내는 조사.
  Tiada Penjelasan Arti
  partikel yang menyatakan awal atau mula sebuah peristiwa

- **시작하다 (verba)** : 어떤 일이나 행동의 처음 단계를 이루거나 이루게 하다.
  mulai, memulai
  menjalankan atau membuat melaksanakan tahap pertama dari suatu pekerjaan atau tindakan

- -지 : (두루낮춤으로) 말하는 사람이 듣는 사람에게 친근함을 나타내며 물을 때 쓰는 종결 어미.
sih?
(dalam bentuk rendah) kata penutup final yang digunakan saat pembicara bertanya sambil menunjukkan kedekatan kepada pendengar

지금 시작하+[려고 하]+니까 빨리 준비하+고 오+아.
와

- 지금 (adverbia) : 말을 하고 있는 바로 이때에. 또는 그 즉시에.
sekarang
saat sedang berbicara, atau pada saat itu

- 시작하다 (verba) : 어떤 일이나 행동의 처음 단계를 이루거나 이루게 하다.
mulai, memulai
menjalankan atau membuat melaksanakan tahap pertama dari suatu pekerjaan atau tindakan

- -려고 하다 : 앞의 말이 나타내는 일이 곧 일어날 것 같거나 시작될 것임을 나타내는 표현.
akan, bakalan
ungkapan yang menyatakan bahwa peristiwa dalam kalimat yang disebutkan di depan sepertinya akan segera terjadi atau dimulai

- -니까 : 뒤에 오는 말에 대하여 앞에 오는 말이 원인이나 근거, 전제가 됨을 강조하여 나타내는 연결 어미.
karena, sebab, ketika
akhiran penghubung untuk menegaskan bahwa kalimat di depan menjadi alasan, dasar, atau premis dari kalimat di belakang

- 빨리 (adverbia) : 걸리는 시간이 짧게.
cepat, dengan cepat, secara cepat
waktu yang diperlukan pendek, dalam waktu yang pendek

- 준비하다 (verba) : 미리 마련하여 갖추다.
menyiapkan, mempersiapkan
mempersiapkan lebih awal dan memiliki

- -고 : 앞의 말과 뒤의 말이 차례대로 일어남을 나타내는 연결 어미.
lalu
akhiran penghubung yang menyatakan bahwa kalimat di depan dan di belakang muncul secara berturut-turut

· **오다 (verba)** : 무엇이 다른 곳에서 이곳으로 움직이다.

  datang,kemari, ke sini

  sesuatu bergerak dari tempat lain ke sini

· -아 : (두루낮춤으로) 어떤 사실을 서술하거나 물음, 명령, 권유를 나타내는 종결 어미.

  -kah, -lah

  (dalam bentuk rendah) akhiran penutup untuk menyatakan suatu kenyataan atau menandai pertanyaan, perintah, dan ajakan <perintah>

· **오다 (verba)** : 무엇이 다른 곳에서 이곳으로 움직이다.

  datang,kemari, ke sini

  sesuatu bergerak dari tempat lain ke sini

< 대화(pembicaraan) > - 67

장마도 끝났으니 이제 정말 더워지려나 봐.
장마도 끈나쓰니 이제 정말 더워지려나 봐.
jangmado kkeunnasseuni ije jeongmal deowojiryeona bwa.

맞아. 오늘 아침에 걸어오는데 땀이 줄줄 나더라.
마자. 오늘 아치메 거러오는데 따미 줄줄 나더라.
maja. oneul achime georeooneunde ttami juljul nadeora.

< 설명(penjelasan) / 번역(penerjemahan) >

장마+도 끝나+았+으니 이제 정말 더워지+[려나 보]+아.
　　　끝났으니　　　　　　　　더워지려나 봐

• **장마 (nomina)** : 여름철에 여러 날 계속해서 비가 오는 현상이나 날씨. 또는 그 비.
  musim hujan
  fenomena atau cuaca di mana hujan terus datang selama beberapa hari di musim panas,
  atau hujan yang demikian

• **도** : 이미 있는 어떤 것에 다른 것을 더하거나 포함함을 나타내는 조사.
  juga
  partikel yang menyatakan menambahkan atau mengikutsertakan sesuatu yang lain pada
  sesuatu yang sudah ada

• **끝나다 (verba)** : 정해진 기간이 모두 지나가다.
  selesai, berlalu
  waktu atau periode yang ditentukan sudah berakhir

• **-았-** : 어떤 사건이 과거에 완료되었거나 그 사건의 결과가 현재까지 지속되는 상황을 나타내는 어미.
  sudah, telah, pasti akan
  akhiran kalimat yang menyatakan sebuah peristiwa sudah selesai di masa lampau atau
  menyatakan keadaan di mana hasil peristiwa tersebut terus berlangsung hingga sekarang

• **-으니** : 뒤에 오는 말에 대하여 앞에 오는 말이 원인이나 근거, 전제가 됨을 나타내는 연결 어미.
  karena, berhubung
  kata penutup sambung yang menyatakan bahwa kalimat di depan menjadi alasan, dasar,
  atau premis dari kalimat di belakang

• **이제 adverbia)** : 지금부터 앞으로.
mulai sekarang
mulai dari saat ini ke depannya

• **정말 (adverbia)** : 거짓이 없이 진짜로.
benar-benar, sungguh-sungguh
tidak ada kebohongan, yang sebenarnya

• **더워지다 (verba)** : 온도가 올라가다. 또는 그로 인해 더워나 뜨거움을 느끼다.
memanas
temperaturnya naik atau merasa kepanasan karena suhunya naik

• **-려나 보다** : 앞의 말이 나타내는 일이 일어날 것이라고 추측함을 나타내는 표현.
sepertinya akan, nampaknya akan
ungkapan yang menyatakan menduga bahwa peristiwa yang dinyatakan oleh kalimat di depan akan terjadi

• **-아** : (두루낮춤으로) 어떤 사실을 서술하거나 물음, 명령, 권유를 나타내는 종결 어미.
-kah, -lah
(dalam bentuk rendah) akhiran penutup untuk menyatakan suatu kenyataan atau menandai pertanyaan, perintah, dan ajakan <penjabaran>

맞+아.

오늘 아침+에 걸어오+는데 땀+이 줄줄 나+더라.

• **맞다 (verba)** : 그렇거나 옳다.
benar, betul
benar

• **-아** : (두루낮춤으로) 어떤 사실을 서술하거나 물음, 명령, 권유를 나타내는 종결 어미.
-kah, -lah
(dalam bentuk rendah) akhiran penutup untuk menyatakan suatu kenyataan atau menandai pertanyaan, perintah, dan ajakan <penjabaran>

• **오늘 (nomina)** : 지금 지나가고 있는 이날.
hari ini
hari ini yang sekarang sedang dilalui sekarang

• **아침 (nomina)** : 날이 밝아올 때부터 해가 떠올라 하루의 일이 시작될 때쯤까지의 시간.
pagi
waktu yang dimulai dari terangnya hari sampai pada dimulainya waktu kerja

• 에 : 앞말이 시간이나 때임을 나타내는 조사.
  pada
  partikel yang menyatakan kalimat di depan adalah waktu atau saat

• **걸어오다 (verba)** : 목적지를 향하여 다리를 움직여서 이동하여 오다.
  berjalan, jalan
  mengarah ke tempat tujuan dan bergerak kemudian datang menggunakan kaki

• -는데 : 뒤의 말을 하기 위하여 그 대상과 관련이 있는 상황을 미리 말함을 나타내는 연결 어미.
  sebenarnya, nyatanya
  akhiran kalimat penyambung yang menyatakan mengatakan terlebih dahulu keadaan yang berhubungan sebelum mengatakan kalimat yang berhubungan

• **땀 (nomina)** : 덥거나 몸이 아프거나 긴장을 했을 때 피부를 통해 나오는 짭짤한 맑은 액체.
  keringat
  cairan bening dan asin yang keluar melalui kulit saat panas, tubuh sakit, atau tegang

• 이 : 어떤 상태나 상황의 대상이나 동작의 주체를 나타내는 조사.
  Tiada Penjelasan Arti
  partikel yang menyatakan objek dari suatu keadaan atau kondisi atau pelaku dari suatu tindakan

• **줄줄 (adverbia)** : 굵은 물줄기 등이 계속 흐르는 소리. 또는 그 모양.
  Tiada Penjelasan Arti
  bunyi curah air yang besar yang terus-menerus mengalir, atau bentuk yang demikian

• **나다 (verba)** : 몸에서 땀, 피, 눈물 등이 흐르다.
  timbul
  mengalirnya keringat, darah, air mata

• -더라 : (아주낮춤으로) 말하는 이가 직접 경험하여 새롭게 알게 된 사실을 지금 전달함을 나타내는 종
          결 어미.
  sebenarnya, ternyata
  (dalam bentuk sangat rendah) kata penutup final yang mengatakan penyampaian kenyataan sekarang setelah pembicara mengalami secara langsung dan baru mengetahuinya

< 대화(pembicaraan) > - 68

나는 아내를 위해서 대신 죽을 수도 있을 것 같아.
나는 아내를 위해서 대신 주글 쑤도 이쓸 껃 가타.
naneun anaereul wihaeseo daesin jugeul sudo isseul geot gata.

네가 아내를 정말 사랑하는구나.
네가 아내를 정말 사랑하는구나.
nega anaereul jeongmal saranghaneunguna.

< 설명(penjelasan) / 번역(penerjemahan) >

나+는 아내+[를 위해서] 대신 죽+[을 수+도 있]+[을 것 같]+아.

- 나 (pronomina) : 말하는 사람이 친구나 아랫사람에게 자기를 가리키는 말.
  aku
  kata yang digunakan orang yang berbicara untuk menunjuk dirinya sendiri kepada teman atau orang yang berada di bawahnya

- 는 : 문장 속에서 어떤 대상이 화제임을 나타내는 조사.
  Tiada Penjelasan Arti
  partikel yang menyatakan suatu subjek dalam kalimat menjadi bahan pembicaraan

- 아내 (nomina) : 결혼하여 남자의 짝이 된 여자.
  istri
  orang yang menjadi pasangan seorang laki-laki setelah menikah

- 를 위해서 : 어떤 대상에게 이롭게 하거나 어떤 목표나 목적을 이루려고 함을 나타내는 표현.
  demi, untuk
  ungkapan yang menunjukkan hal memberikan keuntungan atau mewujudkan suatu target atau tujuan kepada suatu objek

- 대신 (nomina) : 어떤 대상이 맡던 구실을 다른 대상이 새로 맡음. 또는 그렇게 새로 맡은 대상.
  sebagai ganti, objek pengganti
  hal fungsi yang ditangani suatu objek digantikan dengan baru oleh objek lain, atau objek yang dengan baru menangani fungsi tersebut

• 죽다 (verba) : 생물이 생명을 잃다.
mati, meninggal
mahluk hidup kehilangan nyawa

• -을 수 있다 : 어떤 행동이나 상태가 가능함을 나타내는 표현.
bisa, mungkin
ungkapan yang memunculkan arti bahwa suatu peristiwa atau keadaan mungkin untuk terjadi

• 도 : 극단적인 경우를 들어 다른 경우는 말할 것도 없음을 나타내는 조사.
saja
partikel yang menyatakan tidak dapat mengatakan perihal yang lain dengan mengangkat situasi yang ekstrem

• -을 것 같다 : 추측을 나타내는 표현.
sepertinya, tampaknya kelihatannya
ungkapan yang menyatakan dugaan atau terkaan

• -아 : (두루낮춤으로) 어떤 사실을 서술하거나 물음, 명령, 권유를 나타내는 종결 어미.
-kah, -lah
(dalam bentuk rendah) akhiran penutup untuk menyatakan suatu kenyataan atau menandai pertanyaan, perintah, dan ajakan <penjabaran>

네+가 아내+를 정말 사랑하+는구나.

• 네 (pronomina) : '너'에 조사 '가'가 붙을 때의 형태.
kamu, engkau
bentuk saat partikel subjek '가' melekat pada '너'

• 가 : 어떤 상태나 상황에 놓인 대상이나 동작의 주체를 나타내는 조사.
Tiada Penjelasan Arti
partikel yang menyatakan subjek sebuah keadaan atau situasi atau pelaku utama sebuah tindakan

• 아내 (nomina) : 결혼하여 남자의 짝이 된 여자.
istri
orang yang menjadi pasangan seorang laki-laki setelah menikah

• 를 : 동작이 직접적으로 영향을 미치는 대상을 나타내는 조사.
Tiada Penjelasan Arti
partikel yang menyatakan objek dari suatu gerakan yang secara langsung memberikan pengaruh

· **정말 (adverbia)** : 거짓이 없이 진짜로.
   benar-benar, sungguh-sungguh
   tidak ada kebohongan, yang sebenarnya

· **사랑하다 (verba)** : 상대에게 성적으로 매력을 느껴 열렬히 좋아하다.
   mencintai
   merasa tertarik secara seksual terhadap pihak lawan dan sangat menyukainya

· **-는구나** : (아주낮춤으로) 새롭게 알게 된 사실에 어떤 느낌을 실어 말함을 나타내는 종결 어미.
   ternyata , rupanya
   (dalam bentuk sangat rendah) kata penutup final yang menyatakan seruan karena baru
   mengetahui atau menyadari suatu kenyataan

< 대화(pembicaraan) > - 69

이 약은 하루에 몇 번이나 먹어야 하나요?
이 야근 하루에 몆 버니나 머거야 하나요?
i yageun harue myeot beonina meogeoya hanayo?

아침저녁으로 두 번만 드시면 됩니다.
아침저녀그로 두 번만 드시면 됩니다.
achimjeonyeogeuro du beonman deusimyeon doemnida.

< 설명(penjelasan) / 번역(penerjemahan) >

이 약+은 하루+에 몇 번+이나 먹+[어야 하]+나요?

• 이 (pewatas) : 말하는 사람에게 가까이 있거나 말하는 사람이 생각하고 있는 대상을 가리킬 때 쓰는 말.
  ini, si ini
  kata yang digunakan saat menunjuk target yang berada di dekat atau yang dipikirkan si pembicara

• 약 (nomina) : 병이나 상처 등을 낫게 하거나 예방하기 위하여 먹거나 바르거나 주사하는 물질.
  obat
  zat untuk menyembuhkan penyakit atau luka dsb atau untuk dimakan, dibaluri, disuntikkan untuk mencegah

• 은 : 문장 속에서 어떤 대상이 화제임을 나타내는 조사.
  Tiada Penjelasan Arti
  partikel yang menyatakan suatu objek menjadi topik di dalam kalimat

• 하루 (nomina) : 밤 열두 시부터 다음 날 밤 열두 시까지의 스물네 시간.
  satu hari, sehari
  24 jam sejak jam 12 malam hingga jam 12 malam hari berikutnya

• 에 : 앞말이 기준이 되는 대상이나 단위임을 나타내는 조사.
  dalam, bagi, untuk
  partikel yang menyatakan kalimat di depan adalah objek, subjek, atau satuan yang menjadi patokan

• **몇 (pewatas)** : 잘 모르는 수를 물을 때 쓰는 말.
  berapa
  kata yang digunakan untuk menanyakan angka yang tidak diketahui dengan jelas

• **번 (nomina)** : 일의 횟수를 세는 단위.
  kali
  kata untuk menunjukkan banyaknya jumlah berulangnya suatu hal

• 이나 : 수량이나 정도를 대강 짐작할 때 쓰는 조사.
  kira-kira
  partikel yang digunakan saat menebak secara garis besar jumlah atau ukuran

• **먹다 (verba)** : 약을 입에 넣어 삼키다.
  minum, menelan
  memasukkan obat ke dalam mulut lalu melenannya

• –어야 하다 : 앞에 오는 말이 어떤 일을 하거나 어떤 상황에 이르기 위한 의무적인 행동이거나 필수적인 조건임을 나타내는 표현.
  harus, wajib, perlu
  ungkapan yang menyatakan perkataan sebelumnya adalah syarat wajib atau diperlukan demi melakukan suatu hal atau mewujudkan suatu situasi

• –나요 : (두루높임으로) 앞의 내용에 대해 상대방에게 물어볼 때 쓰는 표현.
  apakah, apa
  (dalam bentuk hormat) ungkapan yang digunakan saat bertanya kepada lawan bicara mengenai hal di depan

아침저녁+으로 두 번+만 들(드)+시+[면 되]+ㅂ니다.
드시면 됩니다

• **아침저녁 (nomina)** : 아침과 저녁.
  pagi malam
  pagi dan malam

• 으로 : 시간을 나타내는 조사.
  ke, pada, menjadi
  partikel yang menyatakan waktu

• **두 (pewatas)** : 둘의.
  dua
  berjumlah dua

- 번 (nomina) : 일의 횟수를 세는 단위.
  kali
  kata untuk menunjukkan banyaknya jumlah berulangnya suatu hal

- 만 : 다른 것은 제외하고 어느 것을 한정함을 나타내는 조사.
  hanya
  partikel yang menyatakan membatasi sesuatu di luar sesuatu yang lain

- 들다 (verba) : (높임말로) 먹다.
  makan
  (dalam sebutan hormat) bentuk sopan kata '먹다'

- -시- : 어떤 동작이나 상태의 주체를 높이는 뜻을 나타내는 어미.
  Tiada Penjelasan Arti
  akhiran kalimat yang menyatakan arti meninggikan subjek atau topik suatu tindakan atau keadaan

- -면 되다 : 조건이 되는 어떤 행동을 하거나 어떤 상태만 갖추어지면 문제가 없거나 충분함을 나타내는 표현.
  cukup~saja, hanya~saja
  ungkapan yang menunjukkan hal melakukan suatu tindakan yang menjadi syarat atau suatu kondisi saja dimiliki maka tidak akan ada masalah atau cukup

- -ㅂ니다 : (아주높임으로) 현재의 동작이나 상태, 사실을 정중하게 설명함을 나타내는 종결 어미.
  adalah
  (dalam bentuk sangat hormat) kata penutup final yang menyatakan menjelaskan tindakan, keadaan, atau kenyataan di masa kini dengan sopan

< 대화(pembicaraan) > - 70

다음부터는 수업 시간에 떠들면 안 돼.
다음부터는 수업 시가네 떠들면 안 돼.
daeumbuteoneun sueop sigane tteodeulmyeon an dwae.

네, 선생님. 다음부터는 절대 떠들지 않을게요.
네, 선생님. 다음부터는 절대 떠들지 아늘께요.
ne, seonsaengnim. daeumbuteoneun jeoldae tteodeulji aneulgeyo.

< 설명(penjelasan) / 번역(penerjemahan) >

다음+부터+는 수업 시간+에 떠들+[면 안 되]+어.
떠들면 안 돼

- **다음 (nomina)** : 이번 차례의 바로 뒤.
  berikut, berikutnya
  tepat berikutnya setelah urutan pada kali ini

- **부터** : 어떤 일의 시작이나 처음을 나타내는 조사.
  Tiada Penjelasan Arti
  partikel yang menyatakan awal atau mula sebuah peristiwa

- **는** : 어떤 대상이 다른 것과 대조됨을 나타내는 조사.
  Tiada Penjelasan Arti
  partikel yang menyatakan suatu subjek diperbandingkan dengan sesuatu yang lain

- **수업 (nomina)** : 교사가 학생에게 지식이나 기술을 가르쳐 줌.
  kuliah, kelas
  hal pengajar mengajari murid tentang pengetahuan atau teknik

- **시간 (nomina)** : 어떤 일이 시작되어 끝날 때까지의 동안.
  waktu, masa, periode
  selama dimulai sampai selesainya suatu waktu

- **에** : 앞말이 시간이나 때임을 나타내는 조사.
  pada
  partikel yang menyatakan kalimat di depan adalah waktu atau saat

• 떠들다 (verba) : 큰 소리로 시끄럽게 말하다.
  berbicara keras-keras
  berbicara dengan suara lantang dan berisik

• -면 안 되다 : 어떤 행동이나 상태를 금지하거나 제한함을 나타내는 표현.
  tidak boleh~
  ungkapan yang menyatakan larangan atau batasan suatu tindakan atau keadaan

• -어 : (두루낮춤으로) 어떤 사실을 서술하거나 물음, 명령, 권유를 나타내는 종결 어미.
  -kah, -lah
  (dalam bentuk rendah) akhiran penutup untuk menyatakan suatu kenyataan atau menandai
  pertanyaan, perintah, dan ajakan <perintah>

네, 선생님.

다음+부터+는 절대 떠들+[지 않]+을게요.

• 네 (interjeksi) : 윗사람의 물음이나 명령 등에 긍정하여 대답할 때 쓰는 말.
  ya
  kata yang digunakan untuk memberikan jawaban positif, setuju terhadap pertanyaan,
  perintah orang yang lebih tua umurnya, atau lebih tinggi posisinya

• 선생님 (nomina) : (높이는 말로) 학생을 가르치는 사람.
  bapak atau ibu guru
  (dalam sebutan hormat) orang yang mengajarkan murid

• 다음 (nomina) : 이번 차례의 바로 뒤.
  berikut, berikutnya
  tepat berikutnya setelah urutan pada kali ini

• 부터 : 어떤 일의 시작이나 처음을 나타내는 조사.
  Tiada Penjelasan Arti
  partikel yang menyatakan awal atau mula sebuah peristiwa

• 는 : 어떤 대상이 다른 것과 대조됨을 나타내는 조사.
  Tiada Penjelasan Arti
  partikel yang menyatakan suatu subjek diperbandingkan dengan sesuatu yang lain

• 절대 (adverbia) : 어떤 경우라도 반드시.
  bagaimanapun
  walau apa pun yang terjadi

• **떠들다 (verba)** : 큰 소리로 시끄럽게 말하다.
  berbicara keras-keras
  berbicara dengan suara lantang dan berisik

• **–지 않다** : 앞의 말이 나타내는 행위나 상태를 부정하는 뜻을 나타내는 표현.
  tidak
  ungkapan yang menyatakan arti menidakkan tindakan atau keadaan dalam kalimat yang disebutkan di depan

• **–을게요** : (두루높임으로) 말하는 사람이 어떤 행동을 할 것을 듣는 사람에게 약속하거나 의지를 나타내는 표현.
  akan
  (dalam bentuk hormat) ungkapan yang menyatakan orang yang berbicara menjanjikan atau memberitahukan akan melakukan suatu tindakan kepada pendengar

< 대화(pembicaraan) > - 71

엄마, 할머니 댁은 아직 멀었어요?
엄마, 할머니 대근 아직 머러써요?
eomma, halmeoni daegeun ajik meoreosseoyo?

아냐. 다 와 가. 삼십 분만 더 가면 되니까 조금만 참아.
아냐. 다 와 가. 삼십 분만 더 가면 되니까 조금만 차마.
anya. da wa ga. samsip bunman deo gamyeon doenikka jogeumman chama.

< 설명(penjelasan) / 번역(penerjemahan) >

엄마, 할머니 댁+은 아직 멀+었+어요?

• **엄마 (nomina)** : 격식을 갖추지 않아도 되는 상황에서 어머니를 이르거나 부르는 말.
  mama
  panggilan untuk menyebutkan ibu dalam situasi tidak resmi

• **할머니 (nomina)** : 아버지의 어머니, 또는 어머니의 어머니를 이르거나 부르는 말.
  nenek
  panggilan untuk menyebutkan ibu dari ayah atau ibu

• **댁 (nomina)** : (높이는 말로) 남의 집이나 가정.
  rumah, rumah tangga, keluarga
  (dalam sebutan hormat) rumah atau rumah tangga orang lain

• **은** : 문장 속에서 어떤 대상이 화제임을 나타내는 조사.
  Tiada Penjelasan Arti
  partikel yang menyatakan suatu objek menjadi topik di dalam kalimat

• **아직 (adverbia)** : 어떤 일이나 상태 또는 어떻게 되기까지 시간이 더 지나야 함을 나타내거나, 어떤 일이나 상태가 끝나지 않고 계속 이어지고 있음을 나타내는 말.
  belum, masih
  kata yang menunjukkan suatu hal atau keadaan, perlu waktu lagi sampai sesuatu terwujud, maupun suatu hal yang kondisinya belum berakhir dan terus berlanjut

• **멀다 (adjektiva)** : 지금으로부터 시간이 많이 남아 있다. 오랜 시간이 필요하다.
  lama
  masih banyak waktu yang tersisa dari sekarang

- -었- : 어떤 사건이 과거에 완료되었거나 그 사건의 결과가 현재까지 지속되는 상황을 나타내는 어미.
  sudah, pasti, yakin
  akhiran kalimat yang menyatakan sebuah peristiwa sudah selesai di masa lampau atau menyatakan keadaan di mana hasil peristiwa tersebut terus berlangsung hingga sekarang

- -어요 : (두루높임으로) 어떤 사실을 서술하거나 질문, 명령, 권유함을 나타내는 종결 어미.
  apakah, apa, ~saja, silakan
  (dalam bentuk hormat) kata penutup final yang mengungkapkan suatu kenyataan atau menyatakan pertanyaan, perintah, atau ajakan <pertanyaan>

아냐.

다 오+[아 가]+(아).
　　　와 가

삼십 분+만 더 가+[면 되]+니까 조금+만 참+아.

- 아냐 (interjeksi) : 묻는 말에 대하여 강조하며, 또는 단호하게 부정하며 대답할 때 쓰는 말.
  tidak, bukan
  jawaban negatif dengan lebih menekankan mengenai pertanyaan

- 다 (adverbia) : 행동이나 상태의 정도가 한정된 정도에 거의 가깝게.
  hampir
  dengan ukuran suatu sikap atau kondisi yang hampir mendekati ukuran yang terbatas

- 오다 (verba) : 가고자 하는 곳에 이르다.
  sampai, tiba
  tiba kdi tempat yang dituju

- -아 가다 : 앞의 말이 나타내는 행동이나 상태가 계속 진행됨을 나타내는 표현.
  semakin
  ungkapan yang menyatakan bahwa tindakan atau keadaan dalam kalimat depan terus berjalan

- -아 : (두루낮춤으로) 어떤 사실을 서술하거나 물음, 명령, 권유를 나타내는 종결 어미.
  -kah, -lah
  (dalam bentuk rendah) akhiran penutup untuk menyatakan suatu kenyataan atau menandai pertanyaan, perintah, dan ajakan <penjabaran>

- 삼십 (pewatas) : 서른의.
  tiga puluh
  jumlahnya ada tiga puluh

- 분 (nomina) : 한 시간의 60분의 1을 나타내는 시간의 단위.
  menit
  satuan waktu yang memperlihatkan 1/60 dari satu jam

- 만 : 앞의 말이 어떤 것에 대한 조건임을 나타내는 조사.
  hanya
  partikel yang menyatakan bahwa kalimat di depan adalah syarat sesuatu

- 더 (adverbia) : 보태어 계속해서.
  lagi
  terus menerus ditambahkan

- 가다 (verba) : 한 곳에서 다른 곳으로 장소를 이동하다.
  pergi
  bergerak dari satu tempat ke tempat lain

- -면 되다 : 조건이 되는 어떤 행동을 하거나 어떤 상태만 갖추어지면 문제가 없거나 충분함을 나타내는
  표현.
  cukup~saja, hanya~saja
  ungkapan yang menunjukkan hal melakukan suatu tindakan yang menjadi syarat atau suatu
  kondisi saja dimiliki maka tidak akan ada masalah atau cukup

- -니까 : 뒤에 오는 말에 대하여 앞에 오는 말이 원인이나 근거, 전제가 됨을 강조하여 나타내는 연결 어
  미.
  karena, sebab, ketika
  akhiran penghubung untuk menegaskan bahwa kalimat di depan menjadi alasan, dasar, atau
  premis dari kalimat di belakang

- 조금 (nomina) : 짧은 시간 동안.
  sebentar
  dalam waktu yang sangat singkat

- 만 : 말하는 사람이 기대하는 최소의 선을 나타내는 조사.
  hanya
  partikel yang menyatakan usaha terkecil yang diharapkan pembicara

- 참다 (verba) : 어떤 시간 동안을 견디고 기다리다.
  menunggu, menanti
  bertahan dan terus menunggu untuk beberapa waktu

• -아 : (두루낮춤으로) 어떤 사실을 서술하거나 물음, 명령, 권유를 나타내는 종결 어미.

-kah, -lah

(dalam bentuk rendah) akhiran penutup untuk menyatakan suatu kenyataan atau menandai pertanyaan, perintah, dan ajakan <perintah>

< 대화(pembicaraan) > - 72

부산까지는 시간이 꽤 오래 걸리니까 번갈아 가면서 운전하는 게 어때?
부산까지는 시가니 꽤 오래 걸리니까 번가라 가면서 운전하는 게 어때?
busankkajineun sigani kkwae orae geollinikka beongara gamyeonseo unjeonhaneun ge eottae?

그래. 그게 좋겠다.
그래. 그게 조켇따.
geurae. geuge joketda.

< 설명(penjelasan) / 번역(penerjemahan) >

부산+까지+는 시간+이 꽤 오래 걸리+니까 번갈+[아 가]+면서

운전하+[는 것(거)]+이 어떻+어?
　　운전하는 게　　　　어때

• 부산 (nomina) : 경상남도 동남부에 있는 광역시. 서울에 다음가는 대도시이며 한국 최대의 무역항이 있다.
　Busan
　kota metropolitan yang ada di bagian tenggara provinsi Gyeongsang Selatan di Korea Selatan, merupakan kota besar kedua setelah Seoul dan memiliki pelabuhan dagang terbesar di Korea

• 까지 : 어떤 범위의 끝임을 나타내는 조사.
　sampai
　partikel yang menyatakan akhir dari suatu lingkup

• 는 : 문장 속에서 어떤 대상이 화제임을 나타내는 조사.
　Tiada Penjelasan Arti
　partikel yang menyatakan suatu subjek dalam kalimat menjadi bahan pembicaraan

• 시간 (nomina) : 어떤 때에서 다른 때까지의 동안.
　waktu, masa
　jangka waktu dari suatu waktu sampai waktu lainnya

- 이 : 어떤 상태나 상황의 대상이나 동작의 주체를 나타내는 조사.
  Tiada Penjelasan Arti
  partikel yang menyatakan objek dari suatu keadaan atau kondisi atau pelaku dari suatu tindakan

- 꽤 (adverbia) : 예상이나 기대 이상으로 상당히.
  cukup
  melampaui perkiraan atau harapan

- 오래 (adverbia) : 긴 시간 동안.
  lama
  dalam waktu yang panjang

- 걸리다 (verba) : 시간이 들다.
  menempuh
  membutuhkan waktu

- -니까 : 뒤에 오는 말에 대하여 앞에 오는 말이 원인이나 근거, 전제가 됨을 강조하여 나타내는 연결 어미.
  karena, sebab, ketika
  akhiran penghubung untuk menegaskan bahwa kalimat di depan menjadi alasan, dasar, atau premis dari kalimat di belakang

- 번갈다 (verba) : 여럿이 어떤 일을 할 때, 일정한 시간 동안 한 사람씩 차례를 바꾸다.
  bergantian
  beberapa orang melakukan sebuah pekerjaan bergantian satu per satu secara berurutan selama waktu tertentu

- -아 가다 : 앞의 말이 나타내는 행동을 이따금 반복함과 동시에 또 다른 행동을 이어 함을 나타내는 표현.
  sambil, seraya
  ungkapan untuk menandai melakukan tindakan lain selama kadang kala melakukan tindakan dalam kalimat depan

- -면서 : 두 가지 이상의 동작이나 상태가 함께 일어남을 나타내는 연결 어미.
  sambil, seraya
  kata penutup sambung yang digunakan saat dua atau lebih tindakan atau keadaan muncul bersamaan

- 운전하다 (verba) : 기계나 자동차를 움직이고 조종하다.
  mengemudikan, mengoperasikan, menjalankan, menggerakkan
  menggerakkan dan mengoperasikan mesin atau kendaraan

- -는 것 : 명사가 아닌 것을 문장에서 명사처럼 쓰이게 하거나 '이다' 앞에 쓰일 수 있게 할 때 쓰는 표현.

    yang

    ungkapan yang dapat membuat suatu kelas kata bisa digunakan sebagai kata benda dalam kalimat dan berfungsi sebagai subjek atau objek, atau dapat membuat suatu kelas kata bisa digunakan di depan '이다'

- 이 : 어떤 상태나 상황의 대상이나 동작의 주체를 나타내는 조사.

    Tiada Penjelasan Arti

    partikel yang menyatakan objek dari suatu keadaan atau kondisi atau pelaku dari suatu tindakan

- 어떻다 (adjektiva) : 생각, 느낌, 상태, 형편 등이 어찌 되어 있다.

    bagaimana, sebagaimana, suatu

    pendapat, rasa, situasi, keadaan, dsb dalam suatu keadaan

- -어 : (두루낮춤으로) 어떤 사실을 서술하거나 물음, 명령, 권유를 나타내는 종결 어미.

    -kah, -lah

    (dalam bentuk rendah) akhiran penutup untuk menyatakan suatu kenyataan atau menandai pertanyaan, perintah, dan ajakan <pertanyaan>

그래.

그것(그거)+이 좋+겠+다.
그게

- 그래 (interjeksi) : '그렇게 하겠다, 그렇다, 알았다' 등 긍정하는 뜻으로, 대답할 때 쓰는 말.

    ya, boleh, baik

    jawaban yang mengiyakan atau menyetujui

- 그것((pronomina) : 앞에서 이미 이야기한 대상을 가리키는 말.

    itu, tersebut

    kata yang menunjukkan benda atau sesuatu yang telah disebutkan sebelumnya

- 이 : 어떤 상태나 상황의 대상이나 동작의 주체를 나타내는 조사.

    Tiada Penjelasan Arti

    partikel yang menyatakan objek dari suatu keadaan atau kondisi atau pelaku dari suatu tindakan

- 좋다 (adjektiva) : 어떤 일이나 대상이 마음에 들고 만족스럽다.

    suka

    suatu peristiwa atau objek berkenan di hati dan memuaskan

- -겠- : 미래의 일이나 추측을 나타내는 어미.

  barangkali, mungkin

  akhiran untuk menyatakan dugaan atau peristiwa di masa depan

- -다 : (아주낮춤으로) 어떤 사건이나 사실, 상태를 서술함을 나타내는 종결 어미.

  Tiada Penjelasan Arti

  (dalam bentuk sangat rendah) akhiran penutup untuk menyatakan suatu peristiwa, kenyataan, dan keadaan

< 대화(pembicaraan) > - 73

처음 해 보는 일에 새롭게 도전하는 것이 두렵지 않으세요?
처음 해 보는 이레 새롭께 도전하는 거시 두렵찌 아느세요?
cheoeum hae boneun ire saeropge dojeonhaneun geosi duryeopji aneuseyo?

아니요. 더디지만 하나씩 알아 나가는 재미가 있어요.
아니요. 더디지만 하나씩 아라 나가는 재미가 이써요.
aniyo. deodijiman hanassik ara naganeun jaemiga isseoyo.

< 설명(penjelasan) / 번역(penerjemahan) >

처음 <u>하</u>+[<u>여 보</u>]+는 일+에 새롭+게 도전하+[는 것]+이 두렵+[지 않]+으세요?
　　　　해 보는

- 처음 (nomina) : 차례나 시간상으로 맨 앞.
  pertama kali
  paling depan dari sebuah urutan atau waktu

- 하다 (verba) : 어떤 행동이나 동작, 활동 등을 행하다.
  melakukan, mengerjakan, menjalankan
  melaksanakan suatu tindakan atau aksi, kegiatan, dsb

- -여 보다 : 앞의 말이 나타내는 행동을 시험 삼아 함을 나타내는 표현.
  mencoba
  ungkapan yang menyatakan menjadikan tindakan dalam kalimat yang disebutkan di depan sebagai sebuah percobaan

- -는 : 앞의 말이 관형어의 기능을 하게 만들고 사건이나 동작이 현재 일어남을 나타내는 어미.
  yang
  akhiran untuk membuat kata di depannya berfungsi sebagai pewatas dan menyatakan kejadian atau tindakan terjadi sekarang

- 일 (nomina) : 무엇을 이루려고 몸이나 정신을 사용하는 활동. 또는 그 활동의 대상.
  pekerjaan
  kegiatan yang menggunakan tubuh atau mental untuk mewujudkan sesuatu, atau objek kegiatan yang demikian

• 에 : 앞말이 어떤 행위나 감정 등의 대상임을 나타내는 조사.
  karena, dengan, akibat, oleh
  partikel yang menyatakan kalimat di depan adalah objek suatu tindakan atau perasaan dsb

• 새롭다 (adjektiva) : 지금까지의 것과 다르거나 있은 적이 없다.
  baru, berbeda
  tidak pernah ada sebelumnya

• –게 : 앞의 말이 뒤에서 가리키는 일의 목적이나 결과, 방식, 정도 등이 됨을 나타내는 연결 어미.
  dengan
  kata penutup sambung yang menyatakan isi kalimat di depan dibutuhkan sementara kalimat di belakang terus dilanjutkan(formal, kedudukan penerima sangat rendah) **<cara>**

• 도전하다 (verba) : (비유적으로) 가치 있는 것이나 목표한 것을 얻기 위해 어려움에 맞서다.
  menghadapi tantangan
  (dalam bentuk kiasan) menghadapi kesulitan untuk mencapai tujuan atau mendapatkan hal yang berharga

• –는 것 : 명사가 아닌 것을 문장에서 명사처럼 쓰이게 하거나 '이다' 앞에 쓰일 수 있게 할 때 쓰는 표현.
  yang
  ungkapan yang dapat membuat suatu kelas kata bisa digunakan sebagai kata benda dalam kalimat dan berfungsi sebagai subjek atau objek, atau dapat membuat suatu kelas kata bisa digunakan di depan '이다'

• 이 : 어떤 상태나 상황의 대상이나 동작의 주체를 나타내는 조사.
  Tiada Penjelasan Arti
  partikel yang menyatakan objek dari suatu keadaan atau kondisi atau pelaku dari suatu tindakan

• 두렵다 (adjektiva) : 걱정되고 불안하다.
  takut, khawatir, was-was, cemas
  khawatir dan was-was

• –지 않다 : 앞의 말이 나타내는 행위나 상태를 부정하는 뜻을 나타내는 표현.
  tidak
  ungkapan yang menyatakan arti menidakkan tindakan atau keadaan dalam kalimat yang disebutkan di depan

• –으세요 : (두루높임으로) 설명, 의문, 명령, 요청의 뜻을 나타내는 종결 어미.
  apakah?, silakan, biar
  (dalam bentuk hormat) kata penutup final yang menyatakan arti penjelasan, pertanyaan, perintah, permintaan, dsb **<pertanyaan>**

아니요.

더디+지만 하나+씩 알+[아 나가]+는 재미+가 있+어요.

- **아니요 (interjeksi)** : 윗사람이 묻는 말에 대하여 부정하며 대답할 때 쓰는 말.
  tidak, belum
  kata yang digunakan untuk menjawab sambil menolak pertanyaan yang ditanyakan orang yang lebih tua

- **더디다 (adjektiva)** : 속도가 느려 무엇을 하는 데 걸리는 시간이 길다.
  pelan, lambat
  mengerjakan sesuatu dengan perlahan-lahan sehingga makan waktu yang cukup banyak untuk pekerjaan itu

- **-지만** : 앞에 오는 말을 인정하면서 그와 반대되거나 다른 사실을 덧붙일 때 쓰는 연결 어미.
  tetapi, namun, melainkan
  akhiran penghubung untuk menambahkan kenyataan yang berlawanan atau berbeda sambil mengakui isi anak kalimat.

- **하나 (numeralia)** : 숫자를 셀 때 맨 처음의 수.
  satu
  angka yang pertama kali muncul saat dihitung, atau angka yang dihasilkan dari tiga dikurangi dua

- **씩** : '그 수량이나 크기로 나눔'의 뜻을 더하는 접미사.
  per, setiap
  akhiran yang menambahkan arti "membagi sesuai jumlah atau besar tersebut"

- **알다 (verba)** : 교육이나 경험, 생각 등을 통해 사물이나 상황에 대한 정보 또는 지식을 갖추다.
  tahu, mengetahui
  memiliki pengetahuan tentang benda atau keadaan melalui pendidikan atau pengalaman, pemikiran, dsb

- **-아 나가다** : 앞의 말이 나타내는 행동을 계속 진행함을 나타내는 표현.
  terus, semakin
  ungkapan yang menyatakan terus melakukan tindakan dalam kalimat yang disebutkan di depan

- **-는** : 앞의 말이 관형어의 기능을 하게 만들고 사건이나 동작이 현재 일어남을 나타내는 어미.
  yang
  akhiran untuk membuat kata di depannya berfungsi sebagai pewatas dan menyatakan kejadian atau tindakan terjadi sekarang

• **재미 (nomina)** : 어떤 것이 주는 즐거운 기분이나 느낌.

  kesenangan, ketertarikan, pesona, kenikmatan

  suasana hati atau perasaan yang senang yang diberikan oleh sesuatu

• 가 : 어떤 상태나 상황에 놓인 대상이나 동작의 주체를 나타내는 조사.

  Tiada Penjelasan Arti

  partikel yang menyatakan subjek sebuah keadaan atau situasi atau pelaku utama sebuah tindakan

• **있다 (adjektiva)** : 사실이나 현상이 존재하다.

  memiliki, ada

  kenyataan atau fenomena ada

• –어요 : (두루높임으로) 어떤 사실을 서술하거나 질문, 명령, 권유함을 나타내는 종결 어미.

  apakah, apa, ~saja, silakan

  (dalam bentuk hormat) kata penutup final yang mengungkapkan suatu kenyataan atau menyatakan pertanyaan, perintah, atau ajakan <penjabaran>

< 대화(pembicaraan) > - 74

너 지우랑 화해했니?
너 지우랑 화해핸니?
neo jiurang hwahaehaenni?

아니. 난 지우한테 먼저 사과를 받아 낼 거야.
아니. 난 지우한테 먼저 사과를 바다 낼 꺼야.
ani. nan jiuhante meonjeo sagwareul bada nael geoya.

< 설명(penjelasan) / 번역(penerjemahan) >

너 지우+랑 <u>화해하+였+니</u>?
　　　　　　화해했니

- 너 (pronomina) : 듣는 사람이 친구나 아랫사람일 때, 그 사람을 가리키는 말.
  kamu
  kata untuk menunjuk lawan bicara yang merupakan teman atau orang yang lebih muda

- 지우 (nomina) : nama

- 랑 : 누군가를 상대로 하여 어떤 일을 할 때 그 상대임을 나타내는 조사.
  dengan
  partikel yang menyatakan hal menjadikan seseorang sebagai lawan lalu saat melakukan sesuatu hal itulah yang menjadi lawannya

- 화해하다 (verba) : 싸움을 멈추고 서로 가지고 있던 안 좋은 감정을 풀어 없애다.
  berdamai, merujuk, berekonsiliasi
  menghentikan pertengkaran kemudian menghilangkan perasaan yang tidak baik yang saling dimiliki sebelumnya

- -였- : 어떤 사건이 과거에 완료되었거나 그 사건의 결과가 현재까지 지속되는 상황을 나타내는 어미.
  sudah, telah, pernah
  akhiran kalimat yang menyatakan sebuah peristiwa sudah selesai di masa lampau atau menyatakan keadaan di mana hasil peristiwa tersebut terus berlangsung hingga sekarang

- -니 : (아주낮춤으로) 물음을 나타내는 종결 어미.
  -kah?
  (dalam bentuk sangat rendah) akhiran penutup yang menyatakan pertanyaan

아니.

<u>나</u>+는 지아+한테 먼저 사과+를 <u>받</u>+[아 내]+[ㄹ 것(거)]+(이)+야.
　난　　　　　　　　　　　　　받아 낼 거야

- **아니 (interjeksi)** : 아랫사람이나 나이나 지위 등이 비슷한 사람이 물어보는 말에 대해 부정하여 대답할 때 쓰는 말.
  tidak
  kata yang digunakan untuk memberikan jawaban negatif atas pertanyaan orang yang lebih muda atau rendah jabatannya atau berkedudukan sama dsb

- **나 (pronomina)** : 말하는 사람이 친구나 아랫사람에게 자기를 가리키는 말.
  aku
  kata yang digunakan orang yang berbicara untuk menunjuk dirinya sendiri kepada teman atau orang yang berada di bawahnya

- **는** : 문장 속에서 어떤 대상이 화제임을 나타내는 조사.
  Tiada Penjelasan Arti
  partikel yang menyatakan suatu subjek dalam kalimat menjadi bahan pembicaraan

- **지우 (nomina)** : nama

- **한테** : 어떤 행동의 주체이거나 비롯되는 대상임을 나타내는 조사.
  Tiada Penjelasan Arti
  partikel yang menyatakan subjek sebuah tindakan atau sesuatu yang menjadi awal

- **먼저 (adverbia)** : 시간이나 순서에서 앞서.
  duluan, terlebih dahulu
  (berada) di depan dari waktu atau urutan

- **사과 (nomina)** : 자신의 잘못을 인정하며 용서해 달라고 빎.
  permohonan maaf, permintaan maaf
  perkataan atau tindakan meminta maaf atas kesalahan yang dilakukan

- **를** : 동작이 직접적으로 영향을 미치는 대상을 나타내는 조사.
  Tiada Penjelasan Arti
  partikel yang menyatakan objek dari suatu gerakan yang secara langsung memberikan pengaruh

- **받다 (verba)** : 요구나 신청, 질문, 공격, 신호 등과 같은 작용을 당하거나 그에 응하다.
  menerima, mendapat
  terkena atau memberi respon pada efek seperti permintaan atau pengajuan, pertanyaan, serangan, tanda, dsb

• -아 내다 : 앞의 말이 나타내는 행동을 스스로의 힘으로 끝내 이룸을 나타내는 표현.
akhirnya, bertekad

ungkapan yang menyatakan mewujudkan tindakan dalam kalimat yang disebutkan di depan dengan kekuatan sendiri

• -ㄹ 것 : 명사가 아닌 것을 문장에서 명사처럼 쓰이게 하거나 '이다' 앞에 쓰일 수 있게 할 때 쓰는 표현.
minta, mohon, yang

ungkapan yang dapat membuat suatu kelas kata bisa digunakan sebagai kata benda dalam kalimat dan berfungsi sebagai subjek atau objek, atau dapat membuat suatu kelas kata bisa digunakan di depan '이다'

• 이다 : 주어가 지시하는 대상의 속성이나 부류를 지정하는 뜻을 나타내는 서술격 조사.
adalah

partikel kasus predikatif yang menyatakan maksud menentukan karakter atau jenis dari objek yang diindikasikan subjek

• -야 : (두루낮춤으로) 어떤 사실에 대하여 서술하거나 물음을 나타내는 종결 어미.
Tiada Penjelasan Arti

(dalam bentuk rendah) kata penutup final yang mengungkapkan suatu kenyataan atau menyatakan pertanyaan <penjabaran>

< 대화(pembicaraan) > - 75

왜 교실에 안 들어가고 밖에 서 있어?
왜 교시레 안 드러가고 바께 서 이써?
wae gyosire an deureogago bakke seo isseo?

누가 문을 잠가 놓았는지 문이 안 열려요.
누가 무늘 잠가 노안는지 무니 안 열려요.
nuga muneul jamga noanneunji muni an yeollyeoyo.

< 설명(penjelasan) / 번역(penerjemahan) >

왜 교실+에 안 들어가+고 밖+에 <u>서+[(어) 있]</u>+어?
서 있어

- **왜 (adverbia)** : 무슨 이유로. 또는 어째서.
  kenapa, mengapa
  untuk alasan apa, atau bagaimana bisa

- **교실 (nomina)** : 유치원, 초등학교, 중학교, 고등학교에서 교사가 학생들을 가르치는 방.
  ruangan kelas
  ruangan di mana pengajar mengajar murid-murid di taman kanak-kanak, sekolah dasar, SLTP, SLTA

- **에** : 앞말이 목적지이거나 어떤 행위의 진행 방향임을 나타내는 조사.
  ke
  partikel yang menyatakan kalimat di depan adalah tempat tujuan atau arah jalannya tindakan

- **안 (adverbia)** : 부정이나 반대의 뜻을 나타내는 말.
  tidak
  kata yang menampilkan lawan arti atau negatif

- **들어가다 (verba)** : 밖에서 안으로 향하여 가다.
  masuk
  pergi mengarah ke dalam dari luar

• -고 : 앞의 말이 나타내는 행동이나 그 결과가 뒤에 오는 행동이 일어나는 동안에 그대로 지속됨을 나타내는 연결 어미.

dan, dengan, sambil

akhiran penghubung yang menyatakan bahwa tindakan atau hasil di kalimat depan terus berjalan selama tindakan di kalimat belakang terjadi.

• 밖 (nomina) : 선이나 경계를 넘어선 쪽.

luar

sisi yang melewati garis atau batas

• 에 : 앞말이 어떤 장소나 자리임을 나타내는 조사.

di, pada

partikel yang menyatakan kalimat di depan adalah tempat atau lokasi

• 서다 (verba) : 사람이나 동물이 바닥에 발을 대고 몸을 곧게 하다.

berdiri

orang atau binatang menyentuhkan kaki ke lantai dan menegakkan badan

• -어 있다 : 앞의 말이 나타내는 상태가 계속됨을 나타내는 표현.

sudah, telah, masih

ungkapan untuk menyatakan bahwa keadaan dalam kalimat di depan terus berjalan

• -어 : (두루낮춤으로) 어떤 사실을 서술하거나 물음, 명령, 권유를 나타내는 종결 어미.

-kah, -lah

(dalam bentuk rendah) akhiran penutup untuk menyatakan suatu kenyataan atau menandai pertanyaan, perintah, dan ajakan <pertanyaan>

누(구)+가 문+을 잠그(잠ㄱ)+[아 놓]+았+는지 문+이 안 열리+어요.

누가   잠가 놓았는지   열려요

• 누구 (pronomina) : 모르는 사람을 가리키는 말.

siapa

kata untuk menunjuk orang yang tidak dikenal baik

• 가 : 어떤 상태나 상황에 놓인 대상이나 동작의 주체를 나타내는 조사.

Tiada Penjelasan Arti

partikel yang menyatakan subjek sebuah keadaan atau situasi atau pelaku utama sebuah tindakan

- **문 (nomina)** : 사람이 안과 밖을 드나들거나 물건을 넣고 꺼낼 수 있게 하기 위해 열고 닫을 수 있도록 만든 시설.

  pintu

  fasilitas atau alat yang dapat dibuka tutup yang dibuat agar orang dapat keluar masuk atau memasukkan dan mengeluarkan sesuatu

- **을** : 동작이 직접적으로 영향을 미치는 대상을 나타내는 조사.

  Tiada Penjelasan Arti

  partikel yang menyatakan objek dari suatu gerakan yang secara langsung memberikan pengaruh

- **잠그다 (verba)** : 문 등을 자물쇠나 고리로 남이 열 수 없게 채우다.

  mengunci

  menutup sesuatu seperti pintu dengan kunci atau gembok agar tidak bisa dibuka orang lain

- **-아 놓다** : 앞의 말이 나타내는 행동을 끝내고 그 결과를 유지함을 나타내는 표현.

  sudah dilakukan~, karena, gara-gara

  ungkapan yang menyatakan menyelesaikan tindakan dalam kalimat yang disebutkan di depan dan mempertahankan hasilnya

- **-았-** : 어떤 사건이 과거에 완료되었거나 그 사건의 결과가 현재까지 지속되는 상황을 나타내는 어미.

  sudah, telah, pasti akan

  akhiran kalimat yang menyatakan sebuah peristiwa sudah selesai di masa lampau atau menyatakan keadaan di mana hasil peristiwa tersebut terus berlangsung hingga sekarang

- **-는지** : 뒤에 오는 말의 내용에 대한 막연한 이유나 판단을 나타내는 연결 어미.

  mungkin karena

  kata penutup sambung yang menyatakan alasan atau penilaian yang samar tentang isi kalimat di belakang

- **문 (nomina)** : 사람이 안과 밖을 드나들거나 물건을 넣고 꺼낼 수 있게 하기 위해 열고 닫을 수 있도록 만든 시설.

  pintu

  fasilitas atau alat yang dapat dibuka tutup yang dibuat agar orang dapat keluar masuk atau memasukkan dan mengeluarkan sesuatu

- **이** : 어떤 상태나 상황의 대상이나 동작의 주체를 나타내는 조사.

  Tiada Penjelasan Arti

  partikel yang menyatakan objek dari suatu keadaan atau kondisi atau pelaku dari suatu tindakan

- **안 (adverbia)** : 부정이나 반대의 뜻을 나타내는 말.

  tidak

  kata yang menampilkan lawan arti atau negatif

• **열리다 (verba)** : 닫히거나 잠겨 있던 것이 트이거나 풀리다.
  terbuka

  benda yang tertutup atau terkunci bercelah atau terbuka

• **-어요** : (두루높임으로) 어떤 사실을 서술하거나 질문, 명령, 권유함을 나타내는 종결 어미.
  apakah, apa, ~saja, silakan

  (dalam bentuk hormat) kata penutup final yang mengungkapkan suatu kenyataan atau menyatakan pertanyaan, perintah, atau ajakan <penjabaran>

< 대화(pembicaraan) > - 76

오늘 행사는 아홉 시부터 시작인데 왜 벌써 가?
오늘 행사는 아홉 시부터 시자긴데 왜 벌써 가?
oneul haengsaneun ahop sibuteo sijaginde wae beolsseo ga?

준비할 게 많으니까 조금 일찍 와 달라는 부탁을 받았어.
준비할 께 마느니까 조금 일찍 와 달라는 부타글 바다써.
junbihal ge maneunikka jogeum iljjik wa dallaneun butageul badasseo.

< 설명(penjelasan) / 번역(penerjemahan) >

오늘 행사+는 아홉 시+부터 <u>시작+이+ㄴ데</u> 왜 벌써 <u>가+(아)</u>?
                              시작인데   가

• **오늘 (nomina)** : 지금 지나가고 있는 이날.
  hari ini
  hari ini yang sekarang sedang dilalui sekarang

• **행사 (nomina)** : 목적이나 계획을 가지고 절차에 따라서 어떤 일을 시행함. 또는 그 일.
  acara
  hal menjalankan suatu hal dengan tujuan atau rencana dan mengikuti prosedur, atau hal
  yang demikian

• **는** : 문장 속에서 어떤 대상이 화제임을 나타내는 조사.
  Tiada Penjelasan Arti
  partikel yang menyatakan suatu subjek dalam kalimat menjadi bahan pembicaraan

• **아홉 (pewatas)** : 여덟에 하나를 더한 수의.
  sembilan
  angka delapan ditambah satu

• **시 (nomina)** : 하루를 스물넷으로 나누었을 때 그 하나를 나타내는 시간의 단위.
  jam, pukul
  satuan yang memperlihatkan waktu

• **부터** : 어떤 일의 시작이나 처음을 나타내는 조사.
  Tiada Penjelasan Arti
  partikel yang menyatakan awal atau mula sebuah peristiwa

• **시작 (nomina)** : 어떤 일이나 행동의 처음 단계를 이루거나 이루게 함. 또는 그런 단계.
  awal, permulaan
  tahap atau fase awal di mana sebuah pekerjaan atau tindakan baru saja dimulai

• 이다 : 주어가 지시하는 대상의 속성이나 부류를 지정하는 뜻을 나타내는 서술격 조사.
  adalah
  partikel kasus predikatif yang menyatakan maksud menentukan karakter atau jenis dari objek yang diindikasikan subjek

• -ㄴ데 : 뒤의 말을 하기 위하여 그 대상과 관련이 있는 상황을 미리 말함을 나타내는 연결 어미.
  tetapi, karena
  akhiran penghubung untuk mengatakan terlebih dahulu keadaan yang berhubungan sebelum mengatakan kalimat yang berhubungan

• **왜 (adverbia)** : 무슨 이유로. 또는 어째서.
  kenapa, mengapa
  untuk alasan apa, atau bagaimana bisa

• **벌써 (adverbia)** : 생각보다 빠르게.
  sudah
  secara lebih cepat dari perkiraan

• **가다 (verba)** : 한 곳에서 다른 곳으로 장소를 이동하다.
  pergi
  bergerak dari satu tempat ke tempat lain

• -아 : (두루낮춤으로) 어떤 사실을 서술하거나 물음, 명령, 권유를 나타내는 종결 어미.
  -kah, -lah
  (dalam bentuk rendah) akhiran penutup untuk menyatakan suatu kenyataan atau menandai pertanyaan, perintah, dan ajakan <pertanyaan>

준비하+[ㄹ 것(거)]+이 많+으니까
　　준비할 게

조금 일찍 오+[아 달]+라는 부탁+을 받+았+어.
　　　와 달라는

• **준비하다 (verba)** : 미리 마련하여 갖추다.
  menyiapkan, mempersiapkan
  mempersiapkan lebih awal dan memiliki

• -ㄹ 것 : 명사가 아닌 것을 문장에서 명사처럼 쓰이게 하거나 '이다' 앞에 쓰일 수 있게 할 때 쓰는 표현.

minta, mohon, yang

ungkapan yang dapat membuat suatu kelas kata bisa digunakan sebagai kata benda dalam kalimat dan berfungsi sebagai subjek atau objek, atau dapat membuat suatu kelas kata bisa digunakan di depan '이다'

• 이 : 어떤 상태나 상황의 대상이나 동작의 주체를 나타내는 조사.

Tiada Penjelasan Arti

partikel yang menyatakan objek dari suatu keadaan atau kondisi atau pelaku dari suatu tindakan

• 많다 (adjektiva) : 수나 양, 정도 등이 일정한 기준을 넘다.

banyak

angka atau jumlah, volume, tingkat, dsb melebihi standar tertentu

• -으니까 : 뒤에 오는 말에 대하여 앞에 오는 말이 원인이나 근거, 전제가 됨을 강조하여 나타내는 연결 어미.

karena, sebab, ketika

akhiran penghubung untuk menegaskan bahwa kalimat di depan menjadi alasan, dasar, atau premis dari kalimat di belakang

• 조금 (adverbia) : 시간이 짧게.

dengan sebentar

dengan waktu yang sangat singkat

• 일찍 (adverbia) : 정해진 시간보다 빠르게.

dini, cepat

lebih cepat dari yang diperkirakan atau ditentukan

• 오다 (verba) : 무엇이 다른 곳에서 이곳으로 움직이다.

datang, kemari, ke sini

sesuatu bergerak dari tempat lain ke sini

• -아 달다 : 앞의 말이 나타내는 행동을 해 줄 것을 요구함을 나타내는 표현.

minta, mohon

kata yang menyatakan memohon untuk melakukan tindakan yang disebutkan dalam kalimat di depan

• -라는 : 명령이나 요청 등의 말을 인용하여 전달하면서 그 뒤에 오는 명사를 꾸며 줄 때 쓰는 표현.

yang disuruh, yang diperintahkan, yang diminta

ungkapan yang digunakan untuk menerangkan kata benda di belakang dengan mengutip dan menyampaikan perkataan seperti perintah dan permintaan

• **부탁** (nomina) : 어떤 일을 해 달라고 하거나 맡김.
permohonan, permintaan
hal meminta atau mempercayakan untuk melakukan sesuatu

• **을** : 동작이 직접적으로 영향을 미치는 대상을 나타내는 조사.
Tiada Penjelasan Arti
partikel yang menyatakan objek dari suatu gerakan yang secara langsung memberikan pengaruh

• **받다** (verba) : 요구나 신청, 질문, 공격, 신호 등과 같은 작용을 당하거나 그에 응하다.
menerima, mendapat
terkena atau memberi respon pada efek seperti permintaan atau pengajuan, pertanyaan, serangan, tanda, dsb

• **-았-** : 어떤 사건이 과거에 완료되었거나 그 사건의 결과가 현재까지 지속되는 상황을 나타내는 어미.
sudah, telah, pasti akan
akhiran kalimat yang menyatakan sebuah peristiwa sudah selesai di masa lampau atau menyatakan keadaan di mana hasil peristiwa tersebut terus berlangsung hingga sekarang

• **-어** : (두루낮춤으로) 어떤 사실을 서술하거나 물음, 명령, 권유를 나타내는 종결 어미.
-kah, -lah
(dalam bentuk rendah) akhiran penutup untuk menyatakan suatu kenyataan atau menandai pertanyaan, perintah, dan ajakan <penjabaran>

< 대화(pembicaraan) > - 77

이 옷 한번 입어 봐도 되죠?
이 옫 한번 이버 봐도 되죠?
i ot hanbeon ibeo bwado doejyo?

그럼요, 손님. 탈의실은 이쪽입니다.
그러묘, 손님. 타리시른 이쪼김니다.
geureomyo, sonnim. tarisireun ijjogimnida.

< 설명(penjelasan) / 번역(penerjemahan) >

이 옷 한번 입+[어 보]+[아도 되]+죠?
입어 봐도 되죠

• 이 (pewatas) : 말하는 사람에게 가까이 있거나 말하는 사람이 생각하고 있는 대상을 가리킬 때 쓰는 말.
  ini, si ini
  kata yang digunakan saat menunjuk target yang berada di dekat atau yang dipikirkan si pembicara

• 옷 (nomina) : 사람의 몸을 가리고 더위나 추위 등으로부터 보호하며 멋을 내기 위하여 입는 것.
  baju, pakaian
  sesuatu yang menutupi tubuh, melindungi dari panas dan dingin, dan mempercantik diri

• 한번 (adverbia) : 어떤 일을 시험 삼아 시도함을 나타내는 말.
  coba
  kata untuk menyatakan mengerjakan sesuatu untuk mengetahui keadaannya dan sebagainya

• 입다 (verba) : 옷을 몸에 걸치거나 두르다.
  memakai, mengenakan
  memakai pakaian ke badan

• -어 보다 : 앞의 말이 나타내는 행동을 시험 삼아 함을 나타내는 표현.
  mencoba
  ungkapan yang menyatakan menjadikan tindakan dalam kalimat yang disebutkan di depan sebagai sebuah percobaan

• **-아도 되다** : 어떤 행동에 대한 허락이나 허용을 나타낼 때 쓰는 표현.
boleh, tidak apa-apa
ungkapan yang digunakan ketika menyatakan mengizinkan atau membolehkan suatu tindakan

• **-죠** : (두루높임으로) 말하는 사람이 듣는 사람에게 친근함을 나타내며 물을 때 쓰는 종결 어미.
sih?
(dalam bentuk hormat) kata penutup final yang digunakan saat pembicara bertanya sambil menunjukkan kedekatan kepada pendengar

그럼+요, 손님.

탈의실+은 이쪽+이+ㅂ니다.
       이쪽입니다

• **그럼 (interjeksi)** : 말할 것도 없이 당연하다는 뜻으로 대답할 때 쓰는 말.
tentu saja, ya dong
kata yang digunakan untuk menjawab arti "tentu saja" tanpa ada keraguan

• **요** : 높임의 대상인 상대방에게 존대의 뜻을 나타내는 조사.
Tiada Penjelasan Arti
partikel yang menyatakan arti sopan atau hormat kepada lawan bicara yang ditinggikan

• **손님 (nomina)** : (높임말로) 여관이나 음식점 등의 가게에 찾아온 사람.
pengunjung, tamu
(dalam sebutan hormat) orang yang datang ke toko penginapan atau restoran dsb

• **탈의실 (nomina)** : 옷을 벗거나 갈아입는 방.
kamar ganti, kamar pas, kamar coba
kamar untuk melepas atau mengganti pakaian

• **은** : 문장 속에서 어떤 대상이 화제임을 나타내는 조사.
Tiada Penjelasan Arti
partikel yang menyatakan suatu objek menjadi topik di dalam kalimat

• **이쪽 (pronomina)** : 말하는 사람에게 가까운 곳이나 방향을 가리키는 말.
sini
kata yang menunjukkan arah atau tempat yang dekat dengan pembicara

• 이다 : 주어가 지시하는 대상의 속성이나 부류를 지정하는 뜻을 나타내는 서술격 조사.

adalah

partikel kasus predikatif yang menyatakan maksud menentukan karakter atau jenis dari objek yang diindikasikan subjek

• -ㅂ니다 : (아주높임으로) 현재의 동작이나 상태, 사실을 정중하게 설명함을 나타내는 종결 어미.

adalah

(dalam bentuk sangat hormat) kata penutup final yang menyatakan menjelaskan tindakan, keadaan, atau kenyataan di masa kini dengan sopan

< 대화(pembicaraan) > - 78

많이 취하신 거 같아요. 제가 택시 잡아 드릴게요.
마니 취하신 거 가타요. 제가 택씨 자바 드릴께요.
mani chwihasin geo gatayo. jega taeksi jaba deurilgeyo.

괜찮아요. 좀 걷다가 지하철 타고 가면 됩니다.
괜차나요. 좀 걷따가 지하철 타고 가면 됩니다.
gwaenchanayo. jom geotdaga jihacheol tago gamyeon doemnida.

< 설명(penjelasan) / 번역(penerjemahan) >

많이 <u>취하</u>+<u>시</u>+[ㄴ <u>것(거) 같</u>]+<u>아요</u>.
취하신 거 같아요

제+가 택시 <u>잡</u>+[<u>아 드리</u>]+<u>ㄹ게요</u>.
잡아 드릴게요

• **많이 (adverbia)** : 수나 양, 정도 등이 일정한 기준보다 넘게.
  dengan banyak
  dengan angka atau jumlah, kadar, dsb melebihi standar yang ditentukan

• **취하다 (verba)** : 술이나 약 등의 기운으로 정신이 흐려지고 몸을 제대로 움직일 수 없게 되다.
  mabuk
  kesadaran berkurang karena tenaga seperti arak obat dsb kemudian menjadi tidak bisa menggerakkan tubuh dengan baik

• **-시-** : 어떤 동작이나 상태의 주체를 높이는 뜻을 나타내는 어미.
  Tiada Penjelasan Arti
  akhiran kalimat yang menyatakan arti meninggikan subjek atau topik suatu tindakan atau keadaan

• **-ㄴ 것 같다** : 추측을 나타내는 표현.
  sepertinya, kelihatannya, nampaknya
  ungkapan yang menyatakan dugaan atau terkaan

• -아요 : (두루높임으로) 어떤 사실을 서술하거나 질문, 명령, 권유함을 나타내는 종결 어미.
  cobalah, sebenarnya, apa
  (dalam bentuk hormat) kata penutup final yang mengungkapkan suatu kenyataan atau menyatakan pertanyaan, perintah, atau ajakan <penjabaran>

• 제 (pronomina) : 말하는 사람이 자신을 낮추어 가리키는 말인 '저'에 조사 '가'가 붙을 때의 형태.
  saya
  bentuk ketika melekatkan partikel '가' ke '저' yang berarti 'saya' dalam bentuk sopan

• 가 : 어떤 상태나 상황에 놓인 대상이나 동작의 주체를 나타내는 조사.
  Tiada Penjelasan Arti
  partikel yang menyatakan subjek sebuah keadaan atau situasi atau pelaku utama sebuah tindakan

• 택시 (nomina) : 돈을 받고 손님이 원하는 곳까지 태워 주는 일을 하는 승용차.
  taksi
  kendaraan umum yang mengantar tamu hingga ke tempat yang dituju dengan menerima sejumlah uang sesuai yang tertera dalam argo

• 잡다 (verba) : 자동차 등을 타기 위하여 세우다.
  memanggil, mendapatkan
  menghentikan mobil dsb untuk menaikinya

• -아 드리다 : (높임말로) 남을 위해 앞의 말이 나타내는 행동을 함을 나타내는 표현.
  melakukan sesuatu
  (dalam sebutan hormat) ungkapan yang menyatakan melakukan tindakan dalam kalimat di depan untuk orang lain

• -ㄹ게요 : (두루높임으로) 말하는 사람이 어떤 행동을 할 것을 듣는 사람에게 약속하거나 의지를 나타내는 표현.
  saya akan~, saya mau
  (dalam bentuk hormat) ungkapan yang menunjukkan hal orang yang berbicara berjanji atau memberitahukan akan melakukan suatu tindakan kepada orang yang mendengar

괜찮+아요.

좀 걷+다가 지하철 타+고 가+[면 되]+ㅂ니다.
                              가면 됩니다

• 괜찮다 (adjektiva) : 별 문제가 없다.
  baik, tidak masalah, tidak apa-apa
  tidak terlalu ada masalah

- **-아요** : (두루높임으로) 어떤 사실을 서술하거나 질문, 명령, 권유함을 나타내는 종결 어미.
  cobalah, sebenarnya, apa
  (dalam bentuk hormat) kata penutup final yang mengungkapkan suatu kenyataan atau menyatakan pertanyaan, perintah, atau ajakan <penjabaran>

- **좀 (adverbia)** : 시간이 짧게.
  agak, sebentar
  dengan waktu pendek

- **걷다 (verba)** : 바닥에서 발을 번갈아 떼어 옮기면서 움직여 위치를 옮기다.
  berjalan
  menggerakkan kaki dari lantai secara bergantian dan bergerak atau berpindah terus menerus

- **-다가** : 어떤 행동이나 상태 등이 중단되고 다른 행동이나 상태로 바뀜을 나타내는 연결 어미.
  lalu, kemudian
  akhiran penghubung untuk menyatakan bahwa suatu tindakan atau keadaan dsb terhenti dan diubah menjadi tindakan atau keadaan lain

- **지하철 (nomina)** : 지하 철도로 다니는 전동차.
  kereta api bawah tanah
  semua kereta listrik yang berjalan di jalur kereta bawah tanah

- **타다 (verba)** : 탈것이나 탈것으로 이용하는 짐승의 몸 위에 오르다.
  naik
  menaiki sesuatu yang dikendarai, atau tubuh binatang

- **-고** : 앞의 말이 나타내는 행동이나 그 결과가 뒤에 오는 행동이 일어나는 동안에 그대로 지속됨을 나타내는 연결 어미.
  dan, dengan, sambil
  akhiran penghubung yang menyatakan bahwa tindakan atau hasil di kalimat depan terus berjalan selama tindakan di kalimat belakang terjadi.

- **가다 (verba)** : 한 곳에서 다른 곳으로 장소를 이동하다.
  pergi
  bergerak dari satu tempat ke tempat lain

- **-면 되다** : 조건이 되는 어떤 행동을 하거나 어떤 상태만 갖추어지면 문제가 없거나 충분함을 나타내는 표현.
  cukup~saja, hanya~saja
  ungkapan yang menunjukkan hal melakukan suatu tindakan yang menjadi syarat atau suatu kondisi saja dimiliki maka tidak akan ada masalah atau cukup

• -ㅂ니다 : (아주높임으로) 현재의 동작이나 상태, 사실을 정중하게 설명함을 나타내는 종결 어미.

adalah

(dalam bentuk sangat hormat) kata penutup final yang menyatakan menjelaskan tindakan, keadaan, atau kenyataan di masa kini dengan sopan

• -ㅂ니다 : (아주높임으로) 현재의 동작이나 상태, 사실을 정중하게 설명함을 나타내는 종결 어미.

< 대화(pembicaraan) > - 79

책상 위에 있는 쓰레기 같은 것들은 좀 치워 버려라.
책쌍 위에 인는 쓰레기 가튼 걷뜨른 좀 치워 버려라.
chaeksang wie inneun sseuregi gateun geotdeureun jom chiwo beoryeora.

아냐. 다 필요한 것들이니까 버리면 안 돼.
아냐. 다 피료한 걷뜨리니까 버리면 안 돼.
anya. da piryohan geotdeurinikka beorimyeon an dwae.

< 설명(penjelasan) / 번역(penerjemahan) >

책상 위+에 있+는 쓰레기 같+[은 것]+들+은 좀 <u>치우+[어 버리]+어라</u>.
치워 버려라

- **책상 (nomina)** : 책을 읽거나 글을 쓰거나 사무를 볼 때 앞에 놓고 쓰는 상.
  meja tulis, meja belajar, meja kerja
  meja yang diletakkan dan digunakan untuk membaca buku atau menulis atau bekerja di kantor

- **위 (nomina)** : 어떤 것의 겉면이나 평평한 표면.
  permukaan, bagian luar
  sisi luar atau permukaan yang datar dari sesuatu

- **에** : 앞말이 어떤 장소나 자리임을 나타내는 조사.
  di, pada
  partikel yang menyatakan kalimat di depan adalah tempat atau lokasi

- **있다 (adjektiva)** : 무엇이 어떤 곳에 자리나 공간을 차지하고 존재하는 상태이다.
  ada
  sesuatu dalam keadaan berada dan ada di suatu tempat atau ruang

- **−는** : 앞의 말이 관형어의 기능을 하게 만들고 사건이나 동작이 현재 일어남을 나타내는 어미.
  yang
  akhiran untuk membuat kata di depannya berfungsi sebagai pewatas dan menyatakan kejadian atau tindakan terjadi sekarang

· **쓰레기 (nomina)** : 쓸어 낸 먼지, 또는 못 쓰게 되어 내다 버릴 물건이나 내다 버린 물건.
  sampah
  debu yang terhapus, barang yang sudah tidak dapat dipakai dan dibuang

· **같다 (adjektiva)** : 무엇과 비슷한 종류에 속해 있음을 나타내는 말.
  seperti, sejenis
  kata yang menunjukkan termasuk dalam jenis yang mirip dengan sesuatu

· **-은 것** : 명사가 아닌 것을 문장에서 명사처럼 쓰이게 하거나 '이다' 앞에 쓰일 수 있게 할 때 쓰는 표
  현.
  yang, sesuatu yang, hal yang
  ungkapan yang digunakan saat membuat sesuatu yang bukan kata benda seperti kata benda
  di dalam kalimat atau membuat sesuatu bisa digunakan di depan kata '이다'

· **들** : '복수'의 뜻을 더하는 접미사.
  Tiada Penjelasan Arti
  akhiran yang menambahkan arti 'jamak'

· **은** : 문장 속에서 어떤 대상이 화제임을 나타내는 조사.
  Tiada Penjelasan Arti
  partikel yang menyatakan suatu objek menjadi topik di dalam kalimat

· **좀 (adverbia)** : 주로 부탁이나 동의를 구할 때 부드러운 느낌을 주기 위해 넣는 말.
  Tiada Penjelasan Arti
  kata yang biasanya dibubuhkan untuk memberikan kesan halus saat memohon atau
  meminta persetujuan

· **치우다 (verba)** : 청소하거나 정리하다.
  membereskan, membersihkan, menyapu
  membersihkan atau membereskan

· **-어 버리다** : 앞의 말이 나타내는 행동이 완전히 끝났음을 나타내는 표현.
  sudah, telah
  ungkapan yang menyatakan bahwa tindakan dalam kalimat yang disebutkan di depan
  benar-benar selesai

· **-어라** : (아주낮춤으로) 명령을 나타내는 종결 어미.
  -lah
  (dalam bentuk sangat rendah) akhiran kalimat penutup yang menyatakan perintah

<u>아니야</u>.
아냐

다 <u>필요하</u>+[ㄴ 것]+들+이+<u>니까</u> <u>버리</u>+[면 안 되]+<u>어</u>.
필요한 것들이니까   버리면 안 돼

• 아니야 (interjeksi) : 묻는 말에 대하여 강조하며, 또는 단호하게 부정하며 대답할 때 쓰는 말.
  tidak, tidak kok
  kata yang digunakan untuk menekankan perkataan yang ditanyakan, atau ketika menjawab sambil menolak dengan tegas

• 다 (adverbia) : 남거나 빠진 것이 없이 모두.
  semua, semuanya, seluruhnya
  semua tanpa ada yang tersisa atau terlewat

• 필요하다 (adjektiva) : 꼭 있어야 하다.
  perlu, butuh, memerlukan, membutuhkan
  harus ada

• -ㄴ 것 : 명사가 아닌 것을 문장에서 명사처럼 쓰이게 하거나 '이다' 앞에 쓰일 수 있게 할 때 쓰는 표현.
  yang
  ungkapan yang dapat membuat suatu kelas kata bisa digunakan sebagai kata benda dalam kalimat dan berfungsi sebagai subjek atau objek, atau dapat membuat suatu kelas kata bisa digunakan di depan '이다'

• 들 : '복수'의 뜻을 더하는 접미사.
  Tiada Penjelasan Arti
  akhiran yang menambahkan arti 'jamak'

• 이다 : 주어가 지시하는 대상의 속성이나 부류를 지정하는 뜻을 나타내는 서술격 조사.
  adalah
  partikel kasus predikatif yang menyatakan maksud menentukan karakter atau jenis dari objek yang diindikasikan subjek

• -니까 : 뒤에 오는 말에 대하여 앞에 오는 말이 원인이나 근거, 전제가 됨을 강조하여 나타내는 연결 어미.
  karena, sebab, ketika
  akhiran penghubung untuk menegaskan bahwa kalimat di depan menjadi alasan, dasar, atau premis dari kalimat di belakang

· **버리다 (verba)** : 가지고 있을 필요가 없는 물건을 내던지거나 쏟거나 하다.

　membuang

　melempar atau membuang barang yang tidak perlu lagi dimiliki

· **-면 안 되다** : 어떤 행동이나 상태를 금지하거나 제한함을 나타내는 표현.

　tidak boleh~

　ungkapan yang menyatakan larangan atau batasan suatu tindakan atau keadaan

· **-어** : (두루낮춤으로) 어떤 사실을 서술하거나 물음, 명령, 권유를 나타내는 종결 어미.

　-kah, -lah

　(dalam bentuk rendah) akhiran penutup untuk menyatakan suatu kenyataan atau menandai

　pertanyaan, perintah, dan ajakan **<penjabaran>**

< 대화(pembicaraan) > - 80

좋은 일 있었나 봐? 기분이 좋아 보이네.
조은 일 이쎤나 봐? 기부니 조아 보이네.
joeun il isseonna bwa? gibuni joa boine.

아, 어제 남자 친구한테 반지를 선물로 받았거든요.
아, 어제 남자 친구한테 반지를 선물로 바닫꺼드뇨.
a, eoje namja chinguhante banjireul seonmullo badatgeodeunyo.

< 설명(penjelasan) / 번역(penerjemahan) >

좋+은 일 있+었+[나 보]+아?
　　　　있었나 봐

기분+이 좋+[아 보이]+네.

- **좋다 (adjektiva)** : 어떤 일이나 대상이 마음에 들고 만족스럽다.
  suka
  suatu peristiwa atau objek berkenan di hati dan memuaskan

- **-은** : 앞의 말이 관형어의 기능을 하게 만들고 현재의 상태를 나타내는 어미.
  yang
  akhiran yang membuat kata di depannya berfungsi sebagai kata pewatas, dan menyatakan keadaan saat ini

- **일 (nomina)** : 어떤 내용을 가진 상황이나 사실.
  hal, masalah, keadaan
  kondisi atau fakta yang memiliki suatu isi

- **있다 (adjektiva)** : 어떤 사람에게 무슨 일이 생긴 상태이다.
  terjadi sesuatu
  keadaan sudah terjadi sesuatu pada seseorang

- **-었-** : 사건이 과거에 일어났음을 나타내는 어미.
  sudah, pasti, yakin
  akhiran kalimat yang menyatakan peristiwa terjadi di masa lampau

- -나 보다 : 앞의 말이 나타내는 사실을 추측함을 나타내는 표현.
  mungkin, sepertinya, nampaknya, kelihatannya
  ungkapan untuk menduga kenyataan dalam perkataan depan

- -아 : (두루낮춤으로) 어떤 사실을 서술하거나 물음, 명령, 권유를 나타내는 종결 어미.
  -kah, -lah
  (dalam bentuk rendah) akhiran penutup untuk menyatakan suatu kenyataan atau menandai pertanyaan, perintah, dan ajakan <pertanyaan>

- **기분 (nomina)** : 불쾌, 유쾌, 우울, 분노 등의 감정 상태.
  perasaan, suasana hati, mood
  kondisi hati yang terkait dengan kenyamanan, ketidaknyamanan hati, kesedihan, dan kemarahan yang timbul dengan sendirinya karena suatu objek atau kondisi sekitar

- 이 : 어떤 상태나 상황의 대상이나 동작의 주체를 나타내는 조사.
  Tiada Penjelasan Arti
  partikel yang menyatakan objek dari suatu keadaan atau kondisi atau pelaku dari suatu tindakan

- **좋다 (adjektiva)** : 감정 등이 기쁘고 흐뭇하다.
  senang, gembira
  perasaan dsb gembira dan menyenangkan

- -아 보이다 : 겉으로 볼 때 앞의 말이 나타내는 것처럼 느껴지거나 추측됨을 나타내는 표현.
  tampak, terlihat
  ungkapan yang menyatakan bahwa kalimat yang disebutkan di depan terasa atau diperkirakan seperti muncul atau terjadi

- -네 : (아주낮춤으로) 지금 깨달은 일에 대하여 말함을 나타내는 종결 어미.
  wah, ternyata
  (dalam bentuk sangat rendah) kata penutup final yang menyatakan perkataan tentang peristiwa yang sekarang disadari

아, 어제 남자 친구+한테 반지+를 선물+로 받+았+거든요.

- **아 (interjeksi)** : 기쁨이나 감동의 느낌을 나타낼 때 내는 소리.
  wah
  suara saat melihat sesuatu yang menyentuh, mengharukan

- **어제 (adverbia)** : 오늘의 하루 전날에.
  kemarin
  sehari sebelum hari ini

• **남자 친구 (nomina)** : 여자가 사랑하는 감정을 가지고 사귀는 남자.
   pacar, kekasih
   laki-laki yang dicintai dan disayangi oleh seorang wanita

• **한테** : 어떤 행동의 주체이거나 비롯되는 대상임을 나타내는 조사.
   Tiada Penjelasan Arti
   partikel yang menyatakan subjek sebuah tindakan atau sesuatu yang menjadi awal

• **반지 (nomina)** : 손가락에 끼는 동그란 장신구.
   cincin
   aksesoris bundar yang diselipkan pada jari

• **를** : 동작이 직접적으로 영향을 미치는 대상을 나타내는 조사.
   Tiada Penjelasan Arti
   partikel yang menyatakan objek dari suatu gerakan yang secara langsung memberikan pengaruh

• **선물 (nomina)** : 고마움을 표현하거나 어떤 일을 축하하기 위해 다른 사람에게 물건을 줌. 또는 그 물건.
   kado, hadiah
   sesuatu yang diberikan kepada orang lain sebagai ungkapan terima kasih atau ucapan selamat, atau untuk menyebutkan benda tersebut

• **로** : 신분이나 자격을 나타내는 조사.
   sebagai, menjadi
   partikel yang menyatakan jati diri atau kelayakan

• **받다 (verba)** : 다른 사람이 주거나 보내온 것을 가지다.
   menerima, mendapat
   memiliki sesuatu yang diberikan atau dikirimkan orang lain

• **-았-** : 사건이 과거에 일어났음을 나타내는 어미.
   sudah, telah, pasti akan
   akhiran kalimat yang menyatakan peristiwa terjadi di masa lampau

• **-거든요** : (두루높임으로) 앞의 내용에 대해 말하는 사람이 생각한 이유나 원인, 근거를 나타내는 표현.
   karena, soalnya, sebenarnya
   (dalam bentuk hormat) ungkapan yang menunjukkan alasan atau sebab, bukti yang dipikirkan orang yang berbicara mengenai keterangan di depan

< 대화(pembicaraan) > - 81

저는 한국에 온 지 일 년쯤 됐어요.
저는 한구게 온 지 일 년쯤 돼써요.
jeoneun hanguge on ji il nyeonjjeum dwaesseoyo.

일 년밖에 안 됐는데도 한국어를 정말 잘하시네요.
일 년바께 안 됐는데도 한구거를 정말 잘하시네요.
il nyeonbakke an dwaenneundedo hangugeoreul jeongmal jalhasineyo.

< 설명(penjelasan) / 번역(penerjemahan) >

저+는 한국+에 오+[ㄴ 지]] 일 년+쯤 되+었+어요.
　　　　　　온 지　　　　　　　됐어요

- **저 (pronomina)** : 말하는 사람이 듣는 사람에게 자신을 낮추어 가리키는 말.
  saya
  kata yang digunakan oleh pembicara untuk menunjuk dirinya sendiri sambil merendahkan diri

- **는** : 문장 속에서 어떤 대상이 화제임을 나타내는 조사.
  Tiada Penjelasan Arti
  partikel yang menyatakan suatu subjek dalam kalimat menjadi bahan pembicaraan

- **한국 (nomina)** : 아시아 대륙의 동쪽에 있는 나라. 한반도와 그 부속 섬들로 이루어져 있으며, 대한민국이라고도 부른다. 1950년에 일어난 육이오 전쟁 이후 휴전선을 사이에 두고 국토가 둘로 나뉘었다. 언어는 한국어이고, 수도는 서울이다.

  Korea Selatan
  negara yang terletak di selatan benua Asia. Terdiri dari semenanjung Korea dan pulau-pulau yang berdampingan dengannya, disebut juga sebagai Daehanminguk. Terbagi menjadi dua dengan perbatasan setelah Perang Korea yang terjadi pada tahun 1950. Bahasa nasional adalah Bahasa Korea, dan ibu kotanya Seoul.

- **에** : 앞말이 목적지이거나 어떤 행위의 진행 방향임을 나타내는 조사.
  ke
  partikel yang menyatakan kalimat di depan adalah tempat tujuan atau arah jalannya tindakan

• **오다 (verba)** : 무엇이 다른 곳에서 이곳으로 움직이다.
datang,kemari, ke sini
sesuatu bergerak dari tempat lain ke sini

• **-ㄴ 지** : 앞의 말이 나타내는 행동을 한 후 시간이 얼마나 지났는지를 나타내는 표현.
sejak~, sudah~, sudah sejak~
ungkapan yang menyatakan hal berapa lamakah berlalu setelah suatu tindakan yang dilakukan diperlihatkan di perkataan di depan

• **일 (pewatas)** : 하나의.
satu
berjumlah satu

• **년 (nomina)** : 한 해를 세는 단위.
tahun
satuan untuk menyebutkan tahun

• **쯤** : '정도'의 뜻을 더하는 접미사.
kira-kira, sekitar
akhiran yang menambahkan arti "kira-kira"

• **되다 (verba)** : 어떤 때나 시기, 상태에 이르다.
menjadi
menjadi suatu waktu, masa, atau keadaan

• **-었-** : 어떤 사건이 과거에 완료되었거나 그 사건의 결과가 현재까지 지속되는 상황을 나타내는 어미.
sudah, pasti, yakin
akhiran kalimat yang menyatakan sebuah peristiwa sudah selesai di masa lampau atau menyatakan keadaan di mana hasil peristiwa tersebut terus berlangsung hingga sekarang

• **-어요** : (두루높임으로) 어떤 사실을 서술하거나 질문, 명령, 권유함을 나타내는 종결 어미.
apakah, apa, ~saja, silakan
(dalam bentuk hormat) kata penutup final yang mengungkapkan suatu kenyataan atau menyatakan pertanyaan, perintah, atau ajakan <penjabaran>

일 년+밖에 안 되+었+는데도 한국어+를 정말 잘하+시+네요.
됐는데도

• **일 (pewatas)** : 하나의.
satu
berjumlah satu

• **년 (nomina)** : 한 해를 세는 단위.
 tahun
 satuan untuk menyebutkan tahun

• **밖에** : '그것을 제외하고는', '그것 말고는'의 뜻을 나타내는 조사.
 Tiada Penjelasan Arti
 partikel yang menyatakan arti "di luar itu" atau "selain itu"

• **안 (adverbia)** : 부정이나 반대의 뜻을 나타내는 말.
 tidak
 kata yang menampilkan lawan arti atau negatif

• **되다 (verba)** : 어떤 때나 시기, 상태에 이르다.
 menjadi
 menjadi suatu waktu, masa, atau keadaan

• **-었-** : 어떤 사건이 과거에 완료되었거나 그 사건의 결과가 현재까지 지속되는 상황을 나타내는 어미.
 sudah, pasti, yakin
 akhiran kalimat yang menyatakan sebuah peristiwa sudah selesai di masa lampau atau menyatakan keadaan di mana hasil peristiwa tersebut terus berlangsung hingga sekarang

• **-는데도** : 앞에 오는 말이 나타내는 상황에 상관없이 뒤에 오는 말이 나타내는 상황이 일어남을 나타내는 표현.
 walaupun, sekalipun, meskipun, biarpun
 ungkapan yang menunjukkan munculnya kondisi di belakang tanpa ada kaitannya dengan kondisi di depannya

• **한국어 (nomina)** : 한국에서 사용하는 말.
 bahasa Korea
 bahasa yang digunakan orang Korea

• **를** : 동작이 직접적으로 영향을 미치는 대상을 나타내는 조사.
 Tiada Penjelasan Arti
 partikel yang menyatakan objek dari suatu gerakan yang secara langsung memberikan pengaruh

• **정말 (adverbia)** : 거짓이 없이 진짜로.
 benar-benar, sungguh-sungguh
 tidak ada kebohongan, yang sebenarnya

• **잘하다 (verba)** : 익숙하고 솜씨가 있게 하다.
 cakap, terampil, pandai, tangkas, ahli, mahir
 melakukan dengan terbiasa dan terampil

• -시- : 어떤 동작이나 상태의 주체를 높이는 뜻을 나타내는 어미.

Tiada Penjelasan Arti

akhiran kalimat yang menyatakan arti meninggikan subjek atau topik suatu tindakan atau keadaan

• -네요 : (두루높임으로) 말하는 사람이 직접 경험하여 새롭게 알게 된 사실에 대해 감탄함을 나타낼 때 쓰는 표현.

wah, ternyata

(dalam bentuk hormat) ungkapan yang digunakan saat menunjukkan orang yang berbicara berpengalaman langsung lalu terkejut atau terkagum dengan kenyataan yang baru diketahui itu

< 대화(pembicaraan) > - 82

지우가 결혼하더니 많이 밝아졌지?
지우가 결혼하더니 마니 발가젇찌?
jiuga gyeolhonhadeoni mani balgajeotji?

맞아. 지우를 십 년 동안 봐 왔지만 요새처럼 행복해 보일 때가 없었어.
마자. 지우를 십 년 동안 봐 왇찌만 요새처럼 행보캐 보일 때가 업써써.
maja. jiureul sip nyeon dongan bwa watjiman yosaecheoreom haengbokae boil ttaega eopseosseo.

< 설명(penjelasan) / 번역(penerjemahan) >

지우+가 결혼하+더니 많이 밝아지+었+지?
밝아졌지

- **지우 (nomina)** : nama

- **가** : 어떤 상태나 상황에 놓인 대상이나 동작의 주체를 나타내는 조사.
  Tiada Penjelasan Arti
  partikel yang menyatakan subjek sebuah keadaan atau situasi atau pelaku utama sebuah tindakan

- **결혼하다 (verba)** : 남자와 여자가 법적으로 부부가 되다.
  menikah
  laki-laki dan perempuan menjadi pasangan resmi secara hukum, terikat secara hukum

- **-더니** : 과거의 사실이나 상황에 뒤이어 어떤 사실이나 상황이 일어남을 나타내는 연결 어미.
  karena, sebab
  akhiran kalimat penyambung yang menyatakan bahwa suatu kenyataan atau keadaan muncul menyusul sebuah kenyataan atau keadaan di masa lalu

- **많이 (adverbia)** : 수나 양, 정도 등이 일정한 기준보다 넘게.
  dengan banyak
  dengan angka atau jumlah, kadar, dsb melebihi standar yang ditentukan

- **밝아지다 (verba)** : 밝게 되다.
  menjadi jelas, menjadi terang, menjadi bersinar, menjadi terbuka, menjadi cerah
  menjadi terang

• -었- : 어떤 사건이 과거에 완료되었거나 그 사건의 결과가 현재까지 지속되는 상황을 나타내는 어미.
  sudah, pasti, yakin
  akhiran kalimat yang menyatakan sebuah peristiwa sudah selesai di masa lampau atau menyatakan keadaan di mana hasil peristiwa tersebut terus berlangsung hingga sekarang

• -지 : (두루낮춤으로) 이미 알고 있는 것을 다시 확인하듯이 물을 때 쓰는 종결 어미.
  kan?, bukan?
  (dalam bentuk rendah) kata penutup final yang digunakan saat bertanya seolah memastikan kembali sesuatu yang sudah diketahui

맞+아.

지우+를 십 년 동안 보+[아 오]+았+지만
봐 왔지만

요새+처럼 행복하+[여 보이]+[ㄹ 때]+가 없+었+어.
행복해 보일 때가

• **맞다 (verba)** : 그렇거나 옳다.
  benar, betul
  benar

• -아 : (두루낮춤으로) 어떤 사실을 서술하거나 물음, 명령, 권유를 나타내는 종결 어미.
  -kah, -lah
  (dalam bentuk rendah) akhiran penutup untuk menyatakan suatu kenyataan atau menandai pertanyaan, perintah, dan ajakan <penjabaran>

• **지우 (nomina)** : nama

• 를 : 동작이 간접적인 영향을 미치는 대상이나 목적임을 나타내는 조사.
  Tiada Penjelasan Arti
  partikel yang menyatakan objek atau tujuan dari suatu gerakan yang secara tidak langsung memberikan pengaruh

• **십 (pewatas)** : 열의.
  sepuluh, 10
  berjumlah sepuluh

• **년 (nomina)** : 한 해를 세는 단위.
  tahun
  satuan untuk menyebutkan tahun

• **동안 (nomina)** : 한때에서 다른 때까지의 시간의 길이.
selama
panjang waktu sejak satu saat hingga saat yang lain

• **보다 (verba)** : 사람을 만나다.
Tiada Penjelasan Arti
bertemu dengan seseorang.

• **-아 오다** : 앞의 말이 나타내는 행동이나 상태가 어떤 기준점으로 가까워지면서 계속 진행됨을 나타내
　　　　　는 표현.
menjadi
ungkapan yang menyatakan bahwa tindakan atau keadaan dalam kalimat yang disebutkan di
depan terus berlangsung sambil terus mendekati suatu titik patokan

• **-았-** : 어떤 사건이 과거에 완료되었거나 그 사건의 결과가 현재까지 지속되는 상황을 나타내는 어미.
sudah, telah, pasti akan
akhiran kalimat yang menyatakan sebuah peristiwa sudah selesai di masa lampau atau
menyatakan keadaan di mana hasil peristiwa tersebut terus berlangsung hingga sekarang

• **-지만** : 앞에 오는 말을 인정하면서 그와 반대되거나 다른 사실을 덧붙일 때 쓰는 연결 어미.
tetapi, namun, melainkan
akhiran penghubung untuk menambahkan kenyataan yang berlawanan atau berbeda sambil
mengakui isi anak kalimat.

• **요새 (nomina)** : 얼마 전부터 이제까지의 매우 짧은 동안.
akhir-akhir ini, belakangan ini, sekarang ini
selama waktu yang sangat dekat dari sebelum beberapa lama yang lalu sampai sekarang

• **처럼** : 모양이나 정도가 서로 비슷하거나 같음을 나타내는 조사.
seperti, persis
partikel yang menyatakan bentuk atau taraf saling mirip atau sama

• **행복하다 (adjektiva)** : 삶에서 충분한 만족과 기쁨을 느껴 흐뭇하다.
bahagia, gembira
merasakan kepuasan dan kegembiraan yang cukup dari hidup dan merasa puas

• **-여 보이다** : 겉으로 볼 때 앞의 말이 나타내는 것처럼 느껴지거나 추측됨을 나타내는 표현.
tampak, terlihat
ungkapan yang menyatakan bahwa kalimat yang disebutkan di depan terasa atau
diperkirakan seperti muncul atau terjadi

- -ㄹ 때 : 어떤 행동이나 상황이 일어나는 동안이나 그 시기 또는 그러한 일이 일어난 경우를 나타내는 표현.

  ketika, waktu, saat

  ungkapan yang menunjukkan hal selama atau sewaktu suatu tindakan atau kondisi berlangsung, atau saat hal yang demikian terjadi

- 가 : 어떤 행동이나 상황이 일어나는 동안이나 그 시기 또는 그러한 일이 일어난 경우를 나타내는 표현.

  Tiada Penjelasan Arti

  partikel yang menyatakan subjek sebuah keadaan atau situasi atau pelaku utama sebuah tindakan

- 없다 (adjektiva) : 어떤 사실이나 현상이 현실로 존재하지 않는 상태이다.

  tidak ada

  keadaan suatu kenyataan atau fenomena sebenarnya tidak ada

- -었- : 사건이 과거에 일어났음을 나타내는 어미.

  sudah, pasti, yakin

  akhiran kalimat yang menyatakan peristiwa terjadi di masa lampau

- -어 : (두루낮춤으로) 어떤 사실을 서술하거나 물음, 명령, 권유를 나타내는 종결 어미.

  -kah, -lah

  (dalam bentuk rendah) akhiran penutup untuk menyatakan suatu kenyataan atau menandai pertanyaan, perintah, dan ajakan <penjabaran>

< 대화(pembicaraan) > - 83

나는 먼저 가 있을 테니까 너도 **빨리** 와.
나는 먼저 가 이쓸 테니까 너도 **빨리** 와.
naneun meonjeo ga isseul tenikka neodo ppalli wa.

응. 알았어. 금방 **따라갈게**.
응. 아라써. 금방 **따라갈께**.
eung. arasseo. geumbang ttaragalge.

< 설명(penjelasan) / 번역(penerjemahan) >

나+는 먼저 <u>가</u>+[(아) 있]+[을 테니까] 너+도 빨리 <u>오</u>+아.
가 있을 테니까   와

- 나 **(pronomina)** : 말하는 사람이 친구나 아랫사람에게 자기를 가리키는 말.
  aku
  kata yang digunakan orang yang berbicara untuk menunjuk dirinya sendiri kepada teman atau orang yang berada di bawahnya

- 는 : 어떤 대상이 다른 것과 대조됨을 나타내는 조사.
  Tiada Penjelasan Arti
  partikel yang menyatakan suatu subjek diperbandingkan dengan sesuatu yang lain

- 먼저 **(adverbia)** : 시간이나 순서에서 앞서.
  duluan, terlebih dahulu
  (berada) di depan dari waktu atau urutan

- 가다 **(verba)** : 한 곳에서 다른 곳으로 장소를 이동하다.
  pergi
  bergerak dari satu tempat ke tempat lain

- -아 있다 : 앞의 말이 나타내는 상태가 계속됨을 나타내는 표현.
  sudah, telah, masih
  ungkapan untuk menyatakan bahwa keadaan dalam kalimat di depan terus berjalan

• -을 테니까 : 뒤에 오는 말에 대한 조건임을 강조하여 앞에 오는 말에 대한 말하는 사람의 의지를 나타내는 표현.

akan

ungkapan untuk menegaskan keinginan orang yang berbicara mengenai perkataan depan sebagai syarat untuk perkataan belakang

• 너 (pronomina) : 듣는 사람이 친구나 아랫사람일 때, 그 사람을 가리키는 말.

kamu

kata untuk menunjuk lawan bicara yang merupakan teman atau orang yang lebih muda

• 도 : 이미 있는 어떤 것에 다른 것을 더하거나 포함함을 나타내는 조사.

juga

partikel yang menyatakan menambahkan atau mengikutsertakan sesuatu yang lain pada sesuatu yang sudah ada

• 빨리 (adverbia) : 걸리는 시간이 짧게.

cepat, dengan cepat, secara cepat

waktu yang diperlukan pendek, dalam waktu yang pendek

• 오다 (verba) : 무엇이 다른 곳에서 이곳으로 움직이다.

datang,kemari, ke sini

sesuatu bergerak dari tempat lain ke sini

• -아 : (두루낮춤으로) 어떤 사실을 서술하거나 물음, 명령, 권유를 나타내는 종결 어미.

-kah, -lah

(dalam bentuk rendah) akhiran penutup untuk menyatakan suatu kenyataan atau menandai pertanyaan, perintah, dan ajakan <perintah>

응.

알+았+어.

금방 <u>따라가</u>+ㄹ게.
   따라갈게

• 응 (interjeksi) : 상대방의 물음이나 명령 등에 긍정하여 대답할 때 쓰는 말.

he-eh

kata yang digunakan untuk memberikan jawaban positif pada pertanyaan, perintah lawan bicara

• **알다 (verba)** : 상대방의 어떤 명령이나 요청에 대해 그대로 하겠다는 동의의 뜻을 나타내는 말.
  mengerti, menyanggupi
  kata yang menunjukkan arti penyetujuan untuk melakukan suatu perintah atau permintaan
  lawan

• **-았-** : 어떤 사건이 과거에 완료되었거나 그 사건의 결과가 현재까지 지속되는 상황을 나타내는 어미.
  sudah, telah, pasti akan
  akhiran kalimat yang menyatakan sebuah peristiwa sudah selesai di masa lampau atau
  menyatakan keadaan di mana hasil peristiwa tersebut terus berlangsung hingga sekarang

• **-어** : (두루낮춤으로) 어떤 사실을 서술하거나 물음, 명령, 권유를 나타내는 종결 어미.
  -kah, -lah
  (dalam bentuk rendah) akhiran penutup untuk menyatakan suatu kenyataan atau menandai
  pertanyaan, perintah, dan ajakan <penjabaran>

• **금방 (adverbia)** : 시간이 얼마 지나지 않아 곧바로.
  segera, langsung
  sekarang

• **따라가다 (verba)** : 앞에서 가는 것을 뒤에서 그대로 쫓아가다.
  mengikuti, membuntuti
  mengikuti sesuatu yang pergi di depannya dari belakang

• **-ㄹ게** : (두루낮춤으로) 말하는 사람이 어떤 행동을 할 것을 듣는 사람에게 약속하거나 의지를 나타내는
            종결 어미.
  akan, mau
  (dalam bentuk rendah) kata penutup final yang menyatakan pembicara menjanjikan atau
  memberitahukan akan melakukan suatu tindakan kepada pendengar

< 대화(pembicaraan) > - 84

오늘 정말 잘 먹고 갑니다. 초대해 주셔서 감사합니다.
오늘 정말 잘 먹꼬 감니다. 초대해 주셔서 감사함니다.
oneul jeongmal jal meokgo gamnida. chodaehae jusyeoseo gamsahamnida.

아니에요. 바쁜데 이렇게 먼 곳까지 와 줘서 고마워요.
아니에요. 바쁜데 이러케 먼 곧까지 와 줘서 고마워요.
anieyo. bappeunde ireoke meon gotkkaji wa jwoseo gomawoyo.

< 설명(penjelasan) / 번역(penerjemahan) >

오늘 정말 잘 먹+고 가+ㅂ니다.
갑니다

초대하+[여 주]+시+어서 감사하+ㅂ니다.
초대해 주셔서 　　　　감사합니다

- 오늘 (adverbia) : 지금 지나가고 있는 이날에.
  hari ini, pada hari ini
  pada hari ini yang sekarang sedang dilalui

- 정말 (adverbia) : 거짓이 없이 진짜로.
  benar-benar, sungguh-sungguh
  tidak ada kebohongan, yang sebenarnya

- 잘 (adverbia) : 충분히 만족스럽게.
  dengan puas/cukup
  dengan cukup dan puas

- 먹다 (verba) : 음식 등을 입을 통하여 배 속에 들여보내다.
  makan
  memasukkan makanan ke dalam mulut lalu menelannya

- -고 : 앞의 말과 뒤의 말이 차례대로 일어남을 나타내는 연결 어미.
  lalu
  akhiran penghubung yang menyatakan bahwa kalimat di depan dan di belakang muncul
  secara berturut-turut

• **가다** (verba) : 한 곳에서 다른 곳으로 장소를 이동하다.
  pergi
  bergerak dari satu tempat ke tempat lain

• **-ㅂ니다** : (아주높임으로) 현재의 동작이나 상태, 사실을 정중하게 설명함을 나타내는 종결 어미.
  adalah
  (dalam bentuk sangat hormat) kata penutup final yang menyatakan menjelaskan tindakan, keadaan, atau kenyataan di masa kini dengan sopan

• **초대하다** (verba) : 다른 사람에게 어떤 자리, 모임, 행사 등에 와 달라고 요청하다.
  undang, mengundang, mengajak
  meminta orang lain untuk datang ke sebuah acara, pertemuan, perjamuan, dsb

• **-여 주다** : 남을 위해 앞의 말이 나타내는 행동을 함을 나타내는 표현.
  memberi
  ungkapan yang menyatakan melakukan tindakan yang disebutkan dalam kalimat di depan untuk orang lain

• **-시-** : 어떤 동작이나 상태의 주체를 높이는 뜻을 나타내는 어미.
  Tiada Penjelasan Arti
  akhiran kalimat yang menyatakan arti meninggikan subjek atau topik suatu tindakan atau keadaan

• **-어서** : 이유나 근거를 나타내는 연결 어미.
  lalu, kemudian, karena, dengan
  kata penutup sambung yang menyatakan alasan atau landasan

• **감사하다** (verba) : 고맙게 여기다.
  berterima kasih, terima kasih
  memiliki hati atau perasaan berterima kasih

• **-ㅂ니다** : (아주높임으로) 현재의 동작이나 상태, 사실을 정중하게 설명함을 나타내는 종결 어미.
  adalah
  (dalam bentuk sangat hormat) kata penutup final yang menyatakan menjelaskan tindakan, keadaan, atau kenyataan di masa kini dengan sopan

아니+에요.

바쁘+ㄴ데 이렇+게 멀+ㄴ 곳+까지 오+[아 주]+어서 고맙(고마우)+어요.
바쁜데 　　　　　 먼 　　　　 와 줘서 　　　　 고마워요

• **아니다 (adjektiva)** : 어떤 사실이나 내용을 부정하는 뜻을 나타내는 말.
  bukan
  kata negatif yang tidak membenarkan suatu fakta atau keterangan tertentu

• **-에요** : (두루높임으로) 어떤 사실을 서술하거나 질문함을 나타내는 종결 어미.
  apakah, adalah
  (dalam bentuk hormat) kata penutup final yang mengungkapkan suatu kenyataan atau menyatakan pertanyaan, perintah, atau ajakan <penjabaran>

• **바쁘다 (adjektiva)** : 할 일이 많거나 시간이 없어서 다른 것을 할 여유가 없다.
  sibuk
  tidak ada keluangan untuk melakukan hal lain karena banyak hal yang harus dikerjakan, atau tidak ada waktu

• **-ㄴ데** : 뒤의 말을 하기 위하여 그 대상과 관련이 있는 상황을 미리 말함을 나타내는 연결 어미.
  tetapi, karena
  akhiran penghubung untuk mengatakan terlebih dahulu keadaan yang berhubungan sebelum mengatakan kalimat yang berhubungan

• **이렇다 (adjektiva)** : 상태, 모양, 성질 등이 이와 같다.
  demikian, begitu, begini
  keadaan, bentuk, karakter, dsb sama dengan ini

• **-게** : 앞의 말이 뒤에서 가리키는 일의 목적이나 결과, 방식, 정도 등이 됨을 나타내는 연결 어미.
  dengan
  kata penutup sambung yang menyatakan isi kalimat di depan dibutuhkan sementara kalimat di belakang terus dilanjutkan(formal, kedudukan penerima sangat rendah)

• **멀다 (adjektiva)** : 두 곳 사이의 떨어진 거리가 길다.
  jauh
  jarak terpisahnya dua tempat jauh

• **-ㄴ** : 앞의 말이 관형어의 기능을 하게 만들고 현재의 상태를 나타내는 어미.
  yang
  akhiran yang membuat kata di depannya berfungsi sebagai kata pewatas, dan menyatakan keadaan saat ini

• **곳 (nomina)** : 일정한 장소나 위치.
  tempat
  tempat atau lokasi tertentu

• **까지** : 어떤 범위의 끝임을 나타내는 조사.
  sampai
  partikel yang menyatakan akhir dari suatu lingkup

• **오다 (verba)** : 무엇이 다른 곳에서 이곳으로 움직이다.

  datang,kemari, ke sini

  sesuatu bergerak dari tempat lain ke sini

• **-아 주다** : 남을 위해 앞의 말이 나타내는 행동을 함을 나타내는 표현.

  mohon, minta, karena

  ungkapan yang menyatakan melakukan tindakan yang disebutkan dalam kalimat di depan untuk orang lain

• **-어서** : 이유나 근거를 나타내는 연결 어미.

  lalu, kemudian, karena, dengan

  kata penutup sambung yang menyatakan alasan atau landasan

• **고맙다 (adjektiva)** : 남이 자신을 위해 무엇을 해주어서 마음이 흐뭇하고 보답하고 싶다.

  terima kasih

  perasaan senang dan ingin membalas budi kepada orang lain yang telah melakukan kebaikan untuk kita

• **-어요** : (두루높임으로) 어떤 사실을 서술하거나 질문, 명령, 권유함을 나타내는 종결 어미.

  apakah, apa, ~saja, silakan

  (dalam bentuk hormat) kata penutup final yang mengungkapkan suatu kenyataan atau menyatakan pertanyaan, perintah, atau ajakan <penjabaran>

< 대화(pembicaraan) > - 85

백화점에는 왜 다시 가려고?
배콰저메는 왜 다시 가려고?
baekwajeomeneun wae dasi garyeogo?

어제 산 옷이 맞는 줄 알았더니 작아서 교환해야 해.
어제 산 오시 만는 줄 아랃떠니 자가서 교환해야 해.
eoje san osi manneun jul aratdeoni jagaseo gyohwanhaeya hae.

< 설명(penjelasan) / 번역(penerjemahan) >

백화점+에+는 왜 다시 가+려고?

- **백화점 (nomina)** : 한 건물 안에 온갖 상품을 종류에 따라 나누어 벌여 놓고 판매하는 큰 상점.
  mal, pusat perbelanjaan
  tempat yang menjual segala jenis barang dalam satu gedung

- **에** : 앞말이 목적지이거나 어떤 행위의 진행 방향임을 나타내는 조사.
  ke
  partikel yang menyatakan kalimat di depan adalah tempat tujuan atau arah jalannya tindakan

- **는** : 문장 속에서 어떤 대상이 화제임을 나타내는 조사.
  Tiada Penjelasan Arti
  partikel yang menyatakan suatu subjek dalam kalimat menjadi bahan pembicaraan

- **왜 (adverbia)** : 무슨 이유로. 또는 어째서.
  kenapa, mengapa
  untuk alasan apa, atau bagaimana bisa

- **다시 (adverbia)** : 같은 말이나 행동을 반복해서 또.
  lagi, kembali
  mengulang lagi kata atau tindakan yang sama

- **가다 (verba)** : 한 곳에서 다른 곳으로 장소를 이동하다.
  pergi
  bergerak dari satu tempat ke tempat lain

• -려고 : (두루낮춤으로) 어떤 주어진 상황에 대하여 의심이나 반문을 나타내는 종결 어미.
  -kah
  (dalam bentuk rendah) akhiran penutup untuk menyatakan kecurigaan atau pertanyaan
  balik tentang situasi yang ada

어제 사+ㄴ 옷+이 맞+[는 줄] 알+았더니 작+아서 교환하+[여야 하]+여.
산   교환해야 해

• 어제 (adverbia) : 오늘의 하루 전날에.
  kemarin
  sehari sebelum hari ini

• 사다 (verba) : 돈을 주고 어떤 물건이나 권리 등을 자기 것으로 만들다.
  membeli
  menjadikan sesuatu atau hak dsb milik dengan memberikan sejumlah uang

• -ㄴ : 앞의 말이 관형어의 기능을 하게 만들고 사건이나 동작이 과거에 일어났음을 나타내는 어미.
  yang
  akhiran yang membuat kata di depannya berfungsi sebagai kata pewatas, dan menyatakan
  bahwa tindakan dan peristiwa terjadi di masa lampau

• 옷 (nomina) : 사람의 몸을 가리고 더위나 추위 등으로부터 보호하며 멋을 내기 위하여 입는 것.
  baju, pakaian
  sesuatu yang menutupi tubuh, melindungi dari panas dan dingin, dan mempercantik diri

• 이 : 어떤 상태나 상황의 대상이나 동작의 주체를 나타내는 조사.
  Tiada Penjelasan Arti
  partikel yang menyatakan objek dari suatu keadaan atau kondisi atau pelaku dari suatu
  tindakan

• 맞다 (verba) : 크기나 규격 등이 어떤 것과 일치하다.
  sesuai, pas, cukup
  besar atau standar dsb sesuai dengan sesuatu

• -는 줄 : 어떤 사실이나 상태에 대해 알고 있거나 모르고 있음을 나타내는 표현.
  bahwa
  ungkapan untuk menyatakan mengetahui atau tidak mengetahui suatu kenyataan atau
  keadaan

• 알다 (verba) : 어떤 사실을 그러하다고 여기거나 생각하다.
  menganggap, mengira
  menganggap atau berpikir bahwa suatu kenyataan seperti itu

• -았더니 : 과거의 사실이나 상황과 다른 새로운 사실이나 상황이 있음을 나타내는 표현.
 tetapi, namun, melainkan
 ungkapan untuk menyatakan adanya kenyataan atau keadaan baru yang berbeda dengan kenyataan atau keadaan masa lampau

• **작다 (adjektiva)** : 정해진 크기에 모자라서 맞지 아니하다.
 kecil
 tidak sesuai karena kurang dari ukuran yang ditentukan

• -아서 : 이유나 근거를 나타내는 연결 어미.
 karena, akibat
 kata penutup sambung yang menyatakan alasan atau landasan

• **교환하다 (verba)** : 무엇을 다른 것으로 바꾸다.
 menukar, mengganti
 menukar sesuatu ke sesuatu yang lain

• -여야 하다 : 앞에 오는 말이 어떤 일을 하거나 어떤 상황에 이르기 위한 의무적인 행동이거나 필수적인 조건임을 나타내는 표현.
 harus, wajib, perlu
 ungkapan yang menyatakan perkataan sebelumnya adalah syarat wajib atau diperlukan demi melakukan suatu hal atau mewujudkan suatu situasi

• -여 : (두루낮춤으로) 어떤 사실을 서술하거나 물음, 명령, 권유를 나타내는 종결 어미.
 -kah, -lah
 (dalam bentuk rendah) akhiran penutup untuk menyatakan suatu kenyataan atau menandai pertanyaan, perintah, dan ajakan <penjabaran>

< 대화(pembicaraan) > - 86

물을 계속 틀어 놓은 채 설거지를 하지 마세요.
무를 계속 트러 노은 채 설거지를 하지 마세요.
mureul gesok teureo noeun chae seolgeojireul haji maseyo.

방금 잠갔어요. 앞으로는 헹굴 때만 물을 틀어 놓을게요.
방금 잠가써요. 아프로는 헹굴 때만 무를 트러 노을께요.
banggeum jamgasseoyo. apeuroneun henggul ttaeman mureul teureo noeulgeyo.

< 설명(penjelasan) / 번역(penerjemahan) >

물+을 계속 틀+[어 놓]+[은 채] 설거지+를 하+[지 말(마)]+세요.
하지 마세요

- **물 (nomina)** : 강, 호수, 바다, 지하수 등에 있으며 순수한 것은 빛깔, 냄새, 맛이 없고 투명한 액체.
  air
  cairan yang ada di sungai, danau, laut, bawah tanah, dsb, dan untuk yang murni tidak berwarna, berbau, berasa, dan bening

- **을** : 동작이 직접적으로 영향을 미치는 대상을 나타내는 조사.
  Tiada Penjelasan Arti
  partikel yang menyatakan objek dari suatu gerakan yang secara langsung memberikan pengaruh

- **계속 (adverbia)** : 끊이지 않고 잇따라.
  berlanjut
  terus menerus

- **틀다 (verba)** : 수도와 같은 장치를 작동시켜 물이 나오게 하다.
  menyalakan, menghidupkan
  menggerakkan alat seperti pipa kemudian membuat air keluar

- **-어 놓다** : 앞의 말이 나타내는 행동을 끝내고 그 결과를 유지함을 나타내는 표현.
  gara-gara, karena, sebab
  ungkapan yang menyatakan menyelesaikan tindakan dalam kalimat yang disebutkan di depan dan mempertahankan hasilnya

• -은 채 : 앞의 말이 나타내는 어떤 행위를 한 상태 그대로 있음을 나타내는 표현.
sambil, dengan

ungkapan yang menyatakan berada dalam keadaan melakukan suatu tindakan dalam perkataan depan

• 설거지 (nomina) : 음식을 먹고 난 뒤에 그릇을 씻어서 정리하는 일.
cuci piring

hal mencuci piring setelah makan

• 를 : 동작이 직접적으로 영향을 미치는 대상을 나타내는 조사.
Tiada Penjelasan Arti

partikel yang menyatakan objek dari suatu gerakan yang secara langsung memberikan pengaruh

• 하다 (verba) : 어떤 행동이나 동작, 활동 등을 행하다.
melakukan, mengerjakan, menjalankan

melaksanakan suatu tindakan atau aksi, kegiatan, dsb

• -지 말다 : 앞의 말이 나타내는 행동을 하지 못하게 함을 나타내는 표현.
tidak, jangan

ungkapan yang menyatakan menjadikan tidak dapat melakukan tindakan dalam kalimat yang disebutkan di depan

• -세요 : (두루높임으로) 설명, 의문, 명령, 요청의 뜻을 나타내는 종결 어미.
apakah, silakan

(dalam bentuk hormat) akhiran kalimat penutup yang menyatakan arti penjelasan, pertanyaan, perintah, permintaan, dsb <perintah>

방금 <u>잠그(잠ㄱ)</u>+았+어요.
잠갔어요

앞+으로+는 <u>헹구+[ㄹ 때]</u>+만 물+을 틀+[어 놓]+을게요.
헹굴 때만

• 방금 (adverbia) : 말하고 있는 시점보다 바로 조금 전에.
baru saja

beberapa saat yang lalu sebelum waktu saat berbicara

• 잠그다 (verba) : 물, 가스 등이 나오지 않도록 하다.
menghentikan, menutup

menghentikan pemakaian fasilitas seperti, air, gas, listrik, dsb

• -았- : 어떤 사건이 과거에 완료되었거나 그 사건의 결과가 현재까지 지속되는 상황을 나타내는 어미.
  sudah, telah, pasti akan
  akhiran kalimat yang menyatakan sebuah peristiwa sudah selesai di masa lampau atau menyatakan keadaan di mana hasil peristiwa tersebut terus berlangsung hingga sekarang

• -어요 : (두루높임으로) 어떤 사실을 서술하거나 질문, 명령, 권유함을 나타내는 종결 어미.
  apakah, apa, ~saja, silakan
  (dalam bentuk hormat) kata penutup final yang mengungkapkan suatu kenyataan atau menyatakan pertanyaan, perintah, atau ajakan <penjabaran>

• **앞 (nomina)** : 다가올 시간.
  masa depan, masa mendatang
  waktu yang akan datang

• 으로 : 시간을 나타내는 조사.
  ke, pada, menjadi
  partikel yang menyatakan waktu

• 는 : 어떤 대상이 다른 것과 대조됨을 나타내는 조사.
  Tiada Penjelasan Arti
  partikel yang menyatakan suatu subjek diperbandingkan dengan sesuatu yang lain

• **헹구다 (verba)** : 깨끗한 물에 넣어 비눗물이나 더러운 때가 빠지도록 흔들어 씻다.
  membilas
  menggoyangkan sambil mencuci sesuatu di air yang bersih agar sisa sabun atau kotoran terlepas atau hilang

• -ㄹ 때 : 어떤 행동이나 상황이 일어나는 동안이나 그 시기 또는 그러한 일이 일어난 경우를 나타내는 표현.
  ketika, waktu, saat
  ungkapan yang menunjukkan hal selama atau sewaktu suatu tindakan atau kondisi berlangsung, atau saat hal yang demikian terjadi

• 만 : 다른 것은 제외하고 어느 것을 한정함을 나타내는 조사.
  hanya
  partikel yang menyatakan membatasi sesuatu di luar sesuatu yang lain

• **물 (nomina)** : 강, 호수, 바다, 지하수 등에 있으며 순수한 것은 빛깔, 냄새, 맛이 없고 투명한 액체.
  air
  cairan yang ada di sungai, danau, laut, bawah tanah, dsb, dan untuk yang murni tidak berwarna, berbau, berasa, dan bening

• 을 : 동작이 직접적으로 영향을 미치는 대상을 나타내는 조사.
  Tiada Penjelasan Arti
  partikel yang menyatakan objek dari suatu gerakan yang secara langsung memberikan pengaruh

• **틀다 (verba)** : 수도와 같은 장치를 작동시켜 물이 나오게 하다.
  menyalakan, menghidupkan
  menggerakkan alat seperti pipa kemudian membuat air keluar

• -어 놓다 : 앞의 말이 나타내는 행동을 끝내고 그 결과를 유지함을 나타내는 표현.
  gara-gara, karena, sebab
  ungkapan yang menyatakan menyelesaikan tindakan dalam kalimat yang disebutkan di depan dan mempertahankan hasilnya

• -을게요 : (두루높임으로) 말하는 사람이 어떤 행동을 할 것을 듣는 사람에게 약속하거나 의지를 나타내는 표현.
  akan
  (dalam bentuk hormat) ungkapan yang menyatakan orang yang berbicara menjanjikan atau memberitahukan akan melakukan suatu tindakan kepada pendengar

< 대화(pembicaraan) > - 87

작년에 갔던 그 바닷가에 또 가고 싶다.
장녀네 갇떤 그 바닫까에 또 가고 십따.
jangnyeone gatdeon geu badatgae tto gago sipda.

나도 그래. 그때 우리 참 재밌게 놀았었지.
나도 그래. 그때 우리 참 재믿께 노라썯찌.
nado geurae. geuttae uri cham jaemitge norasseotji.

< 설명(penjelasan) / 번역(penerjemahan) >

작년+에 가+았던 그 바닷가+에 또 가+[고 싶]+다.
　　　　갔던

- **작년 (nomina)** : 지금 지나가고 있는 해의 바로 전 해.
  tahun lalu
  tahun sebelumnya dari tahun yang sedang dilalui saat ini

- **에** : 앞말이 시간이나 때임을 나타내는 조사.
  pada
  partikel yang menyatakan kalimat di depan adalah waktu atau saat

- **가다 (verba)** : 한 곳에서 다른 곳으로 장소를 이동하다.
  pergi
  bergerak dari satu tempat ke tempat lain

- **-았던** : 과거의 사건이나 상태를 다시 떠올리거나 그 사건이나 상태가 완료되지 않고 중단되었다는 의미를 나타내는 표현.
  yang dulu, yang dulu pernah
  ungkapan yang menunjukkan maksud mengingat kembali peristiwa atau kondisi di masa lalu atau perisitiwa atau kondisi tersebut tidak selesai dan terhenti di tengah-tengah

- **그 (pewatas)** : 듣는 사람에게 가까이 있거나 듣는 사람이 생각하고 있는 대상을 가리킬 때 쓰는 말.
  itu
  kata yang digunakan saat menunjuk sesuatu yang ada di dekat pendengar atau ada dalam pikiran pendengar

• **바닷가 (nomina)** : 바다와 육지가 맞닿은 곳이나 그 근처.
pantai, pesisir, tepi pantai, pinggir laut
tempat atau daerah sekitar yang menyentuh laut dan daratan

• **에** : 앞말이 목적지이거나 어떤 행위의 진행 방향임을 나타내는 조사.
ke
partikel yang menyatakan kalimat di depan adalah tempat tujuan atau arah jalannya tindakan

• **또 (adverbia)** : 어떤 일이나 행동이 다시.
lagi
suatu hal atau tindakan lagi

• **가다 (verba)** : 한 곳에서 다른 곳으로 장소를 이동하다.
pergi
bergerak dari satu tempat ke tempat lain

• **-고 싶다** : 앞의 말이 나타내는 행동을 하기를 원함을 나타내는 표현.
ingin, mau
ungkapan yang menyatakan bahwa pembicara ingin melakukan tindakan yang disebut dalam kalimat di depan

• **-다** : (아주낮춤으로) 어떤 사건이나 사실, 상태를 서술함을 나타내는 종결 어미.
Tiada Penjelasan Arti
(dalam bentuk sangat rendah) akhiran penutup untuk menyatakan suatu peristiwa, kenyataan, dan keadaan

나+도 그렇+어.
그래

그때 우리 참 재밌+게 놀+았었+지.

• **나 (pronomina)** : 말하는 사람이 친구나 아랫사람에게 자기를 가리키는 말.
aku
kata yang digunakan orang yang berbicara untuk menunjuk dirinya sendiri kepada teman atau orang yang berada di bawahnya

• **도** : 이미 있는 어떤 것에 다른 것을 더하거나 포함함을 나타내는 조사.
juga
partikel yang menyatakan menambahkan atau mengikutsertakan sesuatu yang lain pada sesuatu yang sudah ada

• 그렇다 (adjektiva) : 상태, 모양, 성질 등이 그와 같다.
 begitu, demikian
 keadaan, bentuk, karakter, dsb sama dengan isi kalimat di depan atau di belakang

• -어 : (두루낮춤으로) 어떤 사실을 서술하거나 물음, 명령, 권유를 나타내는 종결 어미.
 -kah, -lah
 (dalam bentuk rendah) akhiran penutup untuk menyatakan suatu kenyataan atau menandai pertanyaan, perintah, dan ajakan

• 그때 (nomina) : 앞에서 이야기한 어떤 때.
 waktu itu, saat itu
 suatu waktu yang telah disebut sebelumnya

• 우리 (pronomina) : 말하는 사람이 자기와 듣는 사람 또는 이를 포함한 여러 사람들을 가리키는 말.
 kita
 kata untuk menyebutkan beberapa orang termasuk yang berbicara dan yang mendengar

• 참 (adverbia) : 사실이나 이치에 조금도 어긋남이 없이 정말로.
 sungguh, benar-benar
 dengan sungguh-sungguh tanpa terdapat kesimpangan sedikit pun dengan fakta atau alasan

• 재밌다 (adjektiva) : 즐겁고 유쾌한 느낌이 있다.
 menarik, memikat
 ada perasaan senang dan segar

• -게 : 앞의 말이 뒤에서 가리키는 일의 목적이나 결과, 방식, 정도 등이 됨을 나타내는 연결 어미.
 dengan
 kata penutup sambung yang menyatakan isi kalimat di depan dibutuhkan sementara kalimat di belakang terus dilanjutkan(formal, kedudukan penerima sangat rendah)

• 놀다 (verba) : 놀이 등을 하면서 재미있고 즐겁게 지내다.
 bermain
 melewatkan waktu dengan asyik dan gembira sambil melakukan permainan dsb

• -았었- : 현재와 비교하여 다르거나 현재로 이어지지 않는 과거의 사건을 나타내는 어미.
 pernah
 partikel yang menyatakan peristiwa masa lalu yang berbeda atau terhenti jika dibandingkan dengan masa kini

• -지 : (두루낮춤으로) 말하는 사람이 듣는 사람이 이미 알고 있다고 생각하는 것을 확인하며 말할 때 쓰는 종결 어미.
 sebenarnya, nyatanya, kan?, bukan?, apakah, mari, seharusnya
 (dalam bentuk rendah) kata penutup final yang menyatakan bahwa pembicara memastikan pikirannya tentang pendengar sudah tahu

< 대화(pembicaraan) > - 88

계속 돌아다녔더니 배고프다. 점심은 뭘 먹을까?
계속 도라다녈떠니 배고프다. 점시믄 뭘 머글까?
gesok doradanyeotdeoni baegopeuda. jeomsimeun mwol meogeulkka?

전주에 왔으면 비빔밥을 먹어야지.
전주에 와쓰면 비빔빠블 머거야지.
jeonjue wasseumyeon bibimbabeul meogeoyaji.

< 설명(penjelasan) / 번역(penerjemahan) >

계속 돌아다니+었더니 배고프+다.
　　　돌아다녔더니

점심+은 뭐+를 먹+을까?
　　　　뭘

• 계속 (adverbia) : 끊이지 않고 잇따라.
  berlanjut
  terus menerus

• 돌아다니다 (verba) : 여기저기를 두루 다니다.
  mondar-mandir
  berjalan kesana kemari

• -었더니 : 과거의 사실이나 상황이 뒤에 오는 말의 원인이나 이유가 됨을 나타내는 표현.
  karena, sebab
  ungkapan yang menunjukkan suatu fakta atau kondisi di masa lalu menjadi sebab atau alasan perkataan belakang

• 배고프다 (adjektiva) : 배 속이 빈 것을 느껴 음식이 먹고 싶다.
  lapar, kelaparan
  perut terasa kosong sehingga ingin makan sesuatu

• -다 : (아주낮춤으로) 어떤 사건이나 사실, 상태를 서술함을 나타내는 종결 어미.
  Tiada Penjelasan Arti
  (dalam bentuk sangat rendah) akhiran penutup untuk menyatakan suatu peristiwa, kenyataan, dan keadaan

• 점심 (nomina) : 아침과 저녁 식사 중간에, 낮에 하는 식사.
  makan siang
  makan yang dilakukan pada siang hari, di antara makan pagi dan makan malam

• 은 : 문장 속에서 어떤 대상이 화제임을 나타내는 조사.
  Tiada Penjelasan Arti
  partikel yang menyatakan suatu objek menjadi topik di dalam kalimat

• 뭐 (pronomina) : 모르는 사실이나 사물을 가리키는 말.
  apa
  kata yang merujuk pada kenyataan atau benda yang tidak diketahui

• 를 : 동작이 직접적으로 영향을 미치는 대상을 나타내는 조사.
  Tiada Penjelasan Arti
  partikel yang menyatakan objek dari suatu gerakan yang secara langsung memberikan pengaruh

• 먹다 (verba) : 음식 등을 입을 통하여 배 속에 들여보내다.
  makan
  memasukkan makanan ke dalam mulut lalu menelannya

• -을까 : (두루낮춤으로) 듣는 사람의 의사를 물을 때 쓰는 종결 어미.
  -kah
  (dalam bentuk rendah) akhiran penutup untuk menanyakan pendapat pendengar

전주+에 오+았으면 비빔밥+을 먹+어야지.
　　　　　　 왔으면

• 전주 (nomina) : 한국의 전라북도 중앙부에 있는 시. 전라북도의 도청 소재지이며, 창호지, 장판지의 생
　　　　　　　　　산과 전주비빔밥 등으로 유명하다.
  Jeonju
  kota yang ada di bagian tengah dari Provinsi Jeolla Utara Korea Selatan, merupakan lokasi pemerintahan Provinsi Jeolla Utara, dikenal sebagai daerah pemroduksi Changhoji, kertas laminasi dipernis kacang dengan minyak, dan terkenal akan Jeonjubibimbapnya

• 에 : 앞말이 목적지이거나 어떤 행위의 진행 방향임을 나타내는 조사.
ke
partikel yang menyatakan kalimat di depan adalah tempat tujuan atau arah jalannya tindakan

• 오다 (verba) : 가고자 하는 곳에 이르다.
sampai, tiba
tiba kdi tempat yang dituju

• -았으면 : 앞의 말이 나타내는 과거의 상황이 뒤의 내용의 조건이 됨을 나타내는 표현.
kalau sudah~, seandainya, kalau akan
ungkapan yang menyatakan situasi lampau yang ditunjukkan perkataan sebelumnya menjadi syarat isi slenjutnya

• 비빔밥 (nomina) : 고기, 버섯, 계란, 나물 등에 여러 가지 양념을 넣고 비벼 먹는 밥.
Bibimpap
nasi yang dimakan dengan memasukkan berbagai macam bumbu ke daging, jamur, telur, taoge, dsb kemudian dicampur

• 을 : 동작이 직접적으로 영향을 미치는 대상을 나타내는 조사.
Tiada Penjelasan Arti
partikel yang menyatakan objek dari suatu gerakan yang secara langsung memberikan pengaruh

• 먹다 (verba) : 음식 등을 입을 통하여 배 속에 들여보내다.
makan
memasukkan makanan ke dalam mulut lalu menelannya

• -어야지 : (두루낮춤으로) 말하는 사람의 결심이나 의지를 나타내는 종결 어미.
akan
(dalam bentuk rendah) akhiran penutup untuk menyatakan tekad atau resolusi penutur

< 대화(pembicaraan) > - 89

내일이 소풍인데 비가 너무 많이 오네.
내이리 소풍인데 비가 너무 마니 오네.
naeiri sopunginde biga neomu mani one.

그러게. 내일은 날씨가 맑았으면 좋겠다.
그러게. 내이른 날씨가 말가쓰면 조켇따.
geureoge. naeireun nalssiga malgasseumyeon joketda.

< 설명(penjelasan) / 번역(penerjemahan) >

내일+이 <u>소풍+이+ㄴ데</u> 비+가 너무 많이 오+네.
     소풍인데

- **내일 (nomina)** : 오늘의 다음 날.
  besok
  hari berikutnya setelah hari ini

- **이** : 어떤 상태나 상황의 대상이나 동작의 주체를 나타내는 조사.
  Tiada Penjelasan Arti
  partikel yang menyatakan objek dari suatu keadaan atau kondisi atau pelaku dari suatu tindakan

- **소풍 (nomina)** : 경치를 즐기거나 놀이를 하기 위하여 야외에 나갔다 오는 일.
  piknik
  pergi untuk menikmati pemandangan atau permainan ke tempat yang tidak terlalu jauh

- **이다** : 주어가 지시하는 대상의 속성이나 부류를 지정하는 뜻을 나타내는 서술격 조사.
  adalah
  partikel kasus predikatif yang menyatakan maksud menentukan karakter atau jenis dari objek yang diindikasikan subjek

- **-ㄴ데** : 뒤의 말을 하기 위하여 그 대상과 관련이 있는 상황을 미리 말함을 나타내는 연결 어미.
  tetapi, karena
  akhiran penghubung untuk mengatakan terlebih dahulu keadaan yang berhubungan sebelum mengatakan kalimat yang berhubungan

• 비 (nomina) : 높은 곳에서 구름을 이루고 있던 수증기가 식어서 뭉쳐 떨어지는 물방울.
hujan
titik air yang membentuk awan di tempat yang tinggi, mendingin, menggumpal, dan akhirnya jatuh ke bumi

• 가 : 어떤 상태나 상황에 놓인 대상이나 동작의 주체를 나타내는 조사.
Tiada Penjelasan Arti
partikel yang menyatakan subjek sebuah keadaan atau situasi atau pelaku utama sebuah tindakan

• 너무 (adverbia) : 일정한 정도나 한계를 훨씬 넘어선 상태로.
terlalu, berlebihan
tarafnya melebihi batas tertentu

• 많이 (adverbia) : 수나 양, 정도 등이 일정한 기준보다 넘게.
dengan banyak
dengan angka atau jumlah, kadar, dsb melebihi standar yang ditentukan

• 오다 (verba) : 비, 눈 등이 내리거나 추위 등이 닥치다.
turun, datang
hujan, salju, dsb turun atau dingin dsb datang atau mendekat

• -네 : (아주낮춤으로) 지금 깨달은 일에 대하여 말함을 나타내는 종결 어미.
wah, ternyata
(dalam bentuk sangat rendah) kata penutup final yang menyatakan perkataan tentang peristiwa yang sekarang disadari

그러게.

내일+은 날씨+가 맑+[았으면 좋겠]+다.

• 그러게 (interjeksi) : 상대방의 말에 찬성하거나 동의하는 뜻을 나타낼 때 쓰는 말.
Iya, ya!, Yah!, Iya!
kata yang digunakan untuk menyetujui apa yang dikatakan oleh lawan bicara

• 내일 (nomina) : 오늘의 다음 날.
besok
hari berikutnya setelah hari ini

• 은 : 어떤 대상이 다른 것과 대조됨을 나타내는 조사.
Tiada Penjelasan Arti
partikel yang menyatakan suatu objek dibandingkan dengan yang lain

· **날씨 (nomina)** : 그날그날의 기온이나 공기 중에 비, 구름, 바람, 안개 등이 나타나는 상태.
  cuaca
  kondisi yang menyatakan suhu, udara, hujan, angin, awan, dsb setiap harinya

· **가** : 어떤 상태나 상황에 놓인 대상이나 동작의 주체를 나타내는 조사.
  Tiada Penjelasan Arti
  partikel yang menyatakan subjek sebuah keadaan atau situasi atau pelaku utama sebuah tindakan

· **맑다 (adjektiva)** : 구름이나 안개가 끼지 않아 날씨가 좋다.
  cerah, terang
  awan atau kabut tidak menggumpal sehingga cuacanya bagus

· **-았으면 좋겠다** : 말하는 사람의 소망이나 바람을 나타내거나 현실과 다르게 되기를 바라는 것을 나타내는 표현.
  berharap, mudah-mudahan
  ungkapan yang menyatakan permohonan agar terjadi berbeda dengan kenyataan atau menyatakan keinginan atau permohonan orang yang berbicara

· **-다** : (아주낮춤으로) 어떤 사건이나 사실, 상태를 서술함을 나타내는 종결 어미.
  Tiada Penjelasan Arti
  (dalam bentuk sangat rendah) akhiran penutup untuk menyatakan suatu peristiwa, kenyataan, dan keadaan

< 대화(pembicaraan) > - 90

교수님, 오늘 수업 내용에 대한 질문이 있습니다.
교수님, 오늘 수업 내용에 대한 질무니 읻씀니다.
gyosunim, oneul sueop naeyonge daehan jilmuni itseumnida.

이해가 안 되는 부분이 있으면 편하게 얘기하세요.
이해가 안 되는 부부니 이쓰면 편하게 얘기하세요.
ihaega an doeneun bubuni isseumyeon pyeonhage yaegihaseyo.

< 설명(penjelasan) / 번역(penerjemahan) >

교수+님, 오늘 수업 내용+[에 대한] 질문+이 있+습니다.

• **교수 (nomina)** : 대학에서 학문을 연구하고 가르치는 일을 하는 사람. 또는 그 직위.
dosen, guru besar, profesor
orang yang berprofesi mengajar dan meneliti di perguruan tinggi, atau untuk menyebut jabatan tersebut

• **님** : '높임'의 뜻을 더하는 접미사.
bapak, ibu
akhiran yang menambahkan arti "meninggikan"

• **오늘 (nomina)** : 지금 지나가고 있는 이날.
hari ini
hari ini yang sekarang sedang dilalui sekarang

• **수업 (nomina)** : 교사가 학생에게 지식이나 기술을 가르쳐 줌.
kuliah, kelas
hal pengajar mengajari murid tentang pengetahuan atau teknik

• **내용 (nomina)** : 사물이나 일의 속을 이루는 사정이나 형편.
isi, keadaan
maksud atau kondisi membuat bentuk yang muncul ke luar dari suatu benda atau suatu hal dan membuatnya masuk ke dalam

- 에 대한 : 뒤에 오는 명사를 수식하며 앞에 오는 명사를 뒤에 오는 명사의 대상으로 함을 나타내는 표현.
  mengenai, tentang
  ungkapan yang menunjukkan hal menerangkan kata benda di belakang kemudian menjadikan kata benda di depan sebagai objek kata benda di belakang

- **질문 (nomina)** : 모르는 것이나 알고 싶은 것을 물음.
  pertanyaan
  hal menanyakan sesuatu yang tidak diketahui atau yang ingin diketahui

- 이 : 어떤 상태나 상황의 대상이나 동작의 주체를 나타내는 조사.
  Tiada Penjelasan Arti
  partikel yang menyatakan objek dari suatu keadaan atau kondisi atau pelaku dari suatu tindakan

- **있다 (adjektiva)** : 사실이나 현상이 존재하다.
  memiliki, ada
  kenyataan atau fenomena ada

- -습니다 : (아주높임으로) 현재의 동작이나 상태, 사실을 정중하게 설명함을 나타내는 종결 어미.
  Tiada Penjelasan Arti
  (dalam bentuk sangat hormat) kata penutup final yang menyatakan menjelaskan tindakan, keadaan, atau kenyataan di masa kini dengan sopan

이해+가 안 되+는 부분+이 있+으면 편하+게 얘기하+세요.

- **이해 (nomina)** : 무엇을 깨달아 앎. 또는 잘 알아서 받아들임.
  pengertian, penerimaan
  hal yang mengetahui dan menerima sesuatu

- 가 : 바뀌게 되는 대상이나 부정하는 대상임을 나타내는 조사.
  Tiada Penjelasan Arti
  partikel yang menyatakan pelengkap yang menjadi berubah, atau yang dianggap negatif

- **안 (adverbia)** : 부정이나 반대의 뜻을 나타내는 말.
  tidak
  kata yang menampilkan lawan arti atau negatif

- **되다 (verba)** : 어떠한 심리적인 상태에 있다.
  menjadi, sudah
  berada dalam suatu keadaan psikologis

• -는 : 앞의 말이 관형어의 기능을 하게 만들고 사건이나 동작이 현재 일어남을 나타내는 어미.
yang

akhiran untuk membuat kata di depannya berfungsi sebagai pewatas dan menyatakan kejadian atau tindakan terjadi sekarang

• 부분 (nomina) : 전체를 이루고 있는 작은 범위. 또는 전체를 여러 개로 나눈 것 가운데 하나.
bagian

skala kecil yang membentuk keseluruhan, atau salah satu dari keseluruhan yang dibagi menjadi beberapa

• 이 : 어떤 상태나 상황의 대상이나 동작의 주체를 나타내는 조사.
Tiada Penjelasan Arti

partikel yang menyatakan objek dari suatu keadaan atau kondisi atau pelaku dari suatu tindakan

• 있다 (adjektiva) : 사실이나 현상이 존재하다.
memiliki, ada

kenyataan atau fenomena ada

• -으면 : 뒤에 오는 말에 대한 근거나 조건이 됨을 나타내는 연결 어미.
kalau, seandainya, apabila

akhiran penghubung untuk menyatakan menjadi landasan atau syarat terhadap kalimat induk

• 편하다 (adjektiva) : 몸이나 마음이 괴롭지 않고 좋다.
nyaman, enak, senang

tubuh atau hati tidak sakit dan senang

• -게 : 앞의 말이 뒤에서 가리키는 일의 목적이나 결과, 방식, 정도 등이 됨을 나타내는 연결 어미.
dengan

kata penutup sambung yang menyatakan isi kalimat di depan dibutuhkan sementara kalimat di belakang terus dilanjutkan(formal, kedudukan penerima sangat rendah)

• 얘기하다 (verba) : 어떠한 사실이나 상태, 현상, 경험, 생각 등에 관해 누군가에게 말을 하다.
menceritakan, mengatakan

berbicara kepada seseorang mengenai suatu fakta, keadaan, fenomena, pengalaman, ide, dsb

• -세요 : (두루높임으로) 설명, 의문, 명령, 요청의 뜻을 나타내는 종결 어미.
apakah, silakan

(dalam bentuk hormat) akhiran kalimat penutup yang menyatakan arti penjelasan, pertanyaan, perintah, permintaan, dsb <perintah>

< 대화(pembicaraan) > - 91

어디 아프니? 안색이 안 좋아 보여.
어디 아프니? 안새기 안 조아 보여.
어디 아프니? 안색이 안 좋아 보여.

배가 고파서 **빵**을 급하게 먹었더니 체한 것 같아요.
배가 고파서 빵을 그파게 머걷떠니 체한 걷 가타요.
baega gopaseo ppangeul geupage meogeotdeoni chehan geot gatayo.

< 설명(penjelasan) / 번역(penerjemahan) >

어디 아프+니?

안색+이 안 좋+[아 보이]+어.
좋아 보여

- **어디 (pronomina)** : 모르는 곳을 가리키는 말.
  tempat yang tidak tahu, di/ke/dari mana
  kata yang digunakan ketika menanyakan tempat yang tak diketahui

- **아프다 (adjektiva)** : 다치거나 병이 생겨 통증이나 괴로움을 느끼다.
  sakit, nyeri
  merasa sakit atau menderita karena terluka atau timbul penyakit

- **-니** : (아주낮춤으로) 물음을 나타내는 종결 어미.
  -kah?
  (dalam bentuk sangat rendah) akhiran penutup yang menyatakan pertanyaan

- **안색 (nomina)** : 얼굴에 나타나는 표정이나 빛깔.
  air muka, raut wajah
  ekspresi atau warna/sinar yang muncul pada wajah

- **이** : 어떤 상태나 상황의 대상이나 동작의 주체를 나타내는 조사.
  Tiada Penjelasan Arti
  partikel yang menyatakan objek dari suatu keadaan atau kondisi atau pelaku dari suatu tindakan

- **안 (adverbia)** : 부정이나 반대의 뜻을 나타내는 말.
  tidak
  kata yang menampilkan lawan arti atau negatif

- **좋다 (adjektiva)** : 신체적 조건이나 건강 상태 등이 보통보다 낫다.
  bagus, baik
  kondisi tubuh atau keadaan kesehatan dsb lebih baik dari biasa

- **-아 보이다** : 겉으로 볼 때 앞의 말이 나타내는 것처럼 느껴지거나 추측됨을 나타내는 표현.
  tampak, terlihat
  ungkapan yang menyatakan bahwa kalimat yang disebutkan di depan terasa atau diperkirakan seperti muncul atau terjadi

- **-어** : (두루낮춤으로) 어떤 사실을 서술하거나 물음, 명령, 권유를 나타내는 종결 어미.
  -kah, -lah
  (dalam bentuk rendah) akhiran penutup untuk menyatakan suatu kenyataan atau menandai pertanyaan, perintah, dan ajakan <penjabaran>

배+가 <u>고파(고ㅍ)+아서</u> 빵+을 급하+게 먹+었더니 <u>체하+[ㄴ 것 같]+아요</u>.
고파서   체한 것 같아요

- **배 (nomina)** : 사람이나 동물의 몸에서 음식을 소화시키는 위장, 창자 등의 내장이 있는 곳.
  perut
  bagian tubuh manusia atau binatang yang memiliki organ seperti usus, usus besar, usus kecil, dsb yang membantu mencerna makanan

- **가** : 어떤 상태나 상황에 놓인 대상이나 동작의 주체를 나타내는 조사.
  Tiada Penjelasan Arti
  partikel yang menyatakan subjek sebuah keadaan atau situasi atau pelaku utama sebuah tindakan

- **고프다 (adjektiva)** : 뱃속이 비어 음식을 먹고 싶다.
  lapar
  merasa ingin makan karena perut kosong

- **-아서** : 이유나 근거를 나타내는 연결 어미.
  karena, akibat
  kata penutup sambung yang menyatakan alasan atau landasan

- **빵 (nomina)** : 밀가루를 반죽하여 발효시켜 찌거나 구운 음식.
  roti
  makanan yang terbuat dari adonan tepung yang difermentasi kemudian dikukus atau dipanggang

· 을 : 동작이 직접적으로 영향을 미치는 대상을 나타내는 조사.
    Tiada Penjelasan Arti
    partikel yang menyatakan objek dari suatu gerakan yang secara langsung memberikan pengaruh

· **급하다 (adjektiva)** : 시간적 여유 없이 일을 서둘러 매우 빠르다.
    terburu-buru, tergopoh, tergesa-gesa
    terburu-buru melakukan pekerjaan dan sangat cepat tanpa ada waktu luang

· -게 : 앞의 말이 뒤에서 가리키는 일의 목적이나 결과, 방식, 정도 등이 됨을 나타내는 연결 어미.
    dengan
    kata penutup sambung yang menyatakan isi kalimat di depan dibutuhkan sementara kalimat di belakang terus dilanjutkan(formal, kedudukan penerima sangat rendah)

· **먹다 (verba)** : 음식 등을 입을 통하여 배 속에 들여보내다.
    makan
    memasukkan makanan ke dalam mulut lalu menelannya

· -었더니 : 과거의 사실이나 상황이 뒤에 오는 말의 원인이나 이유가 됨을 나타내는 표현.
    karena, sebab
    ungkapan yang menunjukkan suatu fakta atau kondisi di masa lalu menjadi sebab atau alasan perkataan belakang

· **체하다 (verba)** : 먹은 음식이 잘 소화되지 않아 배 속에 답답하게 남아 있다.
    pencernaan tidak lancar
    makanan yang dimakan tidak dapat dicerna dengan baik sehingga tersisa dalam lambung hingga membuat sesak

· -ㄴ 것 같다 : 추측을 나타내는 표현.
    sepertinya, kelihatannya, nampaknya
    ungkapan yang menyatakan dugaan atau terkaan

· -아요 : (두루높임으로) 어떤 사실을 서술하거나 질문, 명령, 권유함을 나타내는 종결 어미.
    cobalah, sebenarnya, apa
    (dalam bentuk hormat) kata penutup final yang mengungkapkan suatu kenyataan atau menyatakan pertanyaan, perintah, atau ajakan **<penjabaran>**

< 대화(pembicaraan) > - 92

배가 좀 아픈데 우리 잠깐 쉬었다 가자.
배가 좀 아픈데 우리 잠깐 쉬얻따 가자.
baega jom apeunde uri jamkkan swieotda gaja.

음식을 먹은 다음에 바로 운동을 해서 그런가 보다.
음시글 머근 다으메 바로 운동을 해서 그런가 보다.
eumsigeul meogeun daeume baro undongeul haeseo geureonga boda.

< 설명(penjelasan) / 번역(penerjemahan) >

배+가 좀 <u>아프+ㄴ데</u> 우리 잠깐 쉬+었+다 가+자.
　　　　　아픈데

• 배 (nomina) : 사람이나 동물의 몸에서 음식을 소화시키는 위장, 창자 등의 내장이 있는 곳.
perut
bagian tubuh manusia atau binatang yang memiliki organ seperti usus, usus besar, usus kecil, dsb yang membantu mencerna makanan

• 가 : 어떤 상태나 상황에 놓인 대상이나 동작의 주체를 나타내는 조사.
Tiada Penjelasan Arti
partikel yang menyatakan subjek sebuah keadaan atau situasi atau pelaku utama sebuah tindakan

• 좀 (adverbia) : 분량이나 정도가 적게.
agak, sedikit
dengan jumlah atau taraf yang sedikit

• 아프다 (adjektiva) : 다치거나 병이 생겨 통증이나 괴로움을 느끼다.
sakit, nyeri
merasa sakit atau menderita karena terluka atau timbul penyakit

• -ㄴ데 : 뒤의 말을 하기 위하여 그 대상과 관련이 있는 상황을 미리 말함을 나타내는 연결 어미.
tetapi, karena
akhiran penghubung untuk mengatakan terlebih dahulu keadaan yang berhubungan sebelum mengatakan kalimat yang berhubungan

• **우리 (pronomina)** : 말하는 사람이 자기와 듣는 사람 또는 이를 포함한 여러 사람들을 가리키는 말.
  kita
  kata untuk menyebutkan beberapa orang termasuk yang berbicara dan yang mendengar

• **잠깐 (adverbia)** : 아주 짧은 시간 동안에.
  sebentar
  dalam waktu yang sangat pendek, selama waktu yang pendek

• **쉬다 (verba)** : 피로를 없애기 위해 몸을 편안하게 하다.
  istirahat, beristirahat
  membuat tubuh menjadi nyaman untuk menglepaskan lelah

• **-었-** : 어떤 사건이 과거에 완료되었거나 그 사건의 결과가 현재까지 지속되는 상황을 나타내는 어미.
  sudah, pasti, yakin
  akhiran kalimat yang menyatakan sebuah peristiwa sudah selesai di masa lampau atau menyatakan keadaan di mana hasil peristiwa tersebut terus berlangsung hingga sekarang

• **-다** : 어떤 행동이나 상태 등이 중단되고 다른 행동이나 상태로 바뀜을 나타내는 연결 어미.
  lalu, kemudian
  akhiran penghubung untuk menyatakan bahwa suatu tindakan atau keadaan dsb terhenti dan diubah menjadi tindakan atau keadaan lain

• **가다 (verba)** : 한 곳에서 다른 곳으로 장소를 이동하다.
  pergi
  bergerak dari satu tempat ke tempat lain

• **-자** : (아주낮춤으로) 어떤 행동을 함께 하자는 뜻을 나타내는 종결 어미.
  ayo
  (dalam bentuk sangat rendah) akhiran kalimat penutup yang menyatakan mengusulkan untuk mengajak bersama melakukan suatu tindakan

음식+을 먹+[은 다음에] 바로 운동+을 <u>하+여서</u> <u>그렇(그러)+[ㄴ가 보]+다</u>.
해서   그런가 보다

• **음식 (nomina)** : 사람이 먹거나 마시는 모든 것.
  pangan, makanan
  segala sesuatu yang dimakan dan diminum manusia

• **을** : 동작이 직접적으로 영향을 미치는 대상을 나타내는 조사.
  Tiada Penjelasan Arti
  partikel yang menyatakan objek dari suatu gerakan yang secara langsung memberikan pengaruh

• 먹다 (verba) : 음식 등을 입을 통하여 배 속에 들여보내다.
  makan

  memasukkan makanan ke dalam mulut lalu menelannya

• -은 다음에 : 앞에 오는 말이 가리키는 일이나 과정이 끝난 뒤임을 나타내는 표현.
  setelah, sesudah

  ungkapan yang menyatakan hal setelah hal atau proses yang diindikasikan kata yang datang di depan selesai

• 바로 (adverbia) : 시간 차를 두지 않고 곧장.
  langsung, segera

  segera tanpa memberi jarak waktu

• 운동 (nomina) : 몸을 단련하거나 건강을 위하여 몸을 움직이는 일.
  olahraga

  hal melatih tubuh atau menggerakkan tubuh supaya sehat

• 을 : 동작이 직접적으로 영향을 미치는 대상을 나타내는 조사.
  Tiada Penjelasan Arti

  partikel yang menyatakan objek dari suatu gerakan yang secara langsung memberikan pengaruh

• 하다 (verba) : 어떤 행동이나 동작, 활동 등을 행하다.
  melakukan, mengerjakan, menjalankan

  melaksanakan suatu tindakan atau aksi, kegiatan, dsb

• -여서 : 이유나 근거를 나타내는 연결 어미.
  karena, lalu, kemudian

  kata penutup sambung yang menyatakan alasan atau landasan

• 그렇다 (adjektiva) : 상태, 모양, 성질 등이 그와 같다.
  begitu, demikian

  keadaan, bentuk, karakter, dsb sama dengan isi kalimat di depan atau di belakang

• -ㄴ가 보다 : 앞의 말이 나타내는 사실을 추측함을 나타내는 표현.
  sepertinya, nampaknya, kelihatannya, kiranya, rasanya

  ungkapan untuk menduga sebuah kenyataan dalam perkataan depan

• -다 : (아주낮춤으로) 어떤 사건이나 사실, 상태를 서술함을 나타내는 종결 어미.
  lalu, kemudian

  akhiran penghubung untuk menyatakan bahwa suatu tindakan atau keadaan dsb terhenti dan diubah menjadi tindakan atau keadaan lain

< 대화(pembicaraan) > - 93

우리 저기 보이는 카페에 가서 같이 커피 마실까요?
우리 저기 보이는 카페에 가서 가치 커피 마실까요?
uri jeogi boineun kapee gaseo gachi keopi masilkkayo?

좋아요. 오늘은 제가 살게요.
조아요. 오느른 제가 살께요.
joayo. oneureun jega salgeyo.

< 설명(penjelasan) / 번역(penerjemahan) >

우리 저기 보이+는 카페+에 <u>가+(아)서</u> 같이 커피 <u>마시+ㄹ까요</u>?
　　　　　　　　　　　　　　가서　　　　　　　　　마실까요

- **우리 (pronomina)** : 말하는 사람이 자기와 듣는 사람 또는 이를 포함한 여러 사람들을 가리키는 말.
  kita
  kata untuk menyebutkan beberapa orang termasuk yang berbicara dan yang mendengar

- **저기 (pronomina)** : 말하는 사람이나 듣는 사람으로부터 멀리 떨어져 있는 곳을 가리키는 말.
  sana, di sana
  kata untuk menunjuk tempat yang berada jauh dari orang yang berbicara atau yang mendengar

- **보이다 (verba)** : 눈으로 대상의 존재나 겉모습을 알게 되다.
  kelihatan
  menjadi bisa diketahui keberadaan atau bentuk suatu objek dengan mata

- **-는** : 앞의 말이 관형어의 기능을 하게 만들고 사건이나 동작이 현재 일어남을 나타내는 어미.
  yang
  akhiran untuk membuat kata di depannya berfungsi sebagai pewatas dan menyatakan kejadian atau tindakan terjadi sekarang

- **카페 (nomina)** : 주로 커피와 차, 가벼운 간식거리 등을 파는 가게.
  kafe, kedai kopi
  toko yang biasanya menjual kopi, teh, serta makanan ringan dsb

- 에 : 앞말이 목적지이거나 어떤 행위의 진행 방향임을 나타내는 조사.
  ke
  partikel yang menyatakan kalimat di depan adalah tempat tujuan atau arah jalannya tindakan

- 가다 (verba) : 한 곳에서 다른 곳으로 장소를 이동하다.
  pergi
  bergerak dari satu tempat ke tempat lain

- -아서 : 앞의 말과 뒤의 말이 순차적으로 일어남을 나타내는 연결 어미.
  lalu, kemudian
  kata penutup sambung yang menyatakan kalimat di depan dan kalimat di belakang muncul secara berurutan

- 같이 (adverbia) : 둘 이상이 함께.
  bersama
  bersama lebih dari dua orang

- 커피 (nomina) : 독특한 향기가 나고 카페인이 들어 있으며 약간 쓴, 커피나무의 열매로 만든 진한 갈색의 차.
  kopi
  minuman berwarna coklat tua yang terbuat dari biji kopi yang berasa agak pahit, beraroma khas, dan memiliki kandungan kafein

- 마시다 (verba) : 물 등의 액체를 목구멍으로 넘어가게 하다.
  minum
  mengalirkan cairan seperti air dsb ke tenggorokan

- -ㄹ까요 : (두루높임으로) 듣는 사람에게 의견을 묻거나 제안함을 나타내는 표현.
  apakah, maukah
  (dalam bentuk hormat) ungkapan yang menunjukkan hal menanyakan atau mengajukan pendapat kepada orang yang mendengar

좋**+**아요.

오늘**+**은 제**+**가 사**+**ㄹ게요.
살게요

- 좋다 (adjektiva) : 어떤 일이나 대상이 마음에 들고 만족스럽다.
  suka
  suatu peristiwa atau objek berkenan di hati dan memuaskan

- -아요 : (두루높임으로) 어떤 사실을 서술하거나 질문, 명령, 권유함을 나타내는 종결 어미.
  cobalah, sebenarnya, apa
  (dalam bentuk hormat) kata penutup final yang mengungkapkan suatu kenyataan atau menyatakan pertanyaan, perintah, atau ajakan <penjabaran>

- 오늘 (nomina) : 지금 지나가고 있는 이날.
  hari ini
  hari ini yang sekarang sedang dilalui sekarang

- 은 : 어떤 대상이 다른 것과 대조됨을 나타내는 조사.
  Tiada Penjelasan Arti
  partikel yang menyatakan suatu objek dibandingkan dengan yang lain

- 제 (pronomina) : 말하는 사람이 자신을 낮추어 가리키는 말인 '저'에 조사 '가'가 붙을 때의 형태.
  saya
  bentuk ketika melekatkan partikel '가' ke '저' yang berarti 'saya' dalam bentuk sopan

- 가 : 어떤 상태나 상황에 놓인 대상이나 동작의 주체를 나타내는 조사.
  Tiada Penjelasan Arti
  partikel yang menyatakan subjek sebuah keadaan atau situasi atau pelaku utama sebuah tindakan

- 사다 (verba) : 다른 사람과 함께 먹은 음식의 값을 치르다.
  mentraktir
  membayar harga makanan yang dimakan bersama dengan orang lain

- -ㄹ게요 : (두루높임으로) 말하는 사람이 어떤 행동을 할 것을 듣는 사람에게 약속하거나 의지를 나타내는 표현.
  saya akan~, saya mau
  (dalam bentuk hormat) ungkapan yang menunjukkan hal orang yang berbicara berjanji atau memberitahukan akan melakukan suatu tindakan kepada orang yang mendengar

< 대화(pembicaraan) > - 94

어떻게 공부를 했길래 하나도 안 틀렸어요?
어떠케 공부를 핻낄래 하나도 안 틀려써요?
eotteoke gongbureul haetgillae hanado an teullyeosseoyo?

전 그저 학교에서 배운 것을 빠짐없이 복습했을 뿐이에요.
전 그저 학꾜에서 배운 거슬 빠짐업씨 복쓰패쓸 뿌니에요.
jeon geujeo hakgyoeseo baeun geoseul ppajimeopsi bokseupaesseul ppunieyo.

< 설명(penjelasan) / 번역(penerjemahan) >

어떻게 공부+를 하+였+길래 하나+도 안 틀리+었+어요?
　　　　　　　　했길래　　　　　　　　　　틀렸어요

• **어떻게 (adverbia)** : 어떤 방법으로. 또는 어떤 방식으로.
  bagaimana
  dengan suatu cara, atau dengan suatu metode

• **공부 (nomina)** : 학문이나 기술을 배워서 지식을 얻음.
  belajar, pembelajaran
  hal belajar untuk mendapatkan ilmu

• **를** : 동작이 직접적으로 영향을 미치는 대상을 나타내는 조사.
  Tiada Penjelasan Arti
  partikel yang menyatakan objek dari suatu gerakan yang secara langsung memberikan pengaruh

• **하다 (verba)** : 어떤 행동이나 동작, 활동 등을 행하다.
  melakukan, mengerjakan, menjalankan
  melaksanakan suatu tindakan atau aksi, kegiatan, dsb

• **-였-** : 어떤 사건이 과거에 완료되었거나 그 사건의 결과가 현재까지 지속되는 상황을 나타내는 어미.
  sudah, telah, pernah
  akhiran kalimat yang menyatakan sebuah peristiwa sudah selesai di masa lampau atau menyatakan keadaan di mana hasil peristiwa tersebut terus berlangsung hingga sekarang

- **-길래** : 뒤에 오는 말의 원인이나 근거를 나타내는 연결 어미.
  karena, sebab
  akhiran kalimat penyambung yang menyatakan alasan atau dasar dari perkataan yang ada di belakang

- **하나 (nomina)** : 전혀, 조금도.
  satu pun
  sama sekali, sedikit pun

- **도** : 극단적인 경우를 들어 다른 경우는 말할 것도 없음을 나타내는 조사.
  saja
  partikel yang menyatakan tidak dapat mengatakan perihal yang lain dengan mengangkat situasi yang ekstrem

- **안 (adverbia)** : 부정이나 반대의 뜻을 나타내는 말.
  tidak
  kata yang menampilkan lawan arti atau negatif

- **틀리다 (verba)** : 계산이나 답, 사실 등이 맞지 않다.
  salah, tidak benar
  perhitungan, jawaban, kenyataan dsb yang tidak benar

- **-었-** : 어떤 사건이 과거에 완료되었거나 그 사건의 결과가 현재까지 지속되는 상황을 나타내는 어미.
  sudah, pasti, yakin
  akhiran kalimat yang menyatakan sebuah peristiwa sudah selesai di masa lampau atau menyatakan keadaan di mana hasil peristiwa tersebut terus berlangsung hingga sekarang

- **-어요** : (두루높임으로) 어떤 사실을 서술하거나 질문, 명령, 권유함을 나타내는 종결 어미.
  apakah, apa, ~saja, silakan
  (dalam bentuk hormat) kata penutup final yang mengungkapkan suatu kenyataan atau menyatakan pertanyaan, perintah, atau ajakan <pertanyaan>

저+는 그저 학교+에서 배우+[ㄴ 것]+을 빠짐없이 복습하+였+[을 뿐이]+에요.
전   배운 것을   복습했을 뿐이에요

- **저 (pronomina)** : 말하는 사람이 듣는 사람에게 자신을 낮추어 가리키는 말.
  saya
  kata yang digunakan oleh pembicara untuk menunjuk dirinya sendiri sambil merendahkan diri

- **는** : 문장 속에서 어떤 대상이 화제임을 나타내는 조사.
  Tiada Penjelasan Arti
  partikel yang menyatakan suatu subjek dalam kalimat menjadi bahan pembicaraan

· **그저** (adverbia) : 다른 일은 하지 않고 그냥.
 hanya, cuma
 hanya melakukan hal itu saja tidak melakukan pekerjaan lain

· **학교** (nomina) : 일정한 목적, 교과 과정, 제도 등에 의하여 교사가 학생을 가르치는 기관.
 sekolah
 intansi di mana guru mengajarkan murid berdasarkan tujuan, kurikulum, sistem, dsb tertentu

· **에서** : 앞말이 행동이 이루어지고 있는 장소임을 나타내는 조사.
 Tiada Penjelasan Arti
 partikel yang menyatakan bahwa kata di depannya adalah tempat tindakan terjadi

· **배우다** (verba) : 새로운 지식을 얻다.
 belajar
 mendapat pengetahuan baru

· **-ㄴ 것** : 명사가 아닌 것을 문장에서 명사처럼 쓰이게 하거나 '이다' 앞에 쓰일 수 있게 할 때 쓰는 표현.
 yang
 ungkapan yang dapat membuat suatu kelas kata bisa digunakan sebagai kata benda dalam kalimat dan berfungsi sebagai subjek atau objek, atau dapat membuat suatu kelas kata bisa digunakan di depan '이다'

· **을** : 동작이 직접적으로 영향을 미치는 대상을 나타내는 조사.
 Tiada Penjelasan Arti
 partikel yang menyatakan objek dari suatu gerakan yang secara langsung memberikan pengaruh

· **빠짐없이** (adverbia) : 하나도 빠뜨리지 않고 다.
 semua, tanpa kekecualian
 semua tanpa ada yang terlewatkan satu pun

· **복습하다** (verba) : 배운 것을 다시 공부하다.
 mengulang
 menelaah kembali pelajaran yang telah dipelajari

· **-였-** : 어떤 사건이 과거에 완료되었거나 그 사건의 결과가 현재까지 지속되는 상황을 나타내는 어미.
 sudah, telah, pernah
 akhiran kalimat yang menyatakan sebuah peristiwa sudah selesai di masa lampau atau menyatakan keadaan di mana hasil peristiwa tersebut terus berlangsung hingga sekarang

• -을 뿐이다 : 앞에 오는 말이 나타내는 상태나 상황 이외에 다른 어떤 것도 없음을 나타내는 표현.

  hanya, cuma, melulu, saja

  ungkapan yang menyatakan tidak adanya suatu hal pun di luar keadaan atau situasi yang ditunjukkan perkataan sebelumnya

• -에요 : (두루높임으로) 어떤 사실을 서술하거나 질문함을 나타내는 종결 어미.

  apakah, adalah

  (dalam bentuk hormat) kata penutup final yang mengungkapkan suatu kenyataan atau menyatakan pertanyaan, perintah, atau ajakan <penjabaran>

< 대화(pembicaraan) > - 95

듣기 좋은 노래 좀 추천해 주세요.
듣끼 조은 노래 좀 추천해 주세요.
deutgi joeun norae jom chucheonhae juseyo.

신나는 노래 위주로 듣는다면 이건 어때요?
신나는 조용한 노래 위주로 든는다면 이건 어때요?
sinnaneun norae wijuro deunneundamyeon igeon eottaeyo?

< 설명(penjelasan) / 번역(penerjemahan) >

듣+기 좋+은 노래 좀 추천하+[여 주]+세요.
추천해 주세요

• 듣다 (verba) : 귀로 소리를 알아차리다.
  mendengar
  mengetahui suara atau bunyi dengan telinga

• -기 : 앞의 말이 명사의 기능을 하게 하는 어미.
  Tiada Penjelasan Arti
  akhiran yang membuat kata di depannya berfungsi sebagai kata benda

• 좋다 (adjektiva) : 어떤 것의 성질이나 내용 등이 훌륭하여 만족할 만하다.
  bagus, baik
  karakter atau sifat dsb sesuatu hebat dan cukup memuaskan

• -은 : 앞의 말이 관형어의 기능을 하게 만들고 현재의 상태를 나타내는 어미.
  yang
  akhiran yang membuat kata di depannya berfungsi sebagai kata pewatas, dan menyatakan keadaan saat ini

• 노래 (nomina) : 운율에 맞게 지은 가사에 곡을 붙인 음악. 또는 그런 음악을 소리 내어 부름.
  lagu
  kata yang disesuaikan dengan irama musik, atau hal menyanyikan kata-kata yang demikian

• 좀 (adverbia) : 주로 부탁이나 동의를 구할 때 부드러운 느낌을 주기 위해 넣는 말.
　Tiada Penjelasan Arti
　kata yang biasanya dibubuhkan untuk memberikan kesan halus saat memohon atau meminta persetujuan

• 추천하다 (verba) : 어떤 조건에 알맞은 사람이나 물건을 책임지고 소개하다.
　merekomendasikan
　memperkenalkan orang atau barang dengan bertanggung jawab

• -여 주다 : 남을 위해 앞의 말이 나타내는 행동을 함을 나타내는 표현.
　memberi
　ungkapan yang menyatakan melakukan tindakan yang disebutkan dalam kalimat di depan untuk orang lain

• -세요 : (두루높임으로) 설명, 의문, 명령, 요청의 뜻을 나타내는 종결 어미.
　apakah, silakan
　(dalam bentuk hormat) akhiran kalimat penutup yang menyatakan arti penjelasan, pertanyaan, perintah, permintaan, dsb <permohonan>

신나+는 노래 위주+로 듣+는다면 이것(이거)+은 어떻+어요?
　　　　　　　　　　　　　　　　이건　　　　어때요

• 신나다 (verba) : 흥이 나고 기분이 아주 좋아지다.
　gembira, riang, senang
　merasa riang dan sangat senang

• -는 : 앞의 말이 관형어의 기능을 하게 만들고 사건이나 동작이 현재 일어남을 나타내는 어미.
　yang
　akhiran untuk membuat kata di depannya berfungsi sebagai pewatas dan menyatakan kejadian atau tindakan terjadi sekarang

• 노래 (nomina) : 운율에 맞게 지은 가사에 곡을 붙인 음악. 또는 그런 음악을 소리 내어 부름.
　lagu
　kata yang disesuaikan dengan irama musik, atau hal menyanyikan kata-kata yang demikian

• 위주 (nomina) : 무엇을 가장 중요한 것으로 삼음.
　Tiada Penjelasan Arti
　hal menjadikan sesuatu sebagai sesuatu yang terpenting atau inti utama

• 로 : 어떤 일의 방법이나 방식을 나타내는 조사.
　dengan
　partikel yang menyatakan cara atau tata cara suatu pekerjaan

- 듣다 (verba) : 귀로 소리를 알아차리다.
  mendengar
  mengetahui suara atau bunyi dengan telinga

- –는다면 : 어떠한 사실이나 상황을 가정하는 뜻을 나타내는 연결 어미.
  kalau
  kata penutup sambung yang menyatakan arti mengandaikan sebuah kenyataan atau keadaan

- 이것 (pronomina) : 말하는 사람에게 가까이 있거나 말하는 사람이 생각하고 있는 것을 가리키는 말.
  ini
  kata yang menunjukkan benda yang dekat dengan pembicara atau ada dalam pikiran pembicara

- 은 : 문장 속에서 어떤 대상이 화제임을 나타내는 조사.
  Tiada Penjelasan Arti
  partikel yang menyatakan suatu objek menjadi topik di dalam kalimat

- 어떻다 (adjektiva) : 생각, 느낌, 상태, 형편 등이 어찌 되어 있다.
  begitu, bagaimana
  pikiran, perasaan, situasi, keadaan, dsb berada dalam keadaan entah bagaimana

- –어요 : (두루높임으로) 어떤 사실을 서술하거나 질문, 명령, 권유함을 나타내는 종결 어미.
  apakah, apa, ~saja, silakan
  (dalam bentuk hormat) kata penutup final yang mengungkapkan suatu kenyataan atau menyatakan pertanyaan, perintah, atau ajakan <pertanyaan>

< 대화(pembicaraan) > - 96

너 모자를 새로 샀구나. 잘 어울린다.
너 모자를 새로 삳꾸나. 잘 어울린다.
neo mojareul saero satguna. jal eoullinda.

고마워. 가게에서 보자마자 마음에 들어서 바로 사 버렸지.
고마워. 가게에서 보자마자 마으메 드러서 바로 사 버렫찌.
gomawo. gageeseo bojamaja maeume deureoseo baro sa beoryeotji.

< 설명(penjelasan) / 번역(penerjemahan) >

너 모자+를 새로 <u>사</u>+<u>았</u>+<u>구나</u>.
　　　　　　　　　　샀구나

잘 <u>어울리</u>+<u>ㄴ다</u>.
　　　어울린다

• 너 (pronomina) : 듣는 사람이 친구나 아랫사람일 때. 그 사람을 가리키는 말.
  kamu
  kata untuk menunjuk lawan bicara yang merupakan teman atau orang yang lebih muda

• 모자 (nomina) : 예의를 차리거나 추위나 더위 등을 막기 위해 머리에 쓰는 물건.
  topi
  benda yang dikenakan di kepala untuk menunjukkan rasa hormat atau menghalangi dingin atau panas dsb

• 를 : 동작이 직접적으로 영향을 미치는 대상을 나타내는 조사.
  Tiada Penjelasan Arti
  partikel yang menyatakan objek dari suatu gerakan yang secara langsung memberikan pengaruh

• 새로 (adverbia) : 전과 달리 새롭게. 또는 새것으로.
  baru
  dengan baru yang berbeda dari sebelumnya, atau dengan sesuatu yang baru

• **사다 (verba)** : 돈을 주고 어떤 물건이나 권리 등을 자기 것으로 만들다.
membeli
menjadikan sesuatu atau hak dsb milik dengan memberikan sejumlah uang

• **-았-** : 어떤 사건이 과거에 완료되었거나 그 사건의 결과가 현재까지 지속되는 상황을 나타내는 어미.
sudah, telah, pasti akan
akhiran kalimat yang menyatakan sebuah peristiwa sudah selesai di masa lampau atau menyatakan keadaan di mana hasil peristiwa tersebut terus berlangsung hingga sekarang

• **-구나** : (아주낮춤으로) 새롭게 알게 된 사실에 어떤 느낌을 실어 말함을 나타내는 종결 어미.
ternyata
(dalam bentuk sangat rendah) kata penutup final yang menyatakan hal terkejut karena baru meyakini atau menyadari suatu fakta

• **잘 (adverbia)** : 아주 멋지고 예쁘게.
dengan cantik/apik
dengan sangat apik dan cantik

• **어울리다 (verba)** : 자연스럽게 서로 조화를 이루다.
serasi, sesuai, cocok
saling membentuk keharmonisan secara alami

• **-ㄴ다** : (아주낮춤으로) 현재 사건이나 사실을 서술함을 나타내는 종결 어미.
Tiada Penjelasan Arti
(dalam bentuk sangat rendah) kata penutup final yang menyatakan pernyataan kejadian atau keadaan masa kini

<u>고맙(고마우)</u>+어.
    고마워

가게+에서 보+자마자 [마음에 들]+어서 바로 <u>사</u>+[(아) 버리]+었+지.
                                        사 버렸지

• **고맙다 (adjektiva)** : 남이 자신을 위해 무엇을 해주어서 마음이 흐뭇하고 보답하고 싶다.
terima kasih
perasaan senang dan ingin membalas budi kepada orang lain yang telah melakukan kebaikan untuk kita

• -어 : (두루낮춤으로) 어떤 사실을 서술하거나 물음, 명령, 권유를 나타내는 종결 어미.
 -kah, -lah
 (dalam bentuk rendah) akhiran penutup untuk menyatakan suatu kenyataan atau menandai pertanyaan, perintah, dan ajakan <penjabaran>

• 가게 (nomina) : 작은 규모로 물건을 펼쳐 놓고 파는 집.
 toko
 rumah yang menjual barang khusus, atau berbagai jenis barang dengan skala penjualan kecil

• 에서 : 앞말이 어떤 일의 출처임을 나타내는 조사.
 Tiada Penjelasan Arti
 partikel yang menyatakan bahwa kata di depannya adalah sumber sebuah peristiwa

• 보다 (verba) : 눈으로 대상의 존재나 겉모습을 알다.
 melihat
 mengetahui keberadaan atau penampilan sesuatu dengan mata

• -자마자 : 앞의 말이 나타내는 사건이나 상황이 일어나고 곧바로 뒤의 말이 나타내는 사건이나 상황이
       일어남을 나타내는 연결 어미.
 begitu
 kata penutup sambung yang menyatakan peristiwa atau tindakan yang dikatakan dalam kalimat di belakang terjadi hampir bersamaan dengan tindakan yang dikatakan dalam kalimat di depan

• 마음에 들다 (idiom) : 자신의 느낌이나 생각과 맞아 좋게 느껴지다.
 suka
 merasa suka karena cocok dengan apa yang dirasakan dan dipikirkan

• -어서 : 이유나 근거를 나타내는 연결 어미.
 lalu, kemudian, karena, dengan
 kata penutup sambung yang menyatakan alasan atau landasan

• 바로 (adverbia) : 시간 차를 두지 않고 곧장.
 langsung, segera
 segera tanpa memberi jarak waktu

• 사다 (verba) : 돈을 주고 어떤 물건이나 권리 등을 자기 것으로 만들다.
 membeli
 menjadikan sesuatu atau hak dsb milik dengan memberikan sejumlah uang

• -아 버리다 : 앞의 말이 나타내는 행동이 완전히 끝났음을 나타내는 표현.
 sudah, telah
 ungkapan yang menyatakan bahwa tindakan dalam kalimat yang disebutkan di depan benar-benar selesai

• -었- : 어떤 사건이 과거에 완료되었거나 그 사건의 결과가 현재까지 지속되는 상황을 나타내는 어미.

sudah, pasti, yakin

akhiran kalimat yang menyatakan sebuah peristiwa sudah selesai di masa lampau atau menyatakan keadaan di mana hasil peristiwa tersebut terus berlangsung hingga sekarang

• -지 : (두루낮춤으로) 말하는 사람이 자신에 대한 이야기나 자신의 생각을 친근하게 말할 때 쓰는 종결 어미.

kan?, bukan?

(dalam bentuk rendah) kata penutup final yang digunakan saat pembicara berbicara tentang dirinya atau saat mengatakan pikirannya secara akrab

< 대화(pembicaraan) > - 97

엄마, 약속 시간에 늦어서 밥 먹을 시간 없어요.
엄마, 약쏙 시가네 느저서 밥 머글 시간 업써요.
eomma, yaksok sigane neujeoseo bap meogeul sigan eopseoyo.

조금 늦더라도 밥은 먹고 가야지.
조금 늗떠라도 바븐 먹꼬 가야지.
jogeum neutdeorado babeun meokgo gayaji.

< 설명(penjelasan) / 번역(penerjemahan) >

엄마, 약속 시간+에 늦+어서 밥 먹+을 시간 없+어요.

- **엄마 (nomina)** : 격식을 갖추지 않아도 되는 상황에서 어머니를 이르거나 부르는 말.
  mama
  panggilan untuk menyebutkan ibu dalam situasi tidak resmi

- **약속 (nomina)** : 다른 사람과 어떤 일을 하기로 미리 정함. 또는 그렇게 정한 내용.
  janji
  hal yang disetujui atau dijanjikan kepada orang lain sebelumnya, atau untuk menyebutkan hal seperti itu

- **시간 (nomina)** : 어떤 일을 하도록 정해진 때. 또는 하루 중의 어느 한 때.
  waktu, masa, saat
  waktu yang ditentukan untuk melakukan sesuatu, suatu waktu yang ada dalam satu hari

- **에** : 앞말이 시간이나 때임을 나타내는 조사.
  pada
  partikel yang menyatakan kalimat di depan adalah waktu atau saat

- **늦다 (verba)** : 정해진 때보다 지나다.
  lambat, terlambat
  melampaui waktu yang telah ditentukan

- **-어서** : 이유나 근거를 나타내는 연결 어미.
  lalu, kemudian, karena, dengan
  kata penutup sambung yang menyatakan alasan atau landasan

- 밥 (nomina) : 매일 일정한 때에 먹는 음식.
  makan, makanan
  makanan yang dimakan setiap hari pada waktu tertentu

- 먹다 (verba) : 음식 등을 입을 통하여 배 속에 들여보내다.
  makan
  memasukkan makanan ke dalam mulut lalu menelannya

- -을 : 앞의 말이 관형어의 기능을 하게 만들고 추측, 예정, 의지, 가능성 등을 나타내는 어미.
  penggunaan, digunakan untuk
  akhiran kalimat yang membuat kata di depannya berfungsi sebagai adnominal (kata penghias) dan menyatakan perkiraan, rencana, maksud, kemungkinan, dsb

- 시간 (nomina) : 어떤 일을 할 여유.
  waktu luang, masa luang, celah waktu
  keluangan untuk melakukan sesuatu

- 없다 (adjektiva) : 어떤 사실이나 현상이 현실로 존재하지 않는 상태이다.
  tidak ada
  keadaan suatu kenyataan atau fenomena sebenarnya tidak ada

- -어요 : (두루높임으로) 어떤 사실을 서술하거나 질문, 명령, 권유함을 나타내는 종결 어미.
  apakah, apa, ~saja, silakan
  (dalam bentuk hormat) kata penutup final yang mengungkapkan suatu kenyataan atau menyatakan pertanyaan, perintah, atau ajakan <penjabaran>

조금 늦+더라도 밥+은 먹+고 <u>가+(아)야지</u>.
가야지

- 조금 (adverbia) : 시간이 짧게.
  dengan sebentar
  dengan waktu yang sangat singkat

- 늦다 (verba) : 정해진 때보다 지나다.
  lambat, terlambat
  melampaui waktu yang telah ditentukan

- -더라도 : 앞에 오는 말을 가정하거나 인정하지만 뒤에 오는 말에는 관계가 없거나 영향을 끼치지 않음을 나타내는 연결 어미.
  walaupun, meskipun, biarpun
  akhiran penghubung untuk menyatakan bahwa tidak berhubungan atau tidak berpengaruh pada isi kalimat di belakang walaupun mengandaikan atau mengakui isi kalimat di depan

- **밥 (nomina)** : 매일 일정한 때에 먹는 음식.
  makan, makanan
  makanan yang dimakan setiap hari pada waktu tertentu

- 은 : 강조의 뜻을 나타내는 조사.
  Tiada Penjelasan Arti
  partikel yang menyatakan maksud penekanan

- **먹다 (verba)** : 음식 등을 입을 통하여 배 속에 들여보내다.
  makan
  memasukkan makanan ke dalam mulut lalu menelannya

- -고 : 앞의 말과 뒤의 말이 차례대로 일어남을 나타내는 연결 어미.
  lalu
  akhiran penghubung yang menyatakan bahwa kalimat di depan dan di belakang muncul secara berturut-turut

- **가다 (verba)** : 한 곳에서 다른 곳으로 장소를 이동하다.
  pergi
  bergerak dari satu tempat ke tempat lain

- -아야지 : (두루낮춤으로) 듣는 사람이나 다른 사람이 어떤 일을 해야 하거나 어떤 상태여야 함을 나타내는 종결 어미.
  seharusnya, semestinya
  (dalam bentuk rendah) akhiran penutup untuk menyatakan bahwa pendengar atau orang lain harus melakukan sesuatu atau berada di keadaan tertentu.

< 대화(pembicaraan) > - 98

너 오늘 많이 피곤해 보인다.
너 오늘 마니 피곤해 보인다.
neo oneul mani pigonhae boinda.

어제 늦게까지 술을 마셔 가지고 컨디션이 안 좋아.
어제 늗께까지 수를 마셔 가지고 컨디셔니 안 조아.
eoje neutgekkaji sureul masyeo gajigo keondisyeoni an joa.

< 설명(penjelasan) / 번역(penerjemahan) >

너 오늘 많이 피곤하+[여 보이]+ㄴ다.
피곤해 보인다

• 너 (pronomina) : 듣는 사람이 친구나 아랫사람일 때, 그 사람을 가리키는 말.
  kamu
  kata untuk menunjuk lawan bicara yang merupakan teman atau orang yang lebih muda

• 오늘 (adverbia) : 지금 지나가고 있는 이날에.
  hari ini, pada hari ini
  pada hari ini yang sekarang sedang dilalui

• 많이 (adverbia) : 수나 양, 정도 등이 일정한 기준보다 넘게.
  dengan banyak
  dengan angka atau jumlah, kadar, dsb melebihi standar yang ditentukan

• 피곤하다 (adjektiva) : 몸이나 마음이 지쳐서 힘들다.
  lelah, letih
  tubuh atau hati sudah sangat capek sehingga tidak berdaya

• -여 보이다 : 겉으로 볼 때 앞의 말이 나타내는 것처럼 느껴지거나 추측됨을 나타내는 표현.
  tampak, terlihat
  ungkapan yang menyatakan bahwa kalimat yang disebutkan di depan terasa atau diperkirakan seperti muncul atau terjadi

- -ㄴ다 : (아주낮춤으로) 현재 사건이나 사실을 서술함을 나타내는 종결 어미.
Tiada Penjelasan Arti
(dalam bentuk sangat rendah) kata penutup final yang menyatakan pernyataan kejadian atau keadaan masa kini

어제 늦+게+까지 술+을 <u>마시+[어 가지고]</u> 컨디션+이 안 좋+아.
마셔 가지고

- **어제 (adverbia)** : 오늘의 하루 전날에.
kemarin
sehari sebelum hari ini

- **늦다 (adjektiva)** : 적당한 때를 지나 있다. 또는 시기가 한창인 때를 지나 있다.
larut, lewat, terlambat
masa yang pantas sudah lewat, atau saat puncak sudah lewat

- **-게** : 앞의 말이 뒤에서 가리키는 일의 목적이나 결과, 방식, 정도 등이 됨을 나타내는 연결 어미.
dengan
kata penutup sambung yang menyatakan isi kalimat di depan dibutuhkan sementara kalimat di belakang terus dilanjutkan(formal, kedudukan penerima sangat rendah)

- **까지** : 어떤 범위의 끝임을 나타내는 조사.
sampai
partikel yang menyatakan akhir dari suatu lingkup

- **술 (nomina)** : 맥주나 소주 등과 같이 알코올 성분이 들어 있어서 마시면 취하는 음료.
alkohol, minuman beralkohol, minuman keras, miras
minuman seperti bir, soju, dsb yang dapat membuat mabuk bila diminum karena mengandung alkohol

- **을** : 동작이 직접적으로 영향을 미치는 대상을 나타내는 조사.
Tiada Penjelasan Arti
partikel yang menyatakan objek dari suatu gerakan yang secara langsung memberikan pengaruh

- **마시다 (verba)** : 물 등의 액체를 목구멍으로 넘어가게 하다.
minum
mengalirkan cairan seperti air dsb ke tenggorokan

- **-어 가지고** : 앞의 말이 나타내는 행동이나 상태가 뒤의 말의 원인이나 이유임을 나타내는 표현.
karena, sebab
ungkapan yang menyatakan bahwa tindakan atau keadaan dalam perkataan depan adalah sebab atau alasan untuk perkataan belakang

• **컨디션 (nomina)** : 몸이나 건강, 마음 등의 상태.
  kondisi
  kondisi atau keadaan tubuh, kesehatan, hati

• **이** : 어떤 상태나 상황의 대상이나 동작의 주체를 나타내는 조사.
  Tiada Penjelasan Arti
  partikel yang menyatakan objek dari suatu keadaan atau kondisi atau pelaku dari suatu tindakan

• **안 (adverbia)** : 부정이나 반대의 뜻을 나타내는 말.
  tidak
  kata yang menampilkan lawan arti atau negatif

• **좋다 (adjektiva)** : 신체적 조건이나 건강 상태 등이 보통보다 낫다.
  bagus, baik
  kondisi tubuh atau keadaan kesehatan dsb lebih baik dari biasa

• **-아** : (두루낮춤으로) 어떤 사실을 서술하거나 물음, 명령, 권유를 나타내는 종결 어미.
  -kah, -lah
  (dalam bentuk rendah) akhiran penutup untuk menyatakan suatu kenyataan atau menandai pertanyaan, perintah, dan ajakan <penjabaran>

< 대화(pembicaraan) > - 99

요리 학원에 가서 수업이라도 들을까 봐.
요리 하궈네 가서 수어비라도 드를까 봐.
yori hagwone gaseo sueobirado deureulkka bwa.

갑자기 왜? 요리를 해야 할 일이 있어?
갑짜기 왜? 요리를 해야 할 이리 이써?
gapjagi wae? yorireul haeya hal iri isseo?

< 설명(penjelasan) / 번역(penerjemahan) >

요리 학원+에 가+(아)서 수업+이라도 듣(들)+[을까 보]+아.
　　　　　　가서　　　　　　　　들을까 봐

- **요리 (nomina)** : 음식을 만듦.
  masakan
  sesuatu yang dibuat dengan bahan yang telah disiapkan

- **학원 (nomina)** : 학생을 모집하여 지식, 기술, 예체능 등을 가르치는 사립 교육 기관.
  kursus, pelatihan
  lembaga pendidikan swasata yang mengumpulkan siswa kemudian mengajarkan ilmu pengetahuan, teknik, bakat dan fisik dsb

- **에** : 앞말이 목적지이거나 어떤 행위의 진행 방향임을 나타내는 조사.
  ke
  partikel yang menyatakan kalimat di depan adalah tempat tujuan atau arah jalannya tindakan

- **가다 (verba)** : 한 곳에서 다른 곳으로 장소를 이동하다.
  pergi
  bergerak dari satu tempat ke tempat lain

- **-아서** : 앞의 말과 뒤의 말이 순차적으로 일어남을 나타내는 연결 어미.
  lalu, kemudian
  kata penutup sambung yang menyatakan kalimat di depan dan kalimat di belakang muncul secara berurutan

- **수업 (nomina)** : 교사가 학생에게 지식이나 기술을 가르쳐 줌.
  kuliah, kelas
  hal pengajar mengajari murid tentang pengetahuan atau teknik

- **이라도** : 그것이 최선은 아니나 여럿 중에서는 그런대로 괜찮음을 나타내는 조사.
  ~ pun
  partikel yang menyatakan hal sesuatu bukanlah yang terbaik tetapi tidak menjadi masalah

- **듣다 (verba)** : 다른 사람의 말이나 소리 등에 귀를 기울이다.
  mendengarkan
  mendengarkan perkataan atau suara orang lain

- **-을까 보다** : 앞에 오는 말이 나타내는 행동을 할 의도가 있음을 나타내는 표현.
  mau, ingin, hendak, akan
  ungkapan yang menyatakan memiliki hasrat untuk melakukan tindakan dalam kalimatdepan

- **-아** : (두루낮춤으로) 어떤 사실을 서술하거나 물음, 명령, 권유를 나타내는 종결 어미.
  -kah, -lah
  (dalam bentuk rendah) akhiran penutup untuk menyatakan suatu kenyataan atau menandai pertanyaan, perintah, dan ajakan <penjabaran>

갑자기 왜?

요리+를 <u>하+[여야 하]</u>+ㄹ 일+이 있+어?
　　　　해야 할

- **갑자기 (adverbia)** : 미처 생각할 틈도 없이 빨리.
  tiba-tiba
  tanpa ada waktu untuk berpikir, sangat cepat di luar dugaan

- **왜 (adverbia)** : 무슨 이유로. 또는 어째서.
  kenapa, mengapa
  untuk alasan apa, atau bagaimana bisa

- **요리 (nomina)** : 음식을 만듦.
  masakan
  sesuatu yang dibuat dengan bahan yang telah disiapkan

- **를** : 동작이 직접적으로 영향을 미치는 대상을 나타내는 조사.
  Tiada Penjelasan Arti
  partikel yang menyatakan objek dari suatu gerakan yang secara langsung memberikan pengaruh

· **하다 (verba)** : 어떤 행동이나 동작, 활동 등을 행하다.
 melakukan, mengerjakan, menjalankan
 melaksanakan suatu tindakan atau aksi, kegiatan, dsb

· **-여야 하다** : 앞에 오는 말이 어떤 일을 하거나 어떤 상황에 이르기 위한 의무적인 행동이거나 필수적 인 조건임을 나타내는 표현.
 harus, wajib, perlu
 ungkapan yang menyatakan perkataan sebelumnya adalah syarat wajib atau diperlukan demi melakukan suatu hal atau mewujudkan suatu situasi

· **-ㄹ** : 앞의 말이 관형어의 기능을 하게 만들고 추측, 예정, 의지, 가능성 등을 나타내는 어미.
 yang
 akhiran kalimat yang membuat kata di depannya berfungsi sebagai adnominal (kata penghias) dan menyatakan perkiraan, rencana, maksud, kemungkinan, dsb

· **일 (nomina)** : 해결하거나 처리해야 할 문제나 사항.
 urusan, masalah
 masalah atau hal yang harus diselesaikan atau diurus

· **이** : 어떤 상태나 상황의 대상이나 동작의 주체를 나타내는 조사.
 Tiada Penjelasan Arti
 partikel yang menyatakan objek dari suatu keadaan atau kondisi atau pelaku dari suatu tindakan

· **있다 (adjektiva)** : 어떤 사람에게 무슨 일이 생긴 상태이다.
 terjadi sesuatu
 keadaan sudah terjadi sesuatu pada seseorang

· **-어** : (두루낮춤으로) 어떤 사실을 서술하거나 물음, 명령, 권유를 나타내는 종결 어미.
 -kah, -lah
 (dalam bentuk rendah) akhiran penutup untuk menyatakan suatu kenyataan atau menandai pertanyaan, perintah, dan ajakan <pertanyaan>

< 대화(pembicaraan) > - 100

이 옷 사이즈도 맞고 너무 예뻐요.
이 온 사이즈도 맏꼬 너무 예뻐요.
i ot saijeudo matgo neomu yeppeoyo.

다행이네. 너한테 작을까 봐 조금 걱정했는데.
다행이네. 너한테 자글까 봐 조금 걱쩡핻는데.
dahaengine. neohante jageulkka bwa jogeum geokjeonghaenneunde.

< 설명(penjelasan) / 번역(penerjemahan) >

이 옷 사이즈+도 맞+고 너무 <u>예쁘(예쁘)+어요</u>.
예뻐요

- 이 (pewatas) : 말하는 사람에게 가까이 있거나 말하는 사람이 생각하고 있는 대상을 가리킬 때 쓰는 말.
  ini, si ini
  kata yang digunakan saat menunjuk target yang berada di dekat atau yang dipikirkan si pembicara

- 옷 (nomina) : 사람의 몸을 가리고 더위나 추위 등으로부터 보호하며 멋을 내기 위하여 입는 것.
  baju, pakaian
  sesuatu yang menutupi tubuh, melindungi dari panas dan dingin, dan mempercantik diri

- 사이즈 (nomina) : 옷이나 신발 등의 크기나 치수.
  ukuran, nomor
  ukuran atau nomor dari baju, alas kaki, dsb

- 도 : 이미 있는 어떤 것에 다른 것을 더하거나 포함함을 나타내는 조사.
  juga
  partikel yang menyatakan menambahkan atau mengikutsertakan sesuatu yang lain pada sesuatu yang sudah ada

- 맞다 (verba) : 크기나 규격 등이 어떤 것과 일치하다.
  sesuai, pas, cukup
  besar atau standar dsb sesuai dengan sesuatu

- -고 : 두 가지 이상의 대등한 사실을 나열할 때 쓰는 연결 어미.
  dan
  akhiran penghubung yang digunakan untuk menyusun dua atau lebih kenyataan yang setara

- 너무 (adverbia) : 일정한 정도나 한계를 훨씬 넘어선 상태로.
  terlalu, berlebihan
  tarafnya melebihi batas tertentu

- 예쁘다 (adjektiva) : 생긴 모양이 눈으로 보기에 좋을 만큼 아름답다.
  cantik
  sangat indah

- -어요 : (두루높임으로) 어떤 사실을 서술하거나 질문, 명령, 권유함을 나타내는 종결 어미.
  apakah, apa, ~saja, silakan
  (dalam bentuk hormat) kata penutup final yang mengungkapkan suatu kenyataan atau menyatakan pertanyaan, perintah, atau ajakan <penjabaran>

다행+이+네.

너+한테 작+[을까 보]+아 조금 걱정하+였+는데.
　　　　　작을 까봐　　　　　　걱정했는데

- 다행 (nomina) : 뜻밖에 운이 좋음.
  untung (saja), syukur(lah)
  keberuntungan di luar dugaan

- 이다 : 주어가 지시하는 대상의 속성이나 부류를 지정하는 뜻을 나타내는 서술격 조사.
  adalah
  partikel kasus predikatif yang menyatakan maksud menentukan karakter atau jenis dari objek yang diindikasikan subjek

- -네 : (아주낮춤으로) 지금 깨달은 일에 대하여 말함을 나타내는 종결 어미.
  wah, ternyata
  (dalam bentuk sangat rendah) kata penutup final yang menyatakan perkataan tentang peristiwa yang sekarang disadari

- 너 (pronomina) : 듣는 사람이 친구나 아랫사람일 때, 그 사람을 가리키는 말.
  kamu
  kata untuk menunjuk lawan bicara yang merupakan teman atau orang yang lebih muda

• 한테 : 앞말이 기준이 되는 대상이나 단위임을 나타내는 조사.
  dalam, bagi, untuk
  partikel yang menyatakan kalimat di depan adalah objek, subjek, atau satuan yang menjadi patokan

• 작다 (adjektiva) : 정해진 크기에 모자라서 맞지 아니하다.
  kecil
  tidak sesuai karena kurang dari ukuran yang ditentukan

• -을까 보다 : 앞에 오는 말이 나타내는 상황이 될 것을 걱정하거나 두려워함을 나타내는 표현.
  karena, sebab, gara-gara
  ungkapan yang menyatakan kekhawatiran atau ketakutan bahwa keadaan dalam kalimat depan akan terjadi

• -아 : 앞에 오는 말이 뒤에 오는 말에 대한 원인이나 이유임을 나타내는 연결 어미.
  karena, sebab
  akhiran penghubung untuk menyatakan bahwa anak kalimat menjadi sebab atau alasan terhadap kalimat induk.

• 조금 (adverbia) : 분량이나 정도가 적게.
  agak, dengan sedikit
  dengan jumlah atau tingkat yang sedikit

• 걱정하다 (verba) : 좋지 않은 일이 있을까 봐 두려워하고 불안해하다.
  khawatir
  takut dan gelisah kalau-kalau sesuatu yang tidak baik muncul

• -였- : 어떤 사건이 과거에 완료되었거나 그 사건의 결과가 현재까지 지속되는 상황을 나타내는 어미.
  sudah, telah, pernah
  akhiran kalimat yang menyatakan sebuah peristiwa sudah selesai di masa lampau atau menyatakan keadaan di mana hasil peristiwa tersebut terus berlangsung hingga sekarang

• -는데 : (두루낮춤으로) 듣는 사람의 반응을 기대하며 어떤 일에 대해 감탄함을 나타내는 종결 어미.
  sebenarnya, nyatanya
  (dalam bentuk rendah) kata penutup final yang menyatakan seruan terhadap suatu peristiwa sambil mengharapkan tanggapan pendengar

- 334 -

< 참고(perujukan) 문헌(pustaka rujukan) >

고려대학교 한국어대사전, 고려대학교 민족문화연구원, 2009
우리말샘, 국립국어원, 2016
표준국어대사전, 국립국어원, 1999
한국어교육 문법 자료편, 한글파크, 2016
한국어 교육학 사전, 하우, 2014
한국어기초사전, 국립국어원, 2016
한국어 문법 총론 Ⅰ, 집문당, 2015

HANPUK

대화로 배우는 한국어 bahasa Indonesia(penerjemahan)

발 행 | 2024년 6월 21일
저 자 | 주식회사 한글2119연구소
펴낸이 | 한건희
펴낸곳 | 주식회사 부크크
출판사등록 | 2014.07.15.(제2014-16호)
주 소 | 서울특별시 금천구 가산디지털1로 119 SK트윈타워 A동 305호
전 화 | 1670-8316
이메일 | info@bookk.co.kr

ISBN | 979-11-410-9060-9